COLLECTION « BEST-SELLERS »

DU MÊME AUTEUR

Chez le même éditeur

LA FIRME, 1992
L'AFFAIRE PÉLICAN, 1994
NON COUPABLE, 1994
LE COULOIR DE LA MORT, 1995
LE CLIENT, 1996
L'IDÉALISTE, 1997
LE MAÎTRE DU JEU, 1998
L'ASSOCIÉ, 1999
LA LOI DU PLUS FAIBLE, 1999
LE TESTAMENT, 2000
L'ENGRENAGE, 2001
LA DERNIÈRE RÉCOLTE, 2002
PAS DE NOËL CETTE ANNÉE, 2002
L'HÉRITAGE, 2003
LA TRANSACTION, 2004
LE DERNIER JURÉ, 2005
LE CLANDESTIN, 2006
LE DERNIER MATCH, 2006
L'ACCUSÉ, 2007
LE CONTRAT, 2008
LA REVANCHE, 2008
L'INFILTRÉ, 2009
CHRONIQUES DE FORD COUNTY, 2010
LA CONFESSION, 2011
LES PARTENAIRES, 2012

JOHN GRISHAM

LE MANIPULATEUR

roman

traduit de l'anglais (États-Unis)
par Johan-Frédérik Hel-Guedj

ROBERT LAFFONT

Titre original : THE RACKETEER
© Belfry Holdings, Inc., 2012

Traduction française : Éditions Robert Laffont, S.A., Paris, 2013
ISBN 978-2-221-12985-2
(édition originale : ISBN 978-0-385-53514-4, Doubleday Random House Inc.,
New York)

1.

Je suis avocat, et je suis en prison. C'est une longue histoire.

J'ai quarante-trois ans et je suis à mi-parcours d'une peine de dix ans prononcée à Washington par un juge fédéral médiocre et moralisateur. J'ai épuisé tous mes recours en appel et il ne me reste, parmi un arsenal déjà très dégarni, aucune procédure, aucun dispositif, aucun texte de loi obscur, aucun point de procédure, aucune faille, aucun miracle ultime. Je n'ai plus rien. Comme je connais le droit, je pourrais me prêter au jeu de certains détenus et encombrer les tribunaux de piles de requêtes, assignations inutiles et autres citations totalement vaines, mais rien de tout cela ne servirait ma cause. Rien ne servira plus ma cause. La réalité, c'est que je n'ai aucun espoir de sortir d'ici avant encore cinq ans, moins quelques malheureuses semaines grappillées pour bonne conduite – et ma conduite est exemplaire.

Je ne devrais plus me prétendre avocat, car dans la pratique je n'en suis plus un. Peu après ma condamnation, le barreau de l'État de Virginie s'en est mêlé et m'a retiré ma licence. C'est écrit en toutes lettres, noir sur blanc : toute condamnation pénale équivaut à une radiation du barreau. J'ai été dépouillé de ma licence et mes ennuis disciplinaires ont été dûment signalés dans les colonnes du *Virginia Lawyer Register*. Ce mois-là, nous fûmes trois avocats radiés, ce qui constitue grosso modo la moyenne.

Toutefois, dans mon petit monde, je suis connu pour faire partie des « avocats taulards » et, en tant que tel, je consacre plusieurs heures par jour à aider mes codétenus à régler leurs problèmes juridiques. J'étudie leurs dossiers en appel et leurs requêtes. Je rédige des testaments simples et, à l'occasion, des actes fonciers. Je revois des contrats pour des types qui sont des cols blancs. J'ai poursuivi l'État fédéral sur la foi de plaintes légitimes, mais jamais pour celles que je considère comme futiles. Et je traite beaucoup de divorces.

Huit mois et six jours après le début de mon incarcération, j'ai reçu une épaisse enveloppe. Les prisonniers meurent d'envie de recevoir du courrier, mais de cet envoi-là, j'aurais pu me passer. Il provenait d'un cabinet juridique, à Fairfax, en Virginie, représentant ma femme qui, étonnamment, demandait le divorce. En l'espace de quelques semaines, Dionne était passée de son rôle d'épouse et de soutien, fermement ancrée pour le long terme, à celui de victime qui prend la fuite et tient absolument à se sortir de là. Je n'arrivais pas à y croire. J'avais lu les papiers, complètement sous le choc, les genoux en coton, les larmes aux yeux et, quand j'avais eu peur d'éclater en sanglots, je m'étais rué vers le fond de ma cellule pour m'isoler. On pleure beaucoup, en prison, mais ça ne se voit jamais.

Quand j'avais quitté la maison, Bo avait six ans. C'était notre seul enfant, mais nous projetions d'en avoir d'autres. Le calcul est simple, et je me le suis répété un million de fois : quand je sortirai, il aura seize ans, il sera en pleine adolescence, et j'aurai manqué dix des années les plus précieuses qui soient entre un père et un fils. Jusqu'à l'âge de douze ans, les petits garçons vénèrent leur père et croient qu'il ne peut rien faire de mal. J'avais entraîné Bo au tee-ball et au foot, en équipe benjamin, il me suivait partout comme un petit chien. On allait pêcher, camper, et il m'accompagnait parfois au bureau, les samedis matin, après un petit déjeuner entre garçons. Il était tout mon univers, et lorsque j'avais tenté de lui expliquer que je m'en allais pour longtemps, cela nous avait brisé le cœur à tous les deux. Une fois derrière les barreaux, j'avais refusé qu'il vienne me rendre visite. Malgré ma très forte envie de le serrer dans mes bras, je ne pouvais pas supporter l'idée de ce petit garçon voyant son père incarcéré.

Se défendre dans une procédure de divorce, quand on est en prison et sans aucune perspective de libération prochaine, c'est pratiquement impossible. Après dix-huit mois de pilonnage en règle du gouvernement fédéral, nos avoirs, qui n'avaient jamais été très importants, se réduisaient à pas grand-chose. Nous avions tout perdu, sauf notre enfant et notre engagement l'un envers l'autre. Cet enfant, c'était du béton ; notre engagement, lui, avait fini en poussière. Dionne m'avait fait de belles promesses, jurant de persévérer et de tenir bon, mais, après mon départ, la réalité s'était imposée. Elle s'était sentie esseulée, isolée, dans notre petite ville. « Dès que les gens me voient, ils chuchotent », m'avait-elle écrit dans l'une de ses premières lettres. « Je suis si seule », se plaignait-elle dans une autre. Ses missives n'avaient pas tardé à se faire nettement plus courtes et plus espacées. Tout comme ses visites.

Dionne avait grandi à Philadelphie et n'avait jamais été séduite par la vie à la campagne. Quand un oncle lui avait offert un emploi, elle avait subitement été très pressée de retourner auprès de sa famille. Elle s'est remariée il y a deux ans, et Bo, qui en a maintenant onze, a un autre père qui lui sert d'entraîneur. Mes vingt dernières lettres à mon fils sont demeurées sans réponse. Je suis sûr qu'il ne les a jamais reçues.

Je me demande souvent si je le reverrai. Je crois que je vais faire cet effort, même si j'hésite un peu. Comment se retrouve-t-on face à un enfant que l'on aime au point d'en avoir mal, mais qui sera incapable de vous reconnaître ? Nous ne vivrons plus jamais ensemble, comme un père et un fils normaux. Serait-il juste, pour Bo, de voir son père, éloigné de lui depuis longtemps, ressurgir et insister pour refaire partie de sa vie ?

J'ai beaucoup trop le temps de penser à tout cela.

Je suis le détenu nº 44861-127 d'un camp de détention fédéral à proximité de Frostburg, dans le nord du Maryland. Un « camp » est un établissement pénitentiaire de basse sécurité pour ceux d'entre nous qui ne sont pas considérés comme violents et ont été condamnés à des peines de dix ans maximum. Pour des raisons qui n'ont jamais été stipulées clairement, mes vingt-deux premiers mois se sont déroulés dans une taule de moyenne sécurité près de Louisville, dans le Kentucky. Dans le maquis des sigles bureaucratiques, cet endroit s'appelle une IFC – institution pénitentiaire fédérale –, et c'était une autre chanson que mon camp d'emprisonnement de Frostburg. Une IFC est réservée aux individus violents de sexe masculin condamnés à plus de dix ans de détention. La vie y est beaucoup plus pénible, même si j'ai survécu sans jamais avoir été agressé physiquement. Être un ancien marine m'y a énormément aidé.

En fait de prison, mon camp actuel est une station balnéaire. Il n'y a pas de murs d'enceinte, pas de clôture, pas de feuillard, pas de miradors et seulement quelques gardiens armés de fusil. Frostburg est de construction relativement récente, et les locaux sont plus agréables que ceux de beaucoup d'écoles publiques. Faut-il s'en étonner ? Aux États-Unis, nous dépensons quarante mille dollars par an pour chaque détenu incarcéré, contre huit mille pour chaque élève d'école d'élémentaire. Ici, nous avons des conseillers psychosociologiques, des directeurs, des assistantes sociales, des infirmières, des secrétaires, toutes sortes d'assistantes et des dizaines d'administrateurs qui auraient le plus grand mal à expliquer, en toute honnêteté, à quoi ils remplissent leurs huit heures de travail quotidiennes. Après tout, ils représentent le gouvernement fédéral. Le parking des employés, près de la porte d'entrée, est plein de jolies voitures et autres 4 × 4.

Frostburg compte six cents détenus et, à de rares exceptions près, nous constituons un groupe d'hommes obéissants. Ceux qui ont une histoire personnelle violente ont retenu la leçon et apprécient ce cadre civilisé. Ceux qui ont passé leur existence en prison ont enfin trouvé là le meilleur foyer qui soit. Nombre de ces délinquants professionnels n'ont aucune envie de partir. Ils sont complètement intégrés dans l'institution et incapables de fonctionner à l'extérieur. Un lit chaud, trois repas par jour, des soins de santé – comment pourraient-ils trouver mieux, dehors, dans la rue ?

Je n'insinue pas que l'endroit soit plaisant. Il ne l'est pas. Il est peuplé de quantité d'hommes, comme moi, qui n'auraient jamais cru tomber un jour aussi bas. Des hommes qui avaient une profession, une carrière, une affaire ; des hommes qui possédaient un patrimoine, une jolie famille, une carte de membre d'un country-club. Mon Gang de Blancs est composé de Carl, un optométriste qui a un peu trop trafiqué ses facturations à la Sécurité sociale, de Kermit, un spéculateur foncier qui promettait deux ou trois fois la même propriété à des banques différentes, de Wesley, un ancien sénateur de l'État de Pennsylvanie qui a touché un pot-de-vin, et enfin de Mark, un petit courtier en prêts immobiliers qui avait un peu trop tendance à bâcler ses dossiers.

Carl, Kermit, Wesley et Mark ? Tous blancs, d'un âge moyen de cinquante et un ans. Tous admettant leur culpabilité.

Et puis il y a moi. Malcolm Bannister, noir, âgé de quarante-trois ans, condamné pour un crime qu'à ma connaissance je n'ai pas commis. En ce moment, à Frostburg, je suis le seul Noir purgeant une peine pour un délit en col blanc. Quel mérite !

Dans mon Gang de Noirs, les critères ne sont pas aussi clairement définis. Il s'agit pour la plupart de gamins des rues de Washington et de Baltimore qui sont tombés pour des crimes liés à la drogue ; dès qu'on les remet en liberté conditionnelle, ils retournent dans la rue, avec une chance sur cinq de s'éviter une autre condamnation. Sans instruction, sans compétences et avec un casier judiciaire, comment sont-ils censés réussir ?

En réalité, dans un camp fédéral, il n'existe ni gangs ni violence. Si vous vous battez ou si vous menacez quelqu'un, vous serez viré et expédié dans un endroit bien pire. Il y a beaucoup de bisbilles, surtout à cause de la télévision, mais je n'ai encore vu personne jouer des poings. Certains de ces types ont purgé des peines dans des pénitenciers d'État, et les histoires qu'ils racontent sont terrifiantes. Personne n'a envie de troquer cet endroit contre une autre boutique. Donc on se conduit bien et on compte les jours. Pour les cols blancs, le châtiment, c'est l'humiliation et la perte d'un statut, d'un standing, d'un style de vie. Pour les Noirs, la vie dans un camp fédéral est plus sûre que là d'où ils viennent et que là où ils iront ensuite. Leur peine n'est qu'une case cochée dans leur casier judiciaire, une étape supplémentaire vers le statut de criminel professionnel.

De ce fait, je me sens plus blanc que noir.

Il y a deux autres ex-avocats, ici, à Frostburg. Pendant de longues années, Ron Napoli a été un avocat pénaliste de haute volée, à Philadelphie, jusqu'à ce que la cocaïne scelle sa chute. S'étant spécialisé dans les affaires de stupéfiants, il représentait de nombreux dealers et trafiquants de premier plan, du New Jersey à la Caroline du Nord et du Sud. Il préférait se faire rémunérer en espèces et en cocaïne, et il a fini par tout perdre : les services de l'impôt sur le revenu l'ont pincé pour évasion fiscale. Il a purgé à peu près la moitié de ses neuf années de réclusion. Ron ne va pas trop bien, ces temps-ci. Il a l'air déprimé et il refuse de faire de l'exercice et de prendre soin de lui. Il devient de plus en plus gros et lent, de plus en plus grincheux et malade. Il racontait souvent des histoires captivantes sur ses clients et leurs aventures de narcotrafiquants, mais maintenant il reste assis dans la cour et il s'enfile des paquets de Fritos, l'air paumé. Quelqu'un lui envoie de l'argent, et il dépense presque tout à bouffer des cochonneries.

L'autre ex-avocat est un requin de Washington, un dénommé Amos Kapp, longtemps un initié des milieux du pouvoir, un affairiste sournois qui a passé sa carrière à louvoyer autour des plus grands scandales politiques. Kapp et moi avons été traduits en justice ensemble, reconnus coupables ensemble et condamnés ensemble, par le même juge, à dix ans chacun. Nous étions huit accusés : sept originaires de Washington, et moi. Kapp a toujours été coupable de quelque chose – les jurés n'avaient aucun doute là-dessus, en tout cas. Il savait, à l'époque et aujourd'hui encore, que je n'avais rien à voir avec cette association de malfaiteurs, mais il était trop lâche et trop filou pour le faire savoir. À Frostburg, la violence est strictement proscrite, pourtant accordez-moi cinq minutes avec Amos Kapp, et il finira la nuque brisée. Il le sait, et je le soupçonne d'en avoir averti le directeur depuis longtemps. Ils le cantonnent dans le complexe ouest, aussi loin de mon quartier de détention que possible.

De ces trois avocats, je suis le seul qui veuille bien assister les autres détenus pour leurs problèmes juridiques. Ce travail me plaît. Il représente un défi et m'occupe. Il me permet aussi de ne pas perdre la main, bien que je ne crois pas avoir beaucoup d'avenir en tant qu'avocat. Une fois sorti, j'aurais la latitude de déposer une demande de réintégration au barreau, mais cela risque de se révéler une procédure épineuse. La vérité, c'est que mon métier d'avocat ne m'a jamais rapporté beaucoup d'argent. J'exerçais dans une petite ville et je suis noir, avec peu de clients susceptibles de me verser des honoraires corrects. Des dizaines d'autres cabinets d'avocats, tous massés dans Braddock Street, s'arrachaient tous les mêmes clients ; la concurrence était rude. Je ne suis pas certain de savoir ce que je ferai quand j'en aurai terminé ici, néanmoins pour ce qui serait de reprendre une carrière juridique, je nourris de sérieux doutes.

J'aurai quarante-huit ans, je serai célibataire, et, avec un peu de chance, en bonne santé.

Cinq ans, c'est une éternité. Tous les jours, je sors faire une longue promenade, seul, sur une piste de jogging en terre battue qui longe le périmètre du camp, ou la « ligne », comme on l'appelle. Franchissez la ligne, et vous êtes considéré comme un évadé. Bien que l'on soit sur le site d'un établissement carcéral, la campagne est magnifique et la vue spectaculaire. Quand je marche en regardant les collines vallonnées au loin, je combats une envie irrépressible : continuer de marcher et enjamber la ligne. Il n'y a pas de clôture pour m'arrêter, pas de gardien pour hurler mon nom. Je pourrais disparaître dans ces bois épais, disparaître pour toujours.

J'aimerais qu'il y ait un mur massif, haut de trois mètres, en brique, des rouleaux de barbelés scintillants au sommet, qui m'empêcheraient de regarder ces collines et de rêver de liberté. C'est une prison, bordel de Dieu ! On ne peut pas s'en aller. Dressez donc un mur et cessez de nous tenter !

La tentation est toujours là, et j'ai beau la combattre, je jure qu'elle se renforce de jour en jour.

2.

Frostburg est à quelques kilomètres à l'ouest de la petite ville de Cumberland, dans le Maryland, au milieu d'un appendice de territoire pris entre la Pennsylvanie au nord et la Virginie-Occidentale à l'ouest et au sud. Sur une carte, il est évident que cette portion exilée de l'État est la résultante d'un levé topographique erroné et qu'elle ne devrait absolument pas appartenir au Maryland, sans que l'on sache clairement à qui elle devrait être attribuée. Je travaille à la bibliothèque, et sur le mur au-dessus de mon petit bureau est placardée une grande carte de l'Amérique. Je passe beaucoup trop de temps à la regarder, à rêver éveillé, à me demander comment j'ai pu finir détenu dans un camp fédéral, dans cette région reculée de l'ouest du Maryland.

À une centaine de kilomètres au sud se trouve la ville de Winchester, en Virginie, avec sa population de vingt-six mille habitants : mon lieu de naissance, celui de mon enfance, de mon éducation, de ma carrière et, en fin de compte, de ma chute. On m'a dit que Winchester avait peu changé depuis mon départ. Le cabinet d'avocats Copeland & Reed, où je travaillais, est toujours en activité dans le même rez-de-chaussée sur rue. Il se situe sur Braddock Street, dans la vieille ville, juste à côté d'un petit restaurant. Il portait les noms de Copeland, Reed & Bannister, peints en noir sur la vitrine, et c'était le seul cabinet entièrement composé d'Afro-Américains dans un rayon de presque deux cents kilomètres. On m'a raconté que M. Copeland et M. Reed réussissent assez bien, sans accéder à la prospérité ou même à la richesse, certes, mais en générant suffisamment d'activité pour payer leurs deux secrétaires et le loyer. C'était à peu près la même chose quand j'étais associé – on réussissait tout juste à vivoter. À l'époque de ma Chute, je nourrissais de sérieux doutes quant à la possibilité de survivre dans une aussi petite ville.

J'ai cru comprendre que M. Copeland et M. Reed refusent d'aborder le sujet – moi et mes problèmes. Ils ont été à deux doigts d'une inculpation, eux aussi, et ils ont vu leur réputation ternie. Le procureur fédéral qui m'a cueilli tirait à vue sur toute personne liée de près ou de loin à sa prétendue association de malfaiteurs, et il a failli régler son compte à tout le cabinet. Mon crime a été de choisir le mauvais client. Mes deux anciens associés, eux, n'en ont jamais commis aucun. L'atteinte portée à leur honneur me tient encore éveillé la nuit. Ils ont tous les deux la soixantaine largement sonnée et, dans leur jeune temps, ils ont non seulement lutté pour relever le défi consistant à maintenir à flot un cabinet d'avocats généralistes dans une petite ville, mais aussi mené certains des derniers combats de l'époque des lois Jim Crow, comme on appelle ces vieux textes générateurs de ségrégation raciale. À l'audience, les juges les tenaient parfois pour quantité négligeable et tranchaient à leur détriment, y compris en l'absence de fondement juridique solide. D'autres avocats se montraient souvent grossiers et très peu confraternels à leur égard. L'association du barreau du comté ne les avait pas invités à les rejoindre. Il arrivait à des greffiers de perdre leurs requêtes. Des jurys entièrement composés de Blancs refusaient de les croire. Le pire, c'était que les clients ne faisaient pas appel à eux. Des clients noirs, pourtant. Dans les années 1970, jamais personne n'aurait eu recours aux services d'un avocat noir, en tout cas pas dans le Sud – et cela n'a pas tellement changé. À leurs débuts, Copeland & Reed ont failli mettre la clef sous la porte, parce que les Noirs considéraient que les avocats blancs valaient mieux. C'est leur travail acharné et leur engagement professionnel qui ont modifié la donne, très lentement.

16

Winchester n'avait pas ma préférence, pour débuter une carrière. J'avais fait mon droit à l'université George Mason, en périphérie du district de Columbia, dans le nord de la Virginie. L'été suivant ma deuxième année, j'eus la chance d'atterrir dans un gigantesque cabinet de Pennsylvania Avenue, près de Capitol Hill, à un poste de collaborateur. C'était une de ces boîtes réunissant un millier de juristes, avec des bureaux secondaires dans le monde entier, d'anciens sénateurs figurant sur le papier à en-tête, des clients parmi les plus grosses capitalisations boursières et un rythme de travail effréné qui me plaisait énormément. Le summum, ce fut pour moi de jouer les garçons de course lors du procès d'un ancien parlementaire (notre client) accusé de collusion avec son délinquant de frère pour toucher des enveloppes versées par un groupe de défense sous contrat avec le Pentagone. Le procès fut un vrai cirque, et j'étais très excité de me trouver au premier rang de la piste aux étoiles.

Onze ans plus tard, j'entrerais dans la même salle d'audience du palais de justice fédéral E. Barrett Prettyman, dans le centre de Washington, pour me soumettre à mon propre procès.

Cet été-là, j'étais l'un des dix-sept collaborateurs du cabinet. Les seize autres, tous sortis des meilleures facultés de droit, reçurent des propositions d'embauche. Et moi, comme j'avais mis tous mes œufs dans le même panier, je passai ma troisième année de fac à arpenter Washington en tous sens, à frapper aux portes sans qu'aucune s'ouvre. Il devait y avoir en permanence plusieurs milliers d'avocats sans emploi battant le pavé de la capitale, et il était facile de sombrer dans le désespoir. Je finis par pousser jusque dans la banlieue, où les cabinets étaient de taille bien plus modeste et les postes encore plus rares.

Finalement, j'étais rentré chez moi, complètement défait, mes rêves de gloire dans la cour des grands réduits à néant. M. Copeland et M. Reed n'avaient pas un volume d'affaires suffisant et ne pouvaient certainement pas se permettre d'embaucher un nouveau collaborateur, pourtant ils eurent pitié de moi et ils débarrassèrent une vieille pièce de rangement à l'étage.

J'ai travaillé avec autant d'acharnement que possible, même si c'était souvent une gageure d'aligner des heures supplémentaires avec si peu de clients. Nous nous sommes pas mal débrouillés et, au bout de cinq ans, ils ont eu la générosité d'ajouter mon nom à leur société d'avocats. Mes revenus n'ont guère augmenté pour autant.

Tout au long de l'instruction, il m'a été pénible de voir leur réputation traînée dans la boue, alors que ça n'avait aucun sens. J'étais déjà dans les cordes quand le principal agent du FBI chargé de l'enquête m'a informé que, si je ne plaidais pas coupable et si je ne coopérais pas avec le procureur, M. Copeland et M. Reed feraient l'objet de poursuites. J'ai pris cela pour du bluff, sans en être sûr : je lui ai répondu d'aller au diable.

Par chance, il bluffait.

Je leur ai écrit des lettres, de longues lettres éplorées d'excuses, auxquelles ils n'ont pas répondu. Je les ai priés de venir me rendre visite, afin que nous puissions nous parler face à face, mais ils n'ont pas réagi. Ma ville natale a beau n'être qu'à une centaine de kilomètres, je n'ai qu'un seul visiteur régulier.

Mon père a été l'un des premiers policiers recrutés par le Commonwealth de Virginie. Pendant trente ans, Henry Bannister a patrouillé les routes et autoroutes de la région de Winchester, et il a aimé chaque minute de son travail. Il aimait le métier en soi, le fait d'exercer une autorité et de s'inscrire dans une tradition, le pouvoir d'appliquer la loi et de témoigner de la compassion envers ceux qui étaient dans le besoin. Il aimait l'uniforme, sa voiture de patrouille, tout sauf le pistolet à son ceinturon. Il fut contraint de le dégainer en quelques occasions, mais n'eut jamais à ouvrir le feu. Il s'attendait à ce que les Blancs lui manifestent du ressentiment et à ce que les Noirs réclament sa clémence, et il était déterminé à faire preuve d'une totale impartialité. C'était un policier endurci, pour qui la loi ne comportait aucune zone grise. Si un acte n'était pas légal, il était forcément illégal – il n'avait pas de temps à consacrer à des arguties de procédure.

À partir du moment où j'ai été inculpé, mon père m'a cru coupable – de quelque chose. Oubliée, la présomption d'innocence. Oubliées, surtout, mes protestations d'innocence. En homme fier de sa carrière, il était endoctriné par une vie entière passée à pourchasser ceux qui enfreignaient les lois, et si les fédéraux, munis de toutes leurs ressources et dans leur grande sagesse, me jugeaient dignes d'un acte d'accusation de cent pages, c'était qu'ils avaient raison et que j'avais tort. Je suis sûr qu'il éprouvait de la compassion, et je suis convaincu qu'il priait pour que je me sorte de tout ce gâchis, mais c'étaient là des sentiments qu'il avait du mal à me communiquer. Il se sentait humilié, et il me l'a fait savoir. Comment son avocat de fils avait-il pu se laisser entraîner avec une telle bande d'escrocs aussi louches ?

Je me suis posé la même question un millier de fois ; il n'y a pas de bonne réponse.

Henry Bannister avait à peine achevé le lycée et, après quelques démêlés mineurs avec la justice, à seize ans il avait intégré le corps des marines. Les marines en avaient rapidement fait un homme, un soldat épris de discipline et qui puisait une grande fierté dans le port de l'uniforme. Il avait servi au Vietnam à trois reprises, il s'était fait tirer dessus, il avait été brûlé vif et s'était brièvement retrouvé en captivité. Ses médailles sont accrochées au mur de son bureau, dans la petite maison où j'ai été élevé. Il y vit seul. Ma mère est morte, renversée par un chauffard ivre, deux ans avant ma mise en accusation.

Henry effectue le trajet de Frostburg une fois par mois, pour une visite d'une heure. Ayant pris sa retraite, il n'a pas grand-chose à faire et il pourrait me rendre visite une fois par semaine, s'il voulait. Pourtant, il s'abstient.

Une longue peine de prison comporte quantité d'aspects inhumains. Le premier, c'est le sentiment d'être lentement oublié par le monde extérieur et par ceux que l'on aime et dont on a besoin. Le courrier, qui arrivait par liasses entières les premiers mois, s'est peu à peu réduit à une ou deux lettres hebdomadaires. Les amis et des membres de ma famille qui paraissaient très désireux de me rendre visite ont cessé de se montrer depuis des années. Mon frère aîné, Marcus, vient deux fois par an quand il a une heure à tuer, pour me tenir au courant de ses derniers problèmes. Il a trois fils adolescents, tous délinquants juvéniles à des stades divers, plus une femme qui est dingue. J'en conclus que moi, somme toute, je n'ai aucun problème. En dépit de son existence chaotique, je prends plaisir aux visites de mon frère. Toute sa vie, Marcus a imité Richard Pryor, le comique noir, et dès qu'il prononce un mot, il est drôle. En général, cette heure-là, il la passe à récriminer contre ses enfants, et il est tordant. Ma sœur cadette, Ruby, vit sur la côte Ouest, et je la vois une fois par an. Elle prend soin de m'écrire une lettre par semaine, et j'y attache le plus grand prix. J'ai un lointain cousin qui a purgé sept ans de détention pour vol à main armée – j'ai été son avocat –, et il vient deux fois par an, parce que je ne l'ai pas laissé tomber quand il était incarcéré.

Au bout de trois ans, il s'est souvent écoulé des mois sans que je reçoive un visiteur, excepté mon père. Le Bureau des prisons essaie de placer ses détenus à moins de huit cents kilomètres de leur foyer. J'ai de la chance que Winchester soit si proche, même si elle pourrait aussi bien se situer à mille cinq cent kilomètres de là : plusieurs de mes amis d'enfance n'ont jamais effectué le trajet, quelques autres ne m'ont pas donné de nouvelles et la plupart de mes anciens amis juristes sont trop occupés. Mon camarade de jogging, en fac de droit, m'écrit une fois par mois, mais il est incapable de caser une visite. Il habite à Washington, à deux cent cinquante kilomètres d'ici, où il prétend travailler sept jours sur sept dans un gros cabinet juridique. Mon meilleur copain de l'époque des marines vit à Pittsburgh, à deux heures de route, et il est venu à Frostburg très exactement une fois.

Je suppose que je devrais déjà m'estimer heureux que mon père fasse cet effort.

Comme toujours, il est assis, seul, dans la petite salle des visites, un sac en papier kraft posé devant lui sur la table. Il contient soit des cookies, soit des brownies de ma tante Racine, sa sœur. Nous nous serrons la main – de sa vie, Henry Bannister n'a jamais embrassé un homme. Il m'observe, pour s'assurer que je n'ai pas grossi et, comme toujours, il me questionne sur mon régime quotidien. En quarante ans, il n'a pas pris cinq cents grammes, et il entre encore dans son uniforme des marines. Il est convaincu que manger moins est synonyme de longévité accrue, et il a peur de mourir jeune. Son père et son grand-père ont été fauchés à la fin de la cinquantaine. Il fait cinq kilomètres de marche par jour et considère que je devrais l'imiter. Je me suis résigné à ce qu'il ne cesse jamais de me dire comment je dois mener mon existence – en prison ou ailleurs.

Il tapote le sac en papier.

— Racine t'a envoyé ça.

— Remercie-la de ma part, si tu veux bien.

S'il s'inquiète tellement de mon tour de taille, pourquoi m'apporte-t-il un sac de pâtisseries bien grasses chaque fois qu'il me rend visite ? J'en mangerai deux ou trois et je donnerai le reste.

— Tu as parlé à Marcus, dernièrement ? me demande-t-il.

— Non, pas ce mois-ci. Pourquoi ?

— Gros soucis. Delmon a mis une fille enceinte. Il a quinze ans, elle en a quatorze.

Mon père secoue la tête, l'œil noir. À dix ans, Delmon était déjà un hors-la-loi, et la famille s'est toujours attendue à ce qu'il mène une existence de délinquant.

— Ton premier arrière-petit-fils, lui dis-je, tâchant de prendre la nouvelle avec humour.

— Tu parles si ça me rend fier ! Une jeune Blanche de quatorze ans se fait sauter par un idiot de quinze ans, et il se trouve qu'il s'appelle Bannister.

Nous nous attardons tous les deux un petit moment sur le sujet. Nos visites sont souvent définies non tant par ce qui se dit que par ce qui reste profondément enfoui. Mon père a soixante-neuf ans et, au lieu de savourer une vieillesse dorée, il consacre l'essentiel de son temps à panser ses blessures et à s'apitoyer sur son sort. Ce n'est pas que je lui en veuille. Sa chère épouse – quarante-quatre ans de mariage – lui a été retirée en une fraction de seconde. Et, alors qu'il se noyait dans le chagrin, nous avons découvert que le FBI s'intéressait à mon cas, et l'enquête n'a pas tardé à faire boule de neige. Pendant les trois semaines qu'a duré mon procès, mon père était tous les jours dans la salle d'audience. Ma comparution devant un juge et ma condamnation à dix ans de prison lui ont brisé le cœur. Ensuite, Bo nous a été retiré, à tous les deux. Et maintenant les enfants de Marcus sont en âge de faire beaucoup de peine à leurs parents et à leurs proches.

Notre famille mériterait d'avoir un peu de chance, bien que cela paraisse peu probable.

— J'ai parlé à Ruby, hier soir, me confie-t-il. Elle va bien, elle t'embrasse et elle a trouvé ta dernière lettre vraiment rigolote.

— Tu lui diras que les siennes comptent énormément, s'il te plaît. En cinq ans, elle ne m'a pas oublié une seule semaine.

Ruby est une immense source d'espoir, dans notre famille qui se désagrège. Elle est conseillère conjugale et son mari est pédiatre. Ils ont trois enfants absolument parfaits, qu'ils tiennent à distance respectable de leur oncle Malcolm.

Après un long silence, j'ajoute encore un mot :

— Merci pour le chèque, comme toujours.

Il hausse les épaules.

— Content de pouvoir t'aider.

Il m'envoie cent dollars par mois, et j'apprécie énormément. Cet argent me permet d'acheter certains articles indispensables : stylos, cahiers, livres de poche et de quoi me nourrir correctement. La plupart des membres de mon Gang de Blancs réceptionnent des chèques de chez eux, alors que pratiquement aucun de mon Gang de Noirs ne reçoit un penny. En prison, on sait toujours qui touche de l'argent.

— Tu en es presque à la moitié, me dit-il.

— Un peu moins de cinq ans, dans deux semaines.

— Ça file, j'imagine.

— Quand on est dehors, oui, peut-être. Je peux t'assurer que la pendule tourne beaucoup plus lentement, derrière ces murs.

— N'empêche, c'est difficile à croire que tu sois là depuis cinq ans.

En effet. Comment survit-on des années, en prison ? On ne pense pas aux années, aux mois ou aux semaines. On pense à la journée en cours – comment arriver au bout, comment y survivre. Lorsqu'on se réveille, le lendemain, ça fait toujours une journée de plus derrière soi. Ces journées s'accumulent, les semaines s'additionnent et les mois se changent en années. Vous vous rendez compte que vous êtes coriace, que vous réussissez à vous adapter et à survivre, parce que vous n'avez pas le choix.

— Une idée de ce que tu feras ? me demande-t-il.

Tous les mois, j'ai droit à cette même question, comme si ma libération n'était plus très loin. Sois patient, voilà ce que je me répète. C'est mon père, et il est là ! Ce qui est très important.

— Pas vraiment. C'est trop loin.

— Si j'étais toi, je commencerais à y réfléchir, insiste-t-il, certain qu'il saurait exactement quoi faire s'il était à ma place.

— Je viens de passer mon troisième examen d'espagnol, lui dis-je, non sans fierté.

Dans mon Gang de Marrons (les Hispanos), j'ai un bon ami, Marco, qui est un excellent professeur de langue. Grâce à la drogue.

— D'ici peu, apparemment, on parlera tous espagnol. Ils prennent le pouvoir.

Henry tolère mal les immigrants, toute personne avec un accent, les gens de New York et du New Jersey, ceux qui touchent des allocations ou qui sont au chômage ; il estime qu'il faudrait regrouper tous les sans-abri dans des camps qui, selon sa conception, ressembleraient à Guantanamo, en pire.

Il y a de ça quelques années, nous avons échangé des propos assez rudes, et il m'a menacé de cesser ses visites. Les prises de bec sont une perte de temps. Je ne vais pas le changer. Il a la gentillesse de s'imposer toute cette route en voiture, le moins que je puisse faire est de me conduire correctement. Je suis un criminel, j'ai été reconnu coupable ; pas lui. Le gagnant, c'est lui ; le perdant, c'est moi. À ses yeux, c'est important, mais j'ignore pourquoi. Peut-être parce que je suis allé à l'université et que j'ai fréquenté la fac de droit, ce dont il n'aurait même jamais rêvé.

— Je vais sans doute quitter le pays, lui dis-je. Partir quelque part où l'espagnol pourra me servir, sans doute au Panamá ou au Costa Rica. Un climat chaud, la plage, des gens à la peau plus foncée. Ils se moquent des casiers judiciaires ou de savoir qui est allé en prison.

— Ailleurs l'herbe est toujours plus verte, hein ?

— Oui, papa, quand tu es en prison, ailleurs l'herbe est forcément plus verte. Qu'est-ce que je suis censé faire ? Rentrer à la maison, devenir auxiliaire juridique, exercer sans avoir besoin de licence, effectuer des recherches pour un minuscule cabinet juridique qui n'a pas les moyens de m'embaucher ? Ou devenir garant d'inculpés en liberté conditionnelle ? Pourquoi pas détective privé ? Je n'ai pas énormément de choix.

Il m'écoute en opinant du chef. Nous avons déjà eu cette conversation une dizaine de fois au moins.

— Et tu détestes le gouvernement, remarque-t-il.

— Ah, ça, oui. Je déteste le gouvernement fédéral, le FBI, les procureurs, les juges fédéraux, les abrutis qui dirigent nos prisons. Il y a beaucoup de choses que je déteste, là-dedans. Je suis coincé ici à purger dix ans pour un crime imaginaire parce qu'un gros bras de procureur avait besoin d'étoffer son tableau de chasse. Et si le gouvernement peut me tomber dessus et me coller dix ans sans preuve, pense un peu à toutes les opportunités qui m'attendent, avec les mots « sorti de prison » tatoués sur le front. Dès que je peux me tailler de ce pays, papa, je le fais.

Il hoche la tête et il sourit. Bien sûr, Malcolm.

3.

Au vu de l'importance de leurs actes, des controverses qui souvent les accompagnent et des individus violents auxquels ils sont parfois confrontés, il est remarquable que, dans l'histoire des États-Unis, seuls quatre juges fédéraux aient été assassinés.

L'honorable Raymond Fawcett est désormais le cinquième.

Son corps a été retrouvé dans le petit sous-sol d'un bungalow qu'il avait construit de ses mains au bord d'un lac et où il passait ses week-ends. Comme il ne s'était pas présenté à l'audience, un lundi matin, ses greffiers pris de panique avaient appelé le FBI. Les agents n'avaient pas été longs à découvrir la scène de crime. Le bungalow se situe dans une région très boisée du sud-ouest de la Virginie, à flanc de montagne, au bord d'un petit plan d'eau immaculé que les gens du coin appellent le lac Higgins. Ce lac ne figure sur presque aucune carte routière.

Il n'y avait apparemment pas eu effraction dans ce sous-sol, ni lutte ni bagarre ; juste deux cadavres, la tête trouée de balles, et un coffre-fort vide. Le juge Fawcett gisait à côté du coffre, deux projectiles dans la nuque – manifestement une exécution. Sur le sol autour de son corps, une large flaque de sang avait séché. Le premier expert présent sur les lieux avait estimé que le décès du juge remontait à au moins deux jours. Selon l'un de ses assistants juridiques, il avait quitté son bureau vers 15 heures, le vendredi après-midi, en prévoyant de se rendre directement au bungalow et d'y passer le week-end plongé dans ses dossiers.

L'autre corps était celui de Naomi Clary, une jeune divorcée âgée de trente-quatre ans, mère de deux enfants, récemment engagée par le juge comme secrétaire. Fawcett, qui avait soixante-six ans et cinq enfants d'âge adulte, n'était pas divorcé. Mme Fawcett et lui ne vivaient plus ensemble depuis plusieurs années, mais on les apercevait encore du côté de Roanoke quand les circonstances l'exigeaient. Tout le monde savait qu'ils étaient séparés et, comme il s'agissait d'un notable éminent, leur arrangement n'avait pas été sans alimenter quelques ragots. Ils avaient l'un et l'autre confié à leurs enfants et à leurs amis qu'ils n'avaient tout simplement pas le cran de divorcer. L'argent était du côté de Mme Fawcett, le statut social du côté du juge Fawcett. Ils paraissaient tous deux satisfaits de leur décision, et ils avaient l'un et l'autre promis de ne pas avoir de liaison. Leur accord verbal stipulait qu'ils engageraient une procédure de divorce si monsieur ou madame rencontrait quelqu'un d'autre.

À l'évidence, le juge avait trouvé une personne à son goût. Presque immédiatement après l'ajout de Mme Clary au registre du personnel, la rumeur avait couru au palais de justice que le juge batifolait – une fois de plus. Ils étaient quelques-uns à savoir, au sein de son équipe, qu'il n'avait jamais pu s'empêcher de sauter sur tout ce qui bouge.

Le corps de Naomi se trouvait sur un canapé, non loin du cadavre du magistrat. Elle était nue, sur le dos, les chevilles ligotées avec du ruban adhésif métallisé et les poignets scotchés derrière elle. On lui avait tiré deux balles dans le front. Son corps était couvert de petites marques brunes de brûlures. Au bout de quelques heures de discussions et d'analyses, les policiers qui dirigeaient l'enquête s'étaient accordés à penser qu'elle avait sans doute été torturée – un moyen de forcer Fawcett à ouvrir le coffre. Apparemment, cela avait porté ses fruits. Le coffre était vide, sa porte béante. Le voleur l'avait entièrement nettoyé de son contenu avant d'exécuter ses victimes.

Le père du juge Fawcett dirigeait une entreprise de charpente et, déjà tout gosse, le futur magistrat avait toujours eu un marteau à la main. Il était sans cesse en train de construire des choses – une nouvelle véranda derrière la maison, une terrasse en bois, un hangar. Quand ses enfants étaient petits, du temps où son mariage était heureux, il avait complètement restructuré une vieille et majestueuse demeure du centre de Roanoke, tenant lieu à lui seul d'entreprise de bâtiment et passant tous ses week-ends sur une échelle. Quelques années plus tard, il avait rénové un loft qui était devenu son nid d'amour, puis son domicile. Pour lui, transpirer en maniant le marteau et la scie était une thérapie, un exutoire mental et physique à un métier stressant. Il avait conçu la charpente triangulaire de son bungalow du lac, qu'il avait bâti presque entièrement lui-même, sur quatre années. Dans le sous-sol où il était mort, un mur tapissé de beaux rayonnages en cèdre était bourré d'épais manuels juridiques. Au milieu, était dissimulée une porte dérobée : un module de la bibliothèque pivotait et révélait un coffre. Le meurtrier avait fait rouler ce coffre sur à peu près un mètre, avant de le vider complètement.

Le coffre était en métal et en plomb, monté sur des roulettes de dix centimètres de diamètre. Il avait été fabriqué par la Vulcan Safe Company de Kenosha, dans le Wisconsin, et le juge Fawcett l'avait acheté sur Internet. D'après les spécifications, il mesurait un mètre quinze de hauteur, quatre-vingt-dix centimètres de largeur et un mètre de profondeur ; il offrait un volume de rangement de deux cent cinquante litres, pesait deux cent trente kilos et son prix de vente était de deux mille cent dollars. Une fois convenablement verrouillé, il était à l'épreuve du feu, étanche et prétendument à l'épreuve du vol. Il fallait saisir un code d'entrée à six chiffres sur le pavé numérique de la porte.

Pourquoi un juge fédéral qui gagnait cent soixante-quatorze mille dollars par an avait-il besoin d'un coffre aussi sécurisé et aussi bien caché ? C'était pour le FBI un premier mystère. Au moment de sa mort, le juge Fawcett détenait quinze mille dollars sur son compte personnel, un placement de soixante mille dollars qui lui rapportait moins d'un pour cent annuel et un autre de quarante-sept mille dollars qui avait fait moins bien que le marché depuis presque dix ans, enfin trente et un mille dollars sur un fonds obligataire. Il était également titulaire d'un plan de retraite et disposait de la panoplie d'avantages réservés aux hauts fonctionnaires fédéraux. Certes, il n'était quasiment pas endetté, cependant ses avoirs n'avaient rien d'impressionnant. Sa véritable sécurité résidait dans son métier. Comme la Constitution l'autorisait à exercer jusqu'à sa mort, son traitement ne cesserait jamais de lui être versé.

La famille de Mme Fawcett possédait des titres bancaires par wagons entiers, mais le juge n'avait jamais été en mesure de s'en approcher. Maintenant, avec leur séparation, ils étaient d'autant plus hors de sa portée.

Conclusion : le juge était à l'aise sans être riche, et pas du genre à être obligé de protéger sa fortune dans un coffre secret.

Qu'y avait-il donc dans ce coffre ? Ou, formulé plus brutalement : que contenait-il qui avait condamné Fawcett à une telle mort ?

Des entretiens avec la famille et les amis révéleraient par la suite qu'on ne lui connaissait pas d'habitudes dépensières ; il n'accumulait pas les pièces d'or ou les diamants rares, rien qui nécessite d'être protégé de la sorte. Mis à part une impressionnante collection de cartes de base-ball datant de sa jeunesse, rien ne prouvait que le juge ait été collectionneur de quoi que ce soit de valeur.

Son bungalow à toiture triangulaire était si profondément enfoui dans les collines qu'il était presque impossible à trouver. Une véranda l'entourait sur quatre côtés et personne, aucun autre véhicule, aucun autre bungalow, aucune autre maison, aucun appentis, aucun bateau n'était visible dans les parages. L'isolement total. Le juge rangeait un kayak et un canoë au sous-sol, et on savait qu'il passait des heures sur le lac, à pêcher, à réfléchir et à fumer le cigare. C'était un homme tranquille, ni solitaire ni timide, un individu cérébral et sérieux.

Pour le FBI, il n'y aurait malheureusement pas de témoins, car il n'y avait pas âme qui vive à des kilomètres à la ronde. Le bungalow était le lieu parfait pour tuer quelqu'un et être loin avant que l'on découvre le crime. Dès leur arrivée sur place, les enquêteurs comprirent que, sur ce coup-là, ils avaient un temps de retard. Et cela ne fit qu'empirer. Ils ne découvrirent pas une seule empreinte digitale, pas une seule empreinte de soulier, pas une fibre, pas un bulbe de cheveu qui traîne, aucune trace de pneu susceptibles de leur fournir un indice. Le bungalow ne disposait pas de système d'alarme et sûrement pas de caméras de surveillance. Et pourquoi se donner cette peine ? L'officier de police judiciaire le plus proche était à une demi-heure de là et, à supposer qu'il réussisse même à repérer l'endroit, qu'était-il censé faire, une fois sur place ? Le plus abruti des cambrioleurs se serait éclipsé depuis longtemps.

Pendant trois jours, les enquêteurs inspectèrent chaque centimètre carré du bungalow et des huit ares de terrain tout autour, en vain. Le fait que le meurtrier se soit montré si prudent et si méthodique ne contribua pas à améliorer le moral de l'équipe. Ils avaient affaire à un individu talentueux, un tueur doué qui ne laissait pas d'indices. Par où étaient-ils censés commencer ?

Ils subissaient des pressions du département de la Justice, à Washington. Le directeur du FBI mettait sur pied une force d'intervention, une sorte d'unité d'opérations spéciales pour se rendre à Roanoke et résoudre ce crime.

Comme il fallait s'y attendre, les meurtres très violents d'un juge adultère et de sa jeune amie étaient de magnifiques cadeaux aux médias et aux tabloïds. Trois jours après la découverte de son corps, Naomi Clary fut inhumée, et la police de Roanoke dut dresser des barrières devant le cimetière afin de tenir les journalistes et les curieux à distance. Quand on honora la mémoire de Raymond Fawcett, le lendemain, dans une église épiscopalienne bondée, un hélicoptère d'une chaîne de télévision tourna au-dessus du bâtiment et le vacarme du rotor noya les accords de l'orgue. Le chef de la police, un vieil ami du juge, fut obligé de faire décoller son hélicoptère pour éloigner le premier. Mme Fawcett était assise au premier rang, impassible, au milieu de ses enfants et petits-enfants, refusant de verser une larme ou de poser le regard sur le cercueil de son époux. Nombre de propos aimables furent prononcés, mais certains fidèles, surtout parmi les hommes, se posaient la question : comment ce vieux garçon avait-il pu se trouver une petite amie aussi jeune ?

Une fois qu'ils furent morts et enterrés tous les deux, l'attention se porta de nouveau sur l'enquête. Le FBI refusait de faire la moindre déclaration publique, surtout parce qu'il n'avait rien à dire. Une semaine après la découverte des corps, le seul élément qu'il pouvait mettre en avant se réduisait aux rapports balistiques : quatre balles à pointe creuse tirées d'un calibre .38. Une arme répandue à plus d'un million d'exemplaires dans les rues d'Amérique et, à l'heure qu'il était, très probablement au fond d'un grand lac, quelque part dans les montagnes de Virginie.

On analysa tous les mobiles préexistants. En 1979, le juge John Wood avait été abattu devant sa maison de San Antonio. Son assassin était un tueur à gages recruté par un puissant dealer de drogue sur le point d'être condamné par Wood, qui vouait une sainte détestation au marché de la drogue et à ceux qui le faisaient fonctionner. Vu le surnom du juge (« Maximum John »), le mobile était assez évident. À Roanoke, les équipes du FBI examinèrent toutes les affaires, pénales et civiles, traitées par Fawcett et dressèrent une liste de suspects potentiels, pratiquement tous impliqués dans le commerce de stupéfiants.

En 1988, on avait abattu le juge Richard Daronco alors qu'il s'occupait de l'entretien du jardin de sa maison de Pelham, dans l'État de New York. Le tueur était le père en colère d'une femme qui venait de perdre un procès, sous la juridiction du magistrat. Le père avait tiré sur le juge avant de se suicider. À Roanoke, l'équipe du FBI passa au crible les dossiers du juge Fawcett et interrogea ses assistants juridiques. Il y avait toujours des détraqués qui déposaient des plaintes ridicules devant un tribunal fédéral, et une liste en ressortit peu à peu. Des noms, mais pas de véritables suspects.

En 1989, le juge Robert Smith Vance avait ouvert un colis piégé et trouvé la mort chez lui, à Mountain Brook, dans l'Alabama. Les policiers avaient démasqué le tueur, ensuite expédié dans le couloir de la mort, quoique son mobile n'ait jamais été clair. Les procureurs avaient supposé qu'il était en colère à la suite d'une décision du magistrat. À Roanoke, le FBI avait interrogé des centaines d'avocats ayant eu des affaires instruites par le juge Fawcett, qu'elles soient en cours ou remontent à un passé récent. Tous les avocats ont des clients qui sont soit assez fous, soit assez méchants pour chercher à se venger, et un petit nombre d'entre eux étaient passés par la salle d'audience de Fawcett. On retrouva leur trace et on les interrogea, avant de les écarter.

En janvier 2011, un mois avant le meurtre de Fawcett, le juge John Roll avait été tué d'un coup de fusil, près de Tucson, au cours du même massacre où Gabrielle Giffords, une parlementaire démocrate, avait été frappée d'une balle en pleine tête. Le juge Roll se trouvait au mauvais endroit au mauvais moment, ce n'était pas lui qui était visé. Sa mort ne fut d'aucune aide pour les enquêteurs du FBI à Roanoke.

Chaque jour, l'enquête s'enlisait un peu plus. Sans témoin, sans véritable pièce à conviction sur la scène de crime, sans aucune erreur de la part du tueur, avec juste une poignée de renseignements inutiles et quelques rares suspects figurant au rôle des causes du juge, à chaque étape, l'enquête se heurtait à une impasse.

L'annonce retentissante d'une récompense de cent mille dollars ne généra pratiquement pas de surcroît d'activité sur les hotlines du FBI.

4.

Comme Frostburg n'est qu'un camp de détention, assez souple en ce qui concerne la sécurité, nous entretenons plus de contacts avec le monde extérieur que la majorité des prisonniers. Notre courrier risque toujours d'être ouvert et lu, bien sûr, quoique cela reste rare. Nous avons un accès limité à l'e-mail, mais pas le droit de consulter Internet. Il y a des dizaines de téléphones, et quantité de règles qui en régissent l'usage, cependant on peut en général passer tous les appels qu'on veut – en PCV. Les téléphones portables sont strictement interdits. Nous sommes autorisés à souscrire des abonnements à des dizaines de magazines figurant sur une liste approuvée. Plusieurs journaux sont livrés ponctuellement tous les matins, et ils sont toujours disponibles dans un coin de la cantoche, que l'on appelle le coin café.

C'est là, tôt un matin, que j'avise le gros titre du *Washington Post* :

« JUGE FÉDÉRAL ASSASSINÉ PRÈS DE ROANOKE. »

Je ne peux dissimuler un sourire. Le moment est venu.

Ces trois dernières années, j'ai été obsédé par Raymond Fawcett. Je ne l'ai jamais rencontré, je ne suis jamais entré dans sa salle d'audience, je n'ai jamais engagé de procédure dans son secteur – le district sud de la Virginie. La quasi-totalité de mon activité juridique s'est déroulée dans un tribunal d'État. Je me suis rarement aventuré dans l'arène fédérale et, quand cela m'est arrivé, c'était toujours dans le district septentrional de la Virginie, englobant tout le secteur à partir du nord de Richmond. Le district sud couvre Roanoke, Lynchburg et l'énorme conurbation de la zone métropolitaine de Virginia Beach-Norfolk. Avant le décès de Fawcett, douze juges fédéraux travaillaient dans le district sud, et treize dans le district nord.

J'ai rencontré plusieurs détenus ici, à Frostburg, qui ont été condamnés par Fawcett ; sans vouloir paraître trop curieux, je les ai interrogés sur son compte en prétextant que je l'avais connu et que j'avais plaidé des affaires devant sa cour. Tous ces détenus, sans exception, haïssaient l'homme, et estimaient que les sentences qu'il avait prononcées contre eux avaient dépassé les bornes. Apparemment, quand il rendait son jugement, il se délectait de faire la leçon aux criminels en col blanc qu'il envoyait en prison. Leurs audiences attiraient généralement la presse, et Fawcett possédait un ego colossal.

Il avait fréquenté Duke University et Columbia, où il avait fait son droit, puis il avait travaillé quelques années dans un cabinet d'affaires de Wall Street. Son épouse – et l'argent de celle-ci – était originaire de Roanoke, où ils s'étaient installés. Il avait alors la trentaine. Il avait intégré le plus grand cabinet juridique de la ville et s'était vite hissé au sommet de l'échelle. Son beau-père était un donateur de longue date des Démocrates et, en 1993, le président Clinton avait nommé Fawcett à un poste à vie, à la cour fédérale du district sud de la Virginie.

Dans l'univers de la justice américaine, une telle nomination est porteuse d'un prestige considérable, mais ne rapporte pas beaucoup d'argent. À l'époque, le salaire de Fawcett était de cent vingt-cinq mille dollars par an, une baisse de rémunération d'environ trois cent mille dollars par rapport à ce qu'il gagnait en tant qu'associé très bosseur d'un cabinet juridique florissant. À quarante-huit ans, il était devenu l'un des plus jeunes juges fédéraux du pays et, avec cinq enfants, l'un des plus contraints financièrement. Son beau-père n'avait pas tardé à compléter ses revenus, et la pression s'était relâchée.

Il avait un jour décrit ses premières années au banc des juges dans une longue interview accordée à un périodique juridique. Je l'avais trouvé par hasard, à la bibliothèque de la prison, dans une pile de magazines qu'on allait jeter. Peu de livres et de magazines échappent à mon œil curieux ; souvent, je lis cinq ou six heures par jour. Les ordinateurs, ici, datent de quelques années et, en raison de la fréquentation, ils sont mal en point. Toutefois, comme je suis le bibliothécaire, ces ordinateurs sont sous ma responsabilité, et j'y ai un accès quasi illimité. Nous disposons d'abonnements à deux sites de recherches juridiques en ligne, et je les ai utilisés pour lire toutes les opinions publiées par feu l'honorable Raymond Fawcett.

Au tournant du siècle, en l'an 2000, il lui était arrivé quelque chose. Durant ses sept premières années au banc des juges, Fawcett était un protecteur des droits individuels, plutôt de gauche, rempli de compassion envers les gens pauvres et les esprits perturbés, prompt à taper sur les doigts des forces de l'ordre, sceptique envers le monde des affaires, et toujours désireux, armé de son stylo extrêmement affûté, de réprimander le juriste indiscipliné. Puis, en l'espace d'un an, il avait changé. Ses jugements s'étaient faits plus succincts, moins bien argumentés, parfois méchants, et il avait clairement viré à droite.

En 2000, le président Clinton l'avait nommé à un poste vacant au tribunal du quatrième circuit des cours d'appel de Richmond. Cette décision constituait une promotion logique pour un juge de district talentueux, ou pour un magistrat qui jouissait des relations qu'il fallait. Au quatrième circuit, Fawcett serait l'un des quinze juges qui ne traitaient que des affaires en appel. Le seul échelon supérieur au sien, c'était la Cour suprême des États-Unis, et on ignorait s'il avait des ambitions claires à cet égard – la plupart des juges fédéraux en nourrissent. Puis Bill Clinton avait quitté ses fonctions, plus ou moins en disgrâce, et ses nominations avaient été entravées par le Sénat ; quand George W. Bush avait été élu, l'avenir de Fawcett était demeuré inscrit à Roanoke.

34

Il avait cinquante-cinq ans. Ses enfants étaient déjà adultes ou sur le point de quitter la maison familiale. Peut-être avait-il succombé à une espèce de crise de l'âge mûr. Peut-être son mariage était-il déjà en perdition. Son beau-père était mort et ne l'avait pas couché sur son testament. Ses anciens associés s'enrichissaient pendant qu'il trimait pour un salaire d'employé de bureau – toutes proportions gardées. Quel qu'en soit le motif, en salle d'audience il n'était plus le même homme. Dans les affaires criminelles, ses sentences étaient devenues erratiques et beaucoup moins empreintes de compassion. Dans les affaires civiles, il témoignait moins de compréhension envers les petites gens et se rangeait plus souvent qu'à son tour du côté des puissants intérêts. Souvent, en mûrissant, les juges changent, mais rares sont ceux qui font aussi brusquement volte-face que Raymond Fawcett.

La plus grosse affaire de sa carrière concerna une bataille autour de l'extraction de l'uranium, qui débuta en 2003. J'étais encore avocat, à l'époque, et je connaissais les enjeux et certaines informations de base. Il était difficile d'éviter le sujet ; les journaux publiaient à peu près un article par jour.

Un important filon d'uranium traverse le centre et le sud de la Virginie. L'exploitation minière de l'uranium étant un cauchemar environnemental, l'État avait promulgué une loi l'interdisant. Naturellement, les propriétaires terriens, les détenteurs de baux emphytéotiques et les sociétés minières qui contrôlent les gisements voulaient depuis longtemps entamer des excavations, et ils consacraient des millions à exercer des pressions sur les législateurs afin d'obtenir la levée de cette interdiction. Or, l'assemblée de Virginie résistait. En 2003, une société canadienne, Armanna Mines, entama une procédure dans le district sud de la Virginie pour attaquer l'inconstitutionnalité de cette interdiction. C'était une attaque frontale, puissamment financée, où tous les coups étaient permis, et menée par certains des ténors juridiques les mieux payés du secteur.

On ne tarda pas à apprendre qu'Armanna Mines était un consortium qui, en plus du Canada, réunissait des compagnies minières des États-Unis, d'Australie et de Russie. Une estimation des seuls gisements de Virginie situait leur valeur potentielle entre quinze et vingt milliards de dollars.

En application du processus de sélection aléatoire en vigueur à l'époque, l'affaire fut confiée au juge McKay, de Lynchburg, âgé de quatre-vingt-quatre ans et souffrant de démence sénile. Invoquant des raisons de santé, il déclina. Le suivant, dans l'ordre hiérarchique, était Raymond Fawcett, qui n'avait aucune raison valable de se récuser. Le défendeur était le Commonwealth de Virginie, auquel plusieurs autres ne tardèrent pas à s'associer : des villes grandes et moyennes, des comtés situés dans les régions de ces gisements, ainsi que quelques propriétaires fonciers qui ne voulaient pas prendre part à cette destruction de l'environnement. Le procès se transforma en procédure tentaculaire impliquant plus de cent avocats. Le juge Fawcett écarta les requêtes initiales de non-lieu et ordonna une communication de pièces élargie. Il ne tarda pas à consacrer les neuf dixièmes de son temps à cette affaire.

En 2004, le FBI est entré dans ma vie, et j'ai perdu tout intérêt pour ce dossier minier. Subitement, j'avais d'autres affaires plus pressantes à traiter. Mon procès a débuté en octobre 2005, à Washington. À cette période, les audiences Armanna Mines avaient commencé depuis un mois, dans une salle bondée, à Roanoke. Au point où j'en étais, je me moquais comme d'une guigne de ce qui pouvait advenir de cet uranium.

Au bout d'un procès de trois semaines, j'ai été condamné à dix ans de détention. Après dix semaines de procès, le juge Fawcett a tranché en faveur d'Armanna Mines. Il n'y avait aucun lien possible entre les deux jugements, ou c'était du moins ce que je pensais tandis qu'on m'acheminait vers la prison.

Pourtant, je ne tarderais pas à rencontrer l'homme qui finirait par tuer le juge Fawcett.

Je connais l'identité du meurtrier, et je connais son mobile.

Pour le FBI, le mobile restait une question déconcertante. Au cours des semaines suivant le meurtre, la force d'intervention se concentra sur le litige Armanna Mines et interrogea des dizaines de personnes. À l'époque, deux groupes écologistes radicaux s'en étaient mêlés et s'étaient activés en marge du procès ; le FBI les avait surveillés de près. Fawcett avait reçu des menaces de mort et, pendant les débats, il ne s'était déplacé qu'entouré d'une escorte de protection. Ces menaces avaient fait l'objet d'une enquête approfondie et avaient été jugées peu crédibles, toutefois les gardes du corps étaient restés à proximité.

L'intimidation était un mobile peu vraisemblable. Fawcett, dont le seul nom était jugé toxique par les écologistes, avait pris sa décision, et il avait fait des dégâts. Son jugement avait été confirmé en 2009 par la cour d'appel du quatrième circuit, et l'affaire se dirigeait maintenant vers la Cour suprême des États-Unis. Les appels étant suspensifs, les gisements d'uranium étaient restés intacts.

La vengeance constituait un mobile, bien que le FBI ne l'évoque pas. Certains journalistes avaient parlé de « meurtres sous contrat », sans avoir apparemment rien sur quoi se fonder, excepté le professionnalisme de ces assassinats.

Étant donné la scène de crime et le coffre vide, le vol paraissait être un mobile plus vraisemblable.

Moi, j'ai un plan, que je peaufine depuis des années. C'est ma seule porte de sortie.

5.

Tous les détenus fédéraux en bonne santé doivent avoir un emploi, et c'est le Bureau des prisons qui contrôle la grille des rémunérations. Depuis deux ans, je suis bibliothécaire, à trente cents l'heure. À peu près la moitié de cette somme, ainsi que les chèques de mon père, sont soumis au Programme de responsabilité financière des détenus : le Bureau des prisons récupère cet argent et le reverse au titre des amendes pénales, des contraventions et des dédommagements. En plus de ma peine de dix ans de détention, j'ai reçu ordre de payer à peu près cent vingt mille dollars de pénalités diverses. À trente cents l'heure, cela prendra le reste du siècle, et un peu plus encore.

Parmi les autres emplois, citons cuisinier, plongeur, torchonneur de tables, récureur de sols, plombier, électricien, charpentier, employé de bureau, garçon de salle, blanchisseur, peintre, jardinier et enseignant. Je me considère comme chanceux. Mon boulot est l'un des meilleurs qui soit et il ne se réduit pas à nettoyer les saletés des autres. À l'occasion, je dispense un cours d'histoire à des détenus qui préparent leurs diplômes d'équivalence du secondaire. Enseigner rapporte trente-cinq cents l'heure, mais je ne suis pas tenté par une rémunération plus élevée : enseigner est franchement déprimant, à cause du faible niveau d'alphabétisation de la population carcérale. Les Noirs, les Blancs, les Marrons... il y en a tant, de ces types qui savent à peine lire et écrire, que cela vous amène à vous interroger sur ce que fabrique notre système éducatif.

Enfin, je ne suis pas ici pour réformer les systèmes éducatif, juridique, judiciaire ou carcéral. Je suis ici pour survivre, un jour après l'autre, tout en préservant autant de respect de soi et de dignité que possible. Nous sommes la lie, les moins-que-rien, les criminels ordinaires enfermés à l'écart de la société, et les moyens de nous le rappeler sont pléthore. Les gardiens de la prison se nomment des surveillants pénitentiaires, ou SP, tout simplement. Ne les appelez jamais « gardien ». Non monsieur. Être un SP, c'est être à un niveau nettement supérieur ; c'est un titre. La plupart des SP sont d'anciens flics, d'anciens shérifs adjoints, d'anciens militaires qui n'ont pas trop bien réussi dans leur carrière et travaillent désormais dans une prison. Quelques-uns sont corrects, mais la plupart sont des perdants, trop stupides pour se rendre compte qu'ils le sont. Et de quel droit le leur dirions-nous ? Ils se situent très au-dessus de nous, en dépit de leur stupidité, et ils prennent plaisir à nous le rappeler.

Les SP sont contraints à des rotations, pour éviter que l'un d'entre eux se rapproche trop d'un détenu. Je suppose que ça arrive, néanmoins l'une des règles cardinales de la survie du prisonnier, c'est d'éviter son SP. Traitez-le avec respect ; obéissez-lui au doigt et à l'œil ; ne lui causez pas de tracas ; et, surtout, tâchez de l'éviter.

Mon SP actuel n'est pas parmi les meilleurs. Il s'appelle Darrel Marvin, c'est un Blanc au torse puissant, bedonnant, pas plus de trente ans, qui veut se donner des airs conquérants, mais qui déplace un peu trop de tonnage autour des hanches. Darrel est un raciste inculte qui ne m'apprécie pas parce que je suis noir et titulaire de deux diplômes universitaires – soit deux de plus que lui. Chaque fois que je suis forcé de lécher les bottes de cette brute, une bataille intérieure fait rage en moi, pourtant, je n'ai pas le choix. Pour l'heure, j'ai besoin de lui.

— Bonjour, officier Marvin, lui dis-je avec un sourire faux en l'interpellant devant la cantoche.

— Qu'est-ce que c'est, Bannister ? grogne-t-il.

Je lui tends un formulaire de requête officielle. Il le prend et fait semblant de le lire. Je suis tenté de l'aider, pour les mots les plus longs, mais je tiens ma langue.

— J'ai besoin de voir le directeur.

— Pourquoi tu veux voir le directeur ? me jette-t-il, toujours en essayant de lire ce formulaire assez simple.

Mon affaire avec le directeur ne concerne pas le SP, ni personne d'autre, pourtant le rappeler à Darrel ne ferait que m'attirer des ennuis.

— Ma grand-mère est presque morte, et je voudrais aller à son enterrement. Ce n'est qu'à une petite centaine de kilomètres.

— Et tu penses qu'elle risque de mourir quand ? me demande-t-il, toujours tellement futé, l'enfoiré.

— Bientôt. S'il vous plaît, officier Marvin, je ne l'ai pas revue depuis des années.

— Le directeur n'apprécie pas ce genre de salades, Bannister. Tu devrais le savoir, depuis le temps.

— Je sais, mais le directeur me doit une faveur. Je lui ai donné un avis juridique il y a quelques mois. S'il vous plaît, remettez-lui, juste.

Il plie la feuille de papier et la fourre dans une poche.

— Très bien, mais c'est une perte de temps.

— Merci.

Mes deux grand-mères sont mortes depuis des années.

En prison, rien n'est conçu pour le confort des prisonniers. L'acceptation ou le refus d'une simple requête ne devrait prendre que quelques heures, mais ce serait trop facile. Il s'écoule quatre jours avant que Darrel m'informe que je dois me présenter au bureau du directeur à 10 heures le lendemain matin, le 18 février. Un autre sourire faux, et je lui réponds : « Merci. »

Le directeur est le roi de ce petit empire, avec tout l'amour-propre de celui qui gouverne, ou qui estime devoir gouverner, par décret. Ces types-là vont et viennent, et il est impossible de comprendre la raison de tous ces transferts. Là encore, ce n'est pas mon travail de réformer notre système carcéral, et donc je ne me soucie guère de ce qui se trame dans le bâtiment de l'administration.

L'actuel directeur, c'est M. Robert Earl Wade – toute une carrière dans l'administration pénitentiaire, un sacré professionnel. Il sort à peine de son deuxième divorce et, c'est vrai, je lui ai expliqué certaines dispositions de base de la loi du Maryland sur les pensions alimentaires. J'entre dans son bureau ; il ne se lève pas, ne me tend pas la main, ne me fait aucune politesse susceptible d'exprimer le respect.

— Bonjour, Bannister, commence-t-il en me désignant une chaise vide.

— Bonjour, directeur Wade. Comment allez-vous ?

Je me pose sur cette chaise.

— Je suis un homme libre, Bannister. Mon épouse numéro deux appartient au passé et plus jamais je ne me remarierai.

— Content de l'apprendre et heureux d'avoir pu vous aider.

Une fois cette mise en train rapidement expédiée, il sort un carnet.

— Je ne peux pas tous vous laisser rentrer chez vous à chaque enterrement, Bannister, vous devez le comprendre, me fait-il.

— Il ne s'agit pas d'un enterrement. Je n'ai plus de grand-mère.

— Qu'est-ce que ça signifie ?

— Est-ce que vous suivez l'enquête sur le meurtre du juge Fawcett, à Roanoke ?

Il se rembrunit et rejette la tête en arrière, comme sous le coup d'une insulte. Je suis ici sous un prétexte, et quelque part au fin fond d'un des innombrables manuels de réglementations fédérales, il doit exister une infraction codifiée à ce sujet. Il cherche de quelle manière réagir, et il secoue la tête.

— Qu'est-ce que ça signifie ? répète-t-il.

— Le meurtre du juge fédéral. Toute la presse en parle.

Il est difficile de croire qu'il ait pu manquer cette histoire de meurtre, néanmoins cela reste tout à fait possible. Ce n'est pas parce que je lis plusieurs journaux par jour que tout le monde en fait autant.

— Le juge fédéral ?

— C'est ça. Ils l'ont trouvé avec sa petite amie dans un bungalow, au bord d'un lac, dans le sud-ouest de la Virginie, tous les deux abattus...

— Bien sûr, bien sûr. J'ai vu les articles. Et en quoi cela vous concerne-t-il ?

Il est agacé parce que je lui ai menti, et il cherche la punition appropriée. Un individu supérieur et aussi puissant qu'un directeur de prison ne peut pas se laisser manipuler par un détenu. Les yeux de Robert Earl Wade filent en tous sens, comme s'il cherchait de quelle manière réagir à mon subterfuge.

Il faut que je puise en moi le ton le plus dramatique possible, car lorsque je vais répondre à sa question, Wade va sans doute me rire au nez. Les détenus passent leur temps à échafauder de savantes protestations d'innocence, à monter de toutes pièces des théories du complot relatives à des crimes non résolus ou à recueillir des secrets susceptibles d'être monnayés en échange d'une liberté conditionnelle. En bref, ils dépensent beaucoup d'énergie à combiner des moyens de sortir, et je suis sûr que Robert Earl Wade a déjà tout vu et tout entendu.

— Je sais qui a tué le juge, dis-je avec tout le sérieux possible.

À mon grand soulagement, il ne me fusille pas d'un sourire. Il se renverse dans son fauteuil, se triture le menton, puis hoche la tête.

— Et comment avez-vous obtenu cette information ?

— J'ai rencontré le tueur.

— Ici ou à l'extérieur ?

— Je ne peux pas vous le révéler, monsieur le directeur. Mais je ne vous raconte pas de conneries. D'après ce que je lis dans la presse, l'enquête du FBI ne mène nulle part. Et elle ne débouchera sur rien.

Mon dossier disciplinaire est sans tache. Je n'ai jamais proféré un mot à l'encotre d'un fonctionnaire de la prison.

Je ne me suis jamais plaint. Dans ma cellule, il n'y a pas d'objets de contrebande, même pas un sachet de rab de sucre provenant de la cantoche. Je ne joue pas et je n'emprunte pas d'argent. J'ai aidé des dizaines de codétenus, ainsi que quelques civils, y compris le directeur, à régler leurs différends juridiques. Ma bibliothèque est méticuleusement rangée. Le fait est là – pour un détenu, j'ai de la crédibilité.

Il se penche vers moi, en s'appuyant sur les coudes, et me dévoile ses dents jaunes. Il a les yeux cernés, toujours humides ; des yeux de buveur.

— Et laissez-moi deviner, Bannister, vous aimeriez partager cette information avec le FBI, conclure un marché et obtenir votre élargissement. Exact ?

— Absolument, monsieur. C'est mon plan.

Enfin, il éclate de rire. Un long caquètement suraigu qui, en soit, pourrait être d'une grande drôlerie. Il finit par décompresser, et il me pose une question :

— C'est prévu pour quand, votre libération ?

— Dans cinq ans.

— Eh bien, ce serait un sacré marché, hein ? Vous vous bornez à leur livrer un nom, et vous sortez tranquillement d'ici cinq ans avant l'échéance ?

— Rien n'est si simple.

— Que voulez-vous que je fasse, Bannister ? grommelle-t-il, et là, il n'y a plus trace de sourire. Que j'appelle le FBI pour lui raconter que j'ai ici un type qui connaît le meurtrier et qui est prêt à conclure un marché ? Ils reçoivent sans doute cent appels par jour, provenant en majorité de demeurés qui flairent l'argent de la récompense. Pourquoi irais-je risquer ma crédibilité en jouant à ce jeu-là ?

— Parce que je connais la vérité, et vous savez que je ne suis ni demeuré ni mythomane.

— Pourquoi ne leur écrivez-vous pas juste une lettre, en me laissant en dehors de tout ça ?

— Je vais leur écrire, si c'est ce que vous voulez. Mais à un certain stade vous serez concerné, parce que je vais convaincre le FBI, je vous le jure. Nous allons conclure un accord, et je vais vous dire au revoir. Et vous, ici, vous vous occuperez de la logistique.

Il se tasse dans son fauteuil, comme écrasé par le poids de sa fonction, et se cure le nez avec le pouce.

— Vous savez, Bannister, ce matin, à l'heure où nous parlons, j'ai six cent deux hommes, ici, à Frostburg, et vous êtes le dernier que je me serais attendu à voir entrer dans mon bureau avec une idée aussi tordue. Le dernier, vraiment.

— Je vous remercie.

— Je vous en prie.

Je me penche à mon tour vers lui et je plante mes yeux dans les siens.

— Écoutez, monsieur le directeur, je sais de quoi je parle. Je sais que vous ne pouvez pas vous fier à un détenu, pourtant écoutez-moi jusqu'au bout. Je possède une information extrêmement précieuse, que le FBI voudra absolument connaître. Alors, je vous en prie, appelez-le.

— Je ne sais pas, Bannister. Nous allons tous les deux passer pour des idiots.

— S'il vous plaît.

— Je vais peut-être y réfléchir. Maintenant déguerpissez, et dites à l'officier Marvin que je vous ai refusé votre demande de vous rendre à cet enterrement.

— Oui, monsieur, merci.

Mon intuition, c'est que le directeur ne sera pas capable de résister à un peu d'animation. Diriger un centre de basse sécurité rempli de détenus bien élevés est une mission ennuyeuse. Pourquoi ne pas s'impliquer dans l'enquête pour meurtre la plus retentissante du pays ?

Je quitte le bâtiment de l'administration et je traverse le quadrilatère, l'espace central du camp de détention. Côté ouest s'alignent les dortoirs ; ils abritent cent cinquante hommes chacun et ont leur pendant exact, avec des bâtiments identiques, sur le côté est du quadrilatère. Un campus est et un campus ouest, comme si l'on flânait dans une charmante université.

44

Les SP ont une salle de repos près de la cantoche, et c'est là que je retrouve l'officier Marvin. Si je mets un pied dans la salle de repos, on me tirera sans doute dessus, ou alors je finirai pendu. Par chance, la porte en acier est ouverte, et je peux voir à l'intérieur. Marvin est vautré dans une chaise pliante, une tasse de café à la main et une grosse pâtisserie dans l'autre. Il rigole avec deux SP. Si on les crochetait par le col et si on les pesait ensemble sur une balance de boucherie, à eux trois, ils dépasseraient les quatre cent cinquante kilos.

— Qu'est-ce que tu veux, Bannister ? grogne Darrel dès qu'il me voit.

— Je voulais juste vous remercier, officier. Le directeur a refusé. Bon, merci quand même.

— Entendu, Bannister. Désolé pour ta grand-mère.

Là-dessus, l'un des gardiens ferme la porte d'un coup de pied. Cette porte me claque brutalement au nez, le métal cogne, il vibre, et, l'espace d'une fraction de seconde, ça me secoue jusqu'à la moelle. J'ai déjà entendu ce bruit-là.

Mon arrestation. Le Civic Club se réunissait à déjeuner, tous les mercredis, au très historique George Washington Hotel, à cinq minutes à pied de mon bureau. Le club comptait à peu près soixante-quinze membres, tous blancs, sauf trois d'entre eux. Ce jour-là, je me trouvais être le seul type noir de l'assistance, sans que cela revête la moindre importance. J'étais assis à une longue table, à engloutir le poulet caoutchouteux habituel garni de petits pois et à échanger des bêtises avec le maire et un fonctionnaire de la Ferme d'État. Nous avions couvert tous les sujets ordinaires – la météo et le football – et vaguement effleuré la politique, tout cela avec la plus grande circonspection. C'était un déjeuner typique du Civic Club – une demi-heure pour se sustenter, suivie d'une demi-heure à écouter un orateur généralement pas trop passionnant. En cette journée mémorable, je n'allais pas être autorisé à écouter l'orateur.

On a entendu un brouhaha à la porte de la salle de banquet et, subitement, une escouade d'agents fédéraux lourdement armés a investi les lieux, comme s'ils étaient sur le point de nous tuer tous. Une équipe du SWAT, en tenue complète de ninja – uniformes noirs, épais gilets pare-balles, armes à feu impressionnantes, et ces casques de combat à l'allemande rendus célèbres par les troupes hitlériennes. L'un d'eux a beuglé : « Malcolm Bannister ! » Instinctivement, je me suis levé, en grommelant : « Enfin, qu'est-ce que c'est ? » Instantanément, au moins cinq fusils automatiques se sont braqués sur moi. « Mains en l'air ! » a hurlé leur chef intrépide, et j'ai obtempéré. En quelques secondes, on m'abaissait brutalement les bras, on me menottait dans le dos et, pour la première fois de ma vie, j'ai senti ce pincement indescriptible des bracelets autour de mes poignets. C'est une sensation horrible, inoubliable. On m'a poussé dans l'étroite allée centrale, entre les tables, et on m'a sorti de la salle sans ménagement. La dernière chose que j'ai entendue, c'était le maire qui s'exclamait : « C'est un scandale ! »

Inutile de le préciser, cette intrusion spectaculaire a jeté un froid sur la suite de cette réunion du Civic Club.

Encerclé par cet essaim de gros durs, j'ai été conduit dans le hall de réception de l'hôtel. Quelqu'un avait aimablement refilé le tuyau à la chaîne de télévision locale, et une équipe a filmé tout ce qu'elle a pu tandis qu'on me fourrait à l'arrière d'une Chevrolet Tahoe noire, entre deux brutes. Nous nous sommes dirigés vers la prison municipale.

— Est-ce que tout cela est vraiment nécessaire ? ai-je demandé.

— Tu la boucles, c'est tout ! m'a jeté sans se retourner le chef, installé à la droite du conducteur.

— Rien ne m'oblige à la boucler. Vous pouvez m'arrêter, mais vous ne pouvez pas me faire taire. Vous êtes au courant de ça ?

— Boucle-la, c'est tout.

Le gros dur à ma droite m'a posé la crosse de son fusil sur le genou.

— Retirez-moi ce fusil, vous voulez bien ? ai-je objecté, mais le fusil n'a pas bougé.

46

Nous avons continué de rouler.

— Dites, les gars, vous prenez votre pied, là ? Ça doit être terriblement excitant de foncer dans tous les sens comme de vraies terreurs, à malmener des innocents, un peu façon Gestapo.

— J'ai dit de la boucler.

— Et moi j'ai dit que je ne la bouclerais pas. Vous avez un mandat d'arrêt ?

— J'ai un mandat.

— Montrez-le-moi.

— Tu le verras à la prison. Pour l'instant, tu la boucles, et c'est tout.

— Et vous, pourquoi vous ne la bouclez pas, hein ?

J'ai vu une partie de sa nuque virer au rouge, juste sous le casque de combat germanique. Il fulminait. J'ai respiré à fond et je me suis exhorté à garder mon calme.

Le casque. J'avais porté le même genre de casque pendant mes quatre années dans les marines, quatre ans de service actif, y compris en situation de combat, durant la première guerre du Golfe. Deuxième régiment, huitième bataillon, deuxième division, corps des marines des États-Unis. Nous avions été les premières troupes américaines à affronter les Irakiens au Koweït. Il n'y a pas eu franchement de combats, pourtant j'ai vu assez de morts et de blessés dans les deux camps.

Et maintenant, j'étais entouré d'une troupe de petits soldats de plomb qui n'avaient jamais entendu tirer un coup de feu sous l'emprise d'une rage meurtrière, et qui étaient incapables de courir deux mille mètres sans s'écrouler. Et ils étaient du côté des gentils.

À notre arrivée à la prison, un photographe d'un journal local nous attendait. Mes gros durs m'ont conduit vers l'intérieur du bâtiment, lentement, pour s'assurer qu'on me photographie bien. Leur version du *perp walk*, cette exhibition humiliante du suspect menotté.

Je n'allais pas tarder à apprendre qu'une autre équipe de ces brutes stipendiées par le gouvernement avait effectué une descente dans les bureaux de Copeland, Reed & Bannister, à

47

peu près à l'heure où je déjeunais avec mes homologues du Civic Club. Faisant preuve d'une prévoyance exemplaire et d'un sens minutieux de la planification, cette force d'intervention conjointe avait attendu qu'il soit midi, quand la seule personne présente au bureau était cette pauvre Mme Henderson. Elle avait expliqué qu'ils étaient entrés en trombe par la porte principale, armes dégainées, en hurlant, en l'insultant, en la menaçant. Ils avaient plaqué un mandat de perquisition sur son bureau, l'avaient forcée à s'asseoir sur une chaise près de la fenêtre, en lui promettant de l'arrêter si elle osait faire autre chose que simplement respirer, et ensuite ils avaient mis nos modestes bureaux à sac. Ils avaient embarqué les ordinateurs, les imprimantes et plusieurs dizaines de boîtes de classement. Quand M. Copeland était rentré de déjeuner, il avait protesté ; on lui avait pointé un pistolet sous le nez, et il avait pris un siège à côté d'une Mme Henderson en pleurs.

Mon arrestation constituait une surprise. J'avais affaire au FBI depuis plus d'un an. J'avais engagé un avocat et nous avions tenté tout notre possible pour coopérer. Je m'étais soumis au détecteur de mensonge à deux reprises, au cours de tests menés par des experts du FBI. Nous avions transmis toutes les pièces qu'en ma qualité d'avocat je pouvais communiquer sans enfreindre l'éthique. J'avais caché une bonne partie de tout cela à Dionne, mais elle me savait malade d'inquiétude. Je me battais contre l'insomnie. Je me forçais à manger, alors que je n'avais aucun appétit. Finalement, au bout de presque douze mois passés à vivre dans la peur et à redouter que l'on frappe à ma porte, le FBI avait informé mon avocat que le gouvernement ne s'intéressait plus à moi.

Le gouvernement mentait – ni pour la première fois, ni pour la dernière.

À l'intérieur de la prison, un endroit où je me rendais au moins deux fois par semaine, patientait une autre escouade d'agents. Ils portaient des parkas bleu marine avec le sigle « FBI » imprimé en lettres jaune vif dans le dos, et ils s'affairaient en tous sens, l'air très occupés, sans que je puisse saisir à quoi exactement. Se tenant en retrait, les flics locaux, et je

48

connaissais bon nombre d'entre eux, m'observaient avec un mélange de perplexité et de pitié.

Était-il réellement nécessaire d'envoyer une vingtaine d'agents fédéraux pour m'arrêter et confisquer mes dossiers ? Je venais de marcher depuis mon bureau jusqu'au George Washington Hotel. N'importe quel flic un tant soit peu dégourdi aurait pu profiter de sa pause-déjeuner pour m'appréhender. Mais cela aurait privé ces gens extrêmement importants du plaisir qu'ils prenaient à faire ce qu'ils faisaient pour gagner leur vie.

Ils m'ont conduit dans une petite pièce, m'ont assis à une table, m'ont retiré mes menottes et m'ont prié d'attendre. Quelques minutes plus tard, un homme en costume sombre est entré et s'est présenté :

— Agent spécial Don Connor, FBI.

— Enchanté, ai-je fait.

Il a lâché des papiers sur la table, devant moi.

— Voici votre mandat d'arrêt.

Puis il a laissé tomber une liasse de papiers agrafés.

— Et voici l'acte d'accusation. Je vous accorde quelques minutes, le temps de le lire.

Là-dessus, il a tourné les talons et il est sorti en claquant la porte derrière lui aussi fort que possible. C'était une porte épaisse, en métal ; elle a cogné, vibré, et ce bruit a secoué la pièce pendant plusieurs secondes.

Un bruit que je n'oublierai jamais.

6.

Trois jours après ma première rencontre avec le directeur Wade, on me convoque de nouveau dans son bureau. Lorsque j'entre, il est seul, au téléphone, absorbé par une conversation importante. J'attends sur le seuil, pas très à l'aise. Il met un terme à la discussion avec un « Ça ira comme ça » assez grossier, se lève et me lance : « Suivez-moi. » Nous franchissons une porte latérale qui donne sur une salle de réunion attenante, peinte en vert clair, la couleur type des locaux officiels, et dotée d'un nombre parfaitement inutile de chaises métalliques.

L'an dernier, un audit a révélé que le Bureau des prisons a acheté, pour « usage administratif », quatre mille chaises à huit cents dollars l'unité. Ce même fabricant vendait ces mêmes chaises au prix de gros de soixante-dix-neuf dollars pièce. Cela devrait me laisser indifférent, pourtant, travailler pour trente cents l'heure vous procure un point de vue très différent sur le maniement de l'argent.

— Prenez un siège, me dit-il, et je m'assieds sur l'une de ces chaises aussi laides que hors de prix.

Je jette un regard autour de moi, et j'en compte vingt-deux. Enfin, passons. Il en choisit une, de l'autre côté de la table, parce qu'il doit toujours subsister une barrière entre nous.

— J'ai appelé Washington dès que vous êtes sorti de mon bureau, l'autre jour, m'annonce-t-il avec gravité, comme s'il avait l'habitude de faire régulièrement son rapport à la

Maison-Blanche. Le FBI m'a conseillé d'agir à mon entière discrétion. J'ai consacré quelques heures à peser le pour et le contre, ensuite je me suis rapproché du bureau local du FBI ici, à Roanoke. Ils ont envoyé deux types ; ils attendent dans la pièce voisine.

Je ne bronche pas, même si la nouvelle me fait de l'effet. Il pointe un doigt sur moi.

— Je vous avertis, Bannister. Si cela se révèle une arnaque, et si je me retrouve en porte-à-faux, je ferai tout mon possible pour vous pourrir l'existence.

— Ce n'est pas une arnaque, monsieur le directeur, je vous le jure.

— Je ne sais pas pourquoi, mais je vous crois.

— Vous ne le regretterez pas.

Il sort ses lunettes de lecture de sa poche, se les pose en équilibre au milieu de l'arête nasale et consulte une feuille de papier.

— J'ai parlé avec le directeur adjoint, Victor Westlake, le type chargé de l'enquête. Il a envoyé deux de ses hommes discuter avec vous, l'agent Hanski et l'agent Erardi. Je n'ai pas révélé votre nom, donc ils ne savent rien.

— Merci, monsieur le directeur.

— Restez ici.

Il appuie doucement la paume sur la table, se lève et sort de la pièce. J'attends, j'écoute le bruit des pas qui se rapprochent, et je sens une violente douleur à l'estomac. Si ça ne marche pas, je suis encore ici pour cinq ans, plus tout ce qu'ils pourront me coller sur le dos.

L'agent spécial Chris Hanski est le plus gradé des deux ; il a à peu près mon âge, et beaucoup de cheveux gris. Alan Erardi est son jeune équipier. Un article de journal expliquait que quarante agents du FBI travaillaient désormais sur l'affaire Fawcett, et je suppose que ces types se situent assez bas dans la hiérarchie. Cette première entrevue sera importante, comme elles le seront toutes, mais ils ont manifestement envoyé deux fantassins me sonder.

Le directeur n'est pas dans la pièce. J'imagine qu'il a regagné son bureau, mitoyen, et qu'il a une oreille collée à la porte.

Ils commencent sans stylo et sans carnet, le signe évident qu'ils sont surtout venus ici pour s'amuser un peu. Rien de sérieux. J'en conclus qu'ils ne sont pas assez malins pour se rendre compte que j'ai déjà passé des heures assis à une table, en face d'agents du FBI.

— Alors vous voulez conclure un marché, me fait Hanski.

— Je sais qui a tué le juge Fawcett, et je sais pourquoi. Si cette information présente une quelconque valeur pour le FBI, alors, oui, nous pourrions être en mesure de conclure un marché.

— Vous partez du principe que nous ne savons pas déjà qui est le meurtrier.

— Je suis convaincu que vous n'en savez rien. Si vous le saviez, pourquoi seriez-vous ici ?

— On nous l'a ordonné parce que nous vérifions toutes les pistes qui se présentent. Mais nous doutons sérieusement que celle-ci nous mène quelque part.

— Essayez toujours.

Ils échangent un regard, l'air trop sûrs d'eux. Ils vont bien se marrer.

— Donc, vous nous fournissez ce nom, et qu'est-ce que vous obtenez, en retour ?

— Je sors de prison, et je reçois une protection.

— Aussi simple que ça ?

— Non, en réalité, c'est très compliqué. Ce type a un sale caractère, et il a des amis qui sont encore plus méchants. En plus, je n'ai pas envie d'attendre deux ans qu'il soit condamné. Si je vous livre son nom, je sors d'ici tout de suite. Immédiatement.

— Et s'il n'est pas condamné ?

— C'est votre problème. Si vous foirez l'accusation, vous ne pouvez pas m'en tenir rigueur.

À ce stade, Erardi sort son carnet, décapuchonne un stylo bon marché et note quelque chose. J'ai réussi à capter leur attention. Ces types travaillent très dur pour arborer des airs nonchalants, mais ils sont sous pression. Leur petite force d'intervention s'agite, parce qu'elle n'a aucune piste crédible. Hanski continue :

— Et si vous nous livrez le mauvais nom ? Imaginons que nous nous mettions en chasse du mauvais suspect ; pendant ce temps-là, vous êtes un homme libre.

— Je ne serai jamais un homme libre.

— Vous serez sorti de prison.

— Et je devrai regarder par-dessus mon épaule tout le reste de ma vie.

— Nous n'avons jamais perdu un seul informateur bénéficiant de la protection des témoins. On en a plus de huit mille.

— Ça, c'est ce que vous racontez. Pour être franc, ce ne sont pas trop vos statistiques ou ce qui n'est pas arrivé aux autres qui me préoccupe. Je me soucie surtout de ma propre peau.

Il y a un temps de silence, Erardi s'arrête d'écrire et se décide à prendre la parole.

— Ce type, il a l'air de faire partie d'une espèce de gang, peut-être un dealer. Qu'est-ce que vous pouvez nous dire d'autre ?

— Rien, et je ne vous ai rien dit. Vous pouvez vous livrer à toutes les devinettes que vous voulez.

Hanski sourit, un sourire dénué d'humour.

— Je doute que votre projet de sortir de prison fasse forte impression sur notre patron. À ce jour, nous sommes en contact avec deux autres détenus qui prétendent détenir de précieuses informations. Et, bien sûr, ils veulent sortir de prison, eux aussi. Pourquoi est-ce que ça ne m'étonne pas ?

Je n'ai aucun moyen de savoir si c'est vrai, néanmoins cela paraît plausible. Le nœud que j'ai dans le ventre n'a pas disparu. Je hausse les épaules, je tente de sourire, je me répète de garder mon sang-froid.

— Écoutez, les gars, tournez ça comme vous voulez. C'est votre responsabilité. Rien ne vous interdit de continuer à vous taper la tête contre les murs. Vous pouvez perdre votre temps avec ces autres détenus, ça vous regarde. Mais quand vous voudrez savoir le nom de celui qui a tué le juge Fawcett, je pourrai vous le fournir.

— Quelqu'un que vous avez croisé en prison ? me demande Erardi.

— Ou peut-être en dehors de la prison. Vous ne le saurez pas tant que nous n'aurons pas conclu un accord.

Il y a un long silence, ils me dévisagent, et je les dévisage. Enfin, Erardi referme son carnet et remet son stylo dans sa poche.

— D'accord, fait Hanski. Nous allons en parler au patron.

— Vous savez où me trouver.

Plusieurs fois par semaine, je me réunis avec mon Gang de Blancs sur la piste, et nous marchons en décrivant de grands cercles autour d'un terrain qui sert au foot et au flag football. Carl, l'optométriste, sera sorti dans quelques mois. Kermit, le spéculateur foncier, a encore deux ans à tirer. Wesley, le sénateur de l'État, devrait sortir à peu près en même temps que moi. Mark est le seul dont l'affaire est encore en appel. Il est ici depuis dix-huit mois et il soutient que son avocat reste optimiste, tout en admettant volontiers avoir falsifié des documents hypothécaires.

On ne parle pas beaucoup de nos délits respectifs, et c'est généralement vrai dans toute prison. Qui vous êtes et ce que vous avez fait à l'extérieur n'a pas d'importance, et puis, c'est trop douloureux de s'y appesantir.

L'épouse de Wesley vient juste d'engager une procédure de divorce, et il accuse fortement le coup. Comme je suis passé par là, tout comme Kermit, nous lui offrons nos conseils et nous essayons de lui remonter le moral. J'aimerais les divertir avec quelques détails de la visite du FBI, mais il faut garder cela sous silence. Si mon plan fonctionne, eux, ils se pointeront un jour pour la promenade, et moi, j'aurai subitement été transféré vers un autre camp de détention, pour des raisons dont ils ne sauront jamais rien.

7.

Le quartier général temporaire de la force d'intervention du FBI affectée à l'affaire Fawcett se situait dans un entrepôt d'une zone industrielle près de l'aéroport régional de Roanoke. Lors de sa dernière occupation, cet espace était loué par une société qui importait des crevettes d'Amérique centrale avant de les congeler là pendant des années. L'endroit fut presque aussitôt surnommé « le Congélateur ». Suffisamment à l'écart de la presse, il offrait de la discrétion et quantité d'espace. Des charpentiers y dressèrent rapidement des cloisons et compartimentèrent l'endroit en salles, en bureaux, en couloirs et en lieux de réunion. Des techniciens de Washington travaillèrent vingt-quatre heures sur vingt-quatre à installer des appareillages et des gadgets high-tech de communication, de traitement des données et de sécurité. La noria des camions remplis de mobilier et d'équipements de location ne cessa pas tant que le CC – centre de commandement – ne fut pas rempli de plus de bureaux et de tables qu'il n'en fallait. Une flotte de 4 × 4 de location s'aligna sur le parking. On fit appel aux services d'un traiteur pour servir trois repas par jour à l'équipe, qui approcha vite les soixante-dix personnes – une quarantaine d'agents, plus le personnel administratif. Aucun budget n'avait été arrêté, et on ne se souciait pas des coûts. Après tout, la victime était un juge fédéral.

Le bail était de six mois mais, au bout de trois semaines sans beaucoup de progrès, la plupart des fédéraux subodorèrent qu'ils resteraient là plus longtemps. Mis à part une petite liste de suspects cueillis au hasard, tous connus pour être des individus violents et pour avoir déjà comparu devant Fawcett au cours des dix-huit dernières années, il n'existait aucune piste véritable. Un dénommé Stacks lui avait écrit une lettre de menaces en 2002, depuis sa cellule. On l'avait retrouvé : il était employé dans une boutique de vins et spiritueux de Panama City Beach, en Floride et, pour le week-end où le juge et Mme Clary avaient été assassinés, il possédait un alibi – il n'avait plus mis les pieds en Virginie depuis au moins cinq ans. Un narcotrafiquant, un certain Ruiz, avait injurié « Votre Honneur » en espagnol le jour où il avait écopé d'une condamnation à vingt ans de réclusion, en 1999. Ruiz était encore incarcéré dans un centre de moyenne sécurité, et, au bout de quelques journées passées à creuser son passé, le FBI en avait conclu que les membres de son ancienne bande de trafiquants de cocaïne étaient tous morts ou également derrière les barreaux.

Une équipe avait méthodiquement passé au crible toutes les affaires traitées par Fawcett durant ses dix-huit années au banc des juges. C'était un bourreau de travail, qui réglait trois cents dossiers par an, tant civils que pénaux, alors que la moyenne pour un juge fédéral se limite à deux cent vingt-cinq. Il avait condamné approximativement trois mille cent hommes et femmes à une peine de prison. Opérant sur la base d'une hypothèse, assez peu solide il est vrai, selon laquelle le tueur serait l'un d'eux, une équipe gâcha des centaines d'heures à porter des noms sur sa liste de suspects éventuels, avant de les écarter. Une autre étudia les dossiers, civils et pénaux, en instance devant le magistrat au moment de son assassinat. Une autre encore consacra tout son temps au litige Armanna Mines, en portant une attention particulière aux deux groupes écologistes, aussi extrémistes qu'excentriques, qui n'aimaient guère Fawcett.

Dès l'instant où les questions d'organisation furent réglées, le Congélateur se transforma en ruche grouillante sous tension, où tout, d'heure en heure, n'était que réunions urgentes, nerfs à vif, impasses, carrières en balance, avec en plus toujours quelqu'un qui engueulait son monde depuis Washington. La presse téléphonait sans arrêt. Et les blogueurs alimentaient cette frénésie avec leurs rumeurs d'une belle inventivité et d'une fausseté flagrante.

Puis un détenu du nom de Malcolm Bannister fit son entrée en scène.

La force d'intervention était dirigée par Victor Westlake, un agent de trente ans doté d'un joli bureau avec une jolie vue, dans le Hoover Building, sur Pennsylvania Avenue, à Washington. Toutefois, depuis presque trois semaines, on l'avait cloîtré dans une pièce aveugle, repeinte de frais, au centre du CC. Ce n'était nullement sa première expédition sur le terrain. Quelques années plus tôt, Westlake s'était taillé une réputation d'organisateur hors pair capable de se précipiter sur une scène de crime, de déployer ses troupes, de traiter mille détails, de planifier un assaut et de résoudre l'affaire. Il avait passé une année dans un motel près de Buffalo à traquer un génie qui prenait son pied en expédiant des colis piégés à des inspecteurs fédéraux des services de contrôle des viandes et volailles. Il s'était avéré que ce n'était pas le génie qu'il cherchait, et Westlake n'avait pas commis l'erreur d'arrêter sa proie. Deux ans plus tard, il épinglait le poseur de bombes.

Westlake était dans sa pièce de travail, debout derrière son bureau, comme toujours, quand les agents Hanski et Erardi entrèrent. Leur patron étant debout, ils le restèrent eux aussi. Westlake jugeait malsain, et même mortel, de rester assis des heures derrière une table.

— Bien, j'écoute, aboya-t-il en claquant des doigts.

Hanski lui répondit aussitôt :

— Le type s'appelle Malcolm Bannister. Noir, âgé de quarante-trois ans, sous les verrous pour dix ans suite à des infractions à la loi RICO contre le racket et la corruption, jugé par un tribunal fédéral à Washington, ancien avocat de Winchester, en Virginie. Prétend pouvoir nous livrer le nom du tueur, et son mobile, mais, évidemment, il veut sortir de prison.

Erardi ajouta une précision :

— Sortir immédiatement et recevoir une protection.

— Quelle surprise ! Un taulard qui veut être libéré. Il est crédible ?

Hanski haussa les épaules.

— Pour un taulard, oui, je suppose. D'après le directeur, le type n'est pas du genre à raconter des conneries et son dossier carcéral est ultra propre. Selon lui, on devrait écouter ce qu'il a à nous dire.

— Qu'est-ce qu'il vous a donné ?

— Absolument rien. Le type est assez futé. Il pourrait effectivement savoir quelque chose et, si c'est le cas, cela pourrait bien être sa seule chance de sortir de taule.

Westlake se mit à faire les cent pas derrière son bureau, arpentant le sol de béton luisant jusqu'à un mur au pied duquel un petit tas de sciure récente s'était accumulé. Il revint à son bureau.

— Quel genre d'avocat était-ce ? Affaires pénales ? Dealers de drogue ?

Hanski répondit :

— Cabinet généraliste, dans une petite ville, un peu d'expérience pénale, pas beaucoup d'affaires effectivement plaidées. Un ancien marine.

Étant lui-même un ancien marine, Westlake appréciait.

— Son dossier militaire ?

— Quatre ans, libéré du service avec les honneurs, a combattu dans la première guerre du Golfe. Son père était marine et il a été dans la police d'État de Virginie.

— Il est tombé pour quoi ?

— Vous n'allez pas y croire. Barry le Bakchich.

Westlake se rembrunit et sourit en même temps.

— Allez...

— Sérieux. Il a traité des transactions immobilières pour Barry et il s'est fait prendre dans la tourmente. Vous vous en souvenez, le jury les a coincés pour infraction à la loi RICO et pour association de malfaiteurs. Je crois qu'ils étaient huit à être jugés en même temps. Bannister était un petit poisson qui s'est fait prendre dans le grand filet.

— Un lien avec Fawcett ?

— Pas encore. Nous n'avons son nom que depuis trois heures.

— Vous avez un plan ?

— Plus ou moins, acquiesça Hanski. Si nous partons du principe que Bannister connaît le tueur, alors on peut raisonnablement considérer qu'ils se sont rencontrés en prison. Douteux qu'il ait pu croiser ce type dans les rues tranquilles de Winchester. Bien plus probable que leurs routes se soient croisées en prison. Bannister est au trou depuis cinq ans, il a passé les vingt-deux premiers mois à Louisville, dans le Kentucky, un établissement de moyenne sécurité avec une population de deux mille détenus. Depuis, il est à Frostburg, un camp de détention, avec six cents autres détenus.

— Ça fait du monde. En plus, les prisonniers vont et viennent, observa Westlake.

— Exact, nous allons donc commencer par le plus logique. Procurons-nous son dossier carcéral, les noms de ses compagnons de cellule ou, le cas échéant, celui de ses voisins de dortoir. Nous irons dans les deux prisons nous entretenir avec les directeurs, les chefs de quartier, les SP, parler à quiconque saurait quelque chose sur Bannister et ses amis. Nous allons commencer par recueillir des noms, et nous verrons combien ils sont à avoir croisé Fawcett.

— Il soutient que le tueur a des amis assez malfaisants, ajouta Erardi, d'où son souhait d'une protection. Ça m'a tout l'air d'une espèce de gang. Quand on aura réuni un certain nombre de noms, on se concentrera sur ceux qui auraient des liens avec des gangs.

Un temps de silence. Puis Westlake intervint, sur un ton dubitatif.

— C'est tout ?

— C'est ce qu'on a de mieux pour le moment.

Westlake claqua des talons, creusa les reins, croisa les mains derrière la nuque, et inspira profondément. Il s'étira, respira, s'étira encore.

— D'accord. Vous récupérez les dossiers carcéraux et vous vous y collez. Il vous faut combien de monde ?

— Vous auriez deux hommes en trop ?

— Non, mais vous les aurez. Allez. En route.

Barry le Bakchich. Le client que je n'ai jamais rencontré, jusqu'à ce qu'on nous traîne devant une cour de justice fédérale, par une matinée grise, et nous lise l'entièreté de l'acte d'accusation à voix haute.

Dans un cabinet d'avocats de base, une boutique de plain-pied comme la nôtre, vous apprenez les rudiments de quantité de tâches juridiques ordinaires, mais il est difficile de se spécialiser. J'essayais d'éviter les divorces et les faillites, et je n'ai jamais apprécié l'immobilier, néanmoins, pour survivre j'ai souvent dû accepter de prendre tout ce qui (et tous ceux qui) se présentait. Curieusement, ce serait l'immobilier qui précipiterait ma chute.

La recommandation venait d'un ancien camarade de la fac de droit qui travaillait pour un cabinet de taille moyenne, dans le centre du district de Columbia. Ce cabinet avait un client qui souhaitait s'acheter un pavillon de chasse dans le comté de Shenandoah, sur les contreforts des Alleghenies, à environ une heure au sud-est de Winchester. Ce client tenait à préserver la plus grande confidentialité et il exigeait l'anonymat, ce qui aurait dû constituer autant de signaux d'alarme. Le prix d'acquisition était de quatre millions de dollars et, après un peu de marchandage, j'ai obtenu pour Copeland, Reed & Bannister une commission forfaitaire de cent mille dollars, en paiement de leur intervention dans ce dossier. Une telle commission, c'était du jamais-vu, tant pour moi que pour mes associés, et nous étions surexcités – au début. J'ai mis mes autres dossiers de côté et je me suis lancé dans des recherches sur le cadastre du comté de Shenandoah.

Le pavillon de chasse devait avoir environ vingt ans et il avait été construit par des médecins qui aimaient la chasse à la grouse ; malheureusement, comme il arrive souvent dans ce genre d'entreprises, un différend avait fini par naître entre les associés. Un différend de taille, impliquant des avocats et des procédures, et avec même une ou deux faillites à la clef. Au bout de deux semaines, j'avais réglé la situation ; rédiger un avis de constitution de titre de propriété dans les règles pour mon client, toujours aussi anonyme, ne poserait aucun problème. Une date de clôture fut fixée et je préparai tous les contrats et les actes nécessaires. Il y avait quantité de papiers administratifs à remplir, mais, là encore, nous toucherions des honoraires assez rondelets.

La clôture de l'opération fut retardée d'un mois, et j'ai réclamé cinquante mille dollars à mon copain de la fac de droit, soit la moitié des honoraires réservés aux avocats. Cela n'avait rien d'exceptionnel, et comme, à ce stade, j'y avais investi une centaine d'heures, j'avais envie d'être payé. Il m'a rappelé pour m'avertir que le client refusait. Pas grave, me suis-je dit. Dans une transaction immobilière standard, les avocats ne sont pas rémunérés tant que l'opération n'est pas clôturée. J'ai été informé que mon client – une entreprise – avait changé de nom. J'ai rectifié les documents et j'ai attendu. La date de la signature a encore été reportée, et les vendeurs ont fini par menacer de se retirer.

À cette période, j'avais vaguement connaissance du nom et de la réputation d'un intermédiaire de la Beltway, un certain Barry Rafko, plus connu sous le nom de Barry le Bakchich. Il avait à peu près la cinquantaine et il avait passé la quasi-totalité de sa vie d'adulte à sillonner le district de Columbia, à la recherche d'un moyen de gagner quelques dollars sans trop se fatiguer. Il avait été consultant, stratégiste, analyste, collecteur de fonds et porte-parole ; il avait travaillé tout en bas de l'échelle pour les campagnes électorales de parlementaires ou de sénateurs, tant démocrates que républicains. Pour Barry, peu importait. Tant qu'il était payé, rien ne l'empêchait de jouer les stratégistes et les analystes pour les deux bords.

Il trouva son rythme de croisière quand un associé et lui ouvrirent un salon-bar à proximité du Capitole. Barry engagea de jeunes prostituées pour tenir le bar en minijupe et, du jour au lendemain, l'endroit devint le lieu de drague préféré des légions d'assistants parlementaires qui grouillaient au Capitole. Des parlementaires de niveau médiocre et des cadres administratifs du milieu du panier découvrirent l'endroit, et la réputation de Barry fut faite. Les poches bien remplies, il monta un restaurant huppé à deux rues de son salon-bar. Il y recevait des lobbyistes, servait de la viande de qualité et des vins à des prix raisonnables, et des sénateurs ne tardèrent pas à y avoir leur table attitrée. Barry adorait le sport et achetait tout un tas de billets pour toutes sortes d'équipes – les Redskins, les Capitals, les Wizards, les Georgetown Hoyas – qu'il offrait à ses amis. Ensuite, il fonda son propre cabinet de « relations gouvernementales », qui connut une croissance rapide.

Son associé et lui finirent par se disputer, et Barry lui racheta ses parts. Seul, riche et poussé par l'ambition, il décida de viser les sommets de sa profession. Ne s'encombrant guère de considérations éthiques, il se transforma en l'un des pourvoyeurs d'influence les plus agressifs de Washington. Si un client fortuné voulait obtenir l'aménagement d'une nouvelle niche fiscale, Barry était capable d'enrôler une plume pour rédiger une proposition de loi, de l'inscrire dans le circuit, de convaincre ses amis de la soutenir, tout en parvenant à camoufler l'opération avec maestria. Si un riche client avait besoin d'agrandir une usine dans son État d'origine, Barry pouvait arranger une transaction au terme de laquelle le parlementaire s'assurerait de l'affectation des fonds, enverrait la subvention à l'usine, et empocherait un chèque substantiel destiné à financer ses efforts pour être réélu. Et tout le monde était content.

Dès ses premiers démêlés avec la justice, on l'accusa d'avoir versé une somme en liquide à un conseiller d'un sénateur. L'accusation ne tint pas, mais le sobriquet – Barry le Bakchich –, si.

Opérant sur le versant le plus nauséabond d'un secteur déjà souvent nauséabond, Barry connaissait tout du pouvoir de l'argent et du sexe. Son yacht sur le Potomac abritait de véritables croisières de charme, réputées pour leurs folles soirées et leurs cohortes de jeunes femmes. Il possédait un parcours de golf en Caroline du Sud, où il emmenait des membres du Congrès pour de longs week-ends, en général sans leurs épouses.

Cependant, plus Barry devenait puissant, plus il était enclin à prendre des risques. De vieux amis s'éloignèrent, effrayés par des écueils qui paraissaient inévitables. Son nom fut mentionné dans une enquête sur des manquements à l'éthique conduite par la Chambre des représentants. Le *Washington Post* flaira là une piste, et Barry Rafko, un homme qui avait toujours voulu attirer l'attention, fut à cet égard plus que comblé.

N'ayant aucun véritable moyen de le savoir, j'ignorais complètement que ce pavillon de chasse figurait parmi ses projets.

Le nom de la société avait encore changé ; il avait fallu modifier les documents. Une autre date de signature fut reportée, puis il y eut une nouvelle proposition : mon client voulait louer le pavillon pour un an, au tarif de deux cent mille dollars mensuels, et toutes les dépenses locatives seraient affectées au prix de cession. Cela entraîna une semaine de vifs accrochages, puis, finalement, on parvint à un accord. Je dus rédiger une ixième version des contrats, et j'insistai pour que mon cabinet perçoive la moitié de nos honoraires. Ce qui fut fait ; MM. Copeland et Reed en furent quelque peu soulagés.

Une fois les contrats signés, j'avais pour client une société offshore opérant sur le minuscule îlot de Saint Kitts, et je n'avais toujours aucune idée de qui était derrière. Les contrats avaient été paraphés dans les Caraïbes par un représentant invisible de la société, puis expédiés dans la nuit à mon bureau. En vertu de notre accord, mon client virerait sur le compte en fidéicommis de notre cabinet d'avocats la somme d'environ quatre cent cinquante mille dollars, suffisante pour couvrir le paiement des deux premiers mois de loyer, plus le reliquat de nos honoraires, plus quelques dépenses diverses. Je devais établir à mon tour un chèque de deux cent mille dollars à l'ordre des vendeurs, pour chacun des deux premiers mois ; ensuite, mon client réapprovisionnerait le compte. Au bout de douze mois de ce régime, le loyer serait converti en une cession, et il était convenu que notre petit cabinet perçoive encore un autre montant d'honoraires assez confortable.

Dès que les fonds ont été virés, le banquier m'a informé que notre compte en fidéicommis avait été crédité de quatre millions cinq cent mille dollars, et non pas de quatre cent cinquante mille. Je me suis imaginé que quelqu'un avait dérapé sur le nombre de zéros ; en outre, avoir beaucoup trop d'argent en banque, comme souci, il y avait pire. Pourtant, quelque chose ne collait pas. J'ai essayé de contacter à Saint Kitts la société-écran qui était théoriquement ma cliente, mais on m'a envoyé balader. J'ai téléphoné à mon copain de la faculté de droit qui m'avait recommandé dans cette affaire, et il m'a promis d'examiner la question. J'ai acquitté le premier mois de loyer et versé la commission due à notre cabinet, puis j'ai attendu des instructions pour virer l'excédent. Les jours se sont écoulés, puis les semaines. Un mois plus tard, le banquier m'appelait pour m'avertir que trois autres millions de dollars venaient d'arriver sur notre compte en fidéicommis.

À ce stade, M. Reed et M. Copeland étaient profondément perturbés. J'ai donné instruction à mon banquier de se débarrasser de cet argent – de retourner le virement à la source d'où il émanait, et vite fait. Il s'est attelé au problème pendant deux jours, pour simplement découvrir que le compte à Saint Kitts avait été clôturé. Enfin, mon copain de la fac de droit m'a envoyé par e-mail des instructions de virement de la moitié de l'argent vers un compte à Grand Cayman et de l'autre moitié vers un compte au Panamá.

En tant qu'avocat de petite envergure, j'avais une expérience nulle en matière de virement de capitaux vers des comptes numérotés, mais quelques minutes de recherches sur Google me révélèrent que j'évoluais à l'aveuglette dans l'un des paradis fiscaux les plus notoires de la planète. J'aurais préféré n'avoir jamais accepté de travailler pour ce client anonyme, malgré l'argent.

Le virement vers le Panamá – à peu près trois millions cinq cent mille dollars – nous est revenu. J'ai passé un savon à mon copain de la fac de droit, qui s'en est pris à quelqu'un d'autre en amont dans le circuit. L'argent est resté là deux mois sans que personne y touche, produisant des intérêts, alors que, d'un point de vue éthique, nous ne pouvions rien garder. L'éthique m'imposait également d'effectuer toutes les démarches nécessaires pour protéger cet argent indésirable. Il n'était pas à moi, je n'avais évidemment fait valoir aucune revendication à cet égard, néanmoins je devais en assurer la sauvegarde.

Innocemment, ou peut-être stupidement, j'ai permis à l'argent sale de Barry le Bakchich d'être placé sous le contrôle de Copeland, Reed & Bannister.

Après être entré en possession du pavillon de chasse, Barry procéda à une rapide rénovation, l'arrangea un peu, fit construire un spa et le dota d'un héliport. Il loua un hélicoptère Sikorsky S-76, et il lui fallait à peu près vingt minutes pour acheminer une dizaine de ses meilleurs amis du district de Columbia vers son pavillon. Par un vendredi après-midi ordinaire on effectuait plusieurs navettes, et la fête commençait. À ce stade de sa carrière, il avait écarté la plupart des hauts fonctionnaires et des lobbyistes et s'était concentré sur les parlementaires et leurs chefs de cabinet. Au pavillon, tout était accessible : cuisine et vins somptueux, cigares cubains, drogues, whisky de trente ans d'âge et femmes de vingt. De temps à autre, on organisait une chasse à la grouse, mais les invités étaient généralement plus captivés par la stupéfiante collection de grandes blondes à leur disposition.

La fille venait d'Ukraine. Pendant le procès – mon procès –, son maquereau expliqua, avec un fort accent, que, pour cette fille, il avait été rémunéré cent mille dollars en espèces ; en échange, on l'avait conduite au pavillon et installée dans une chambre. La somme en liquide avait été remise par une petite frappe, un témoin de l'accusation, qui, lors de sa déposition sous serment, se présenta comme l'un des nombreux « livreurs » de Barry.

La fille mourut. L'autopsie révéla une overdose, après une longue nuit de fête avec Barry et ses amis de Washington. Selon les rumeurs, elle aurait été au lit avec un parlementaire – la chose ne sera pas prouvée – et elle ne se serait plus réveillée. Bien avant l'arrivée des autorités sur la scène, Barry organisa un front défensif : on ne révélerait jamais avec qui la fille avait couché durant sa dernière nuit.

L'incident déclencha une tempête médiatique autour de Barry, de ses affaires, de ses amis, de ses jets, yachts, hélicoptères, restaurants, stations balnéaires, de l'ampleur et de la profondeur d'un pouvoir d'influence aussi sordide. Dès que la presse se rua sur lui, ses copains et ses clients détalèrent. Et des membres scandalisés du Congrès rameutèrent la presse et réclamèrent audiences et enquêtes.

L'histoire prit un tour plus saumâtre encore quand on réussit à localiser la mère de la jeune femme, à Kiev. Elle produisit un certificat de naissance montrant que sa défunte fille n'avait que seize ans. Une esclave sexuelle de seize ans faisant la fête avec des élus du Congrès dans un pavillon de chasse des Alleghenies, à deux heures à peine de la capitale fédérale et du Capitole...

L'acte d'accusation initial couvrait une centaine de pages et citait quatorze prévenus pour une panoplie stupéfiante de crimes. J'étais l'un des quatorze, et mon prétendu crime correspondait à ce que l'on appelle communément le blanchiment d'argent sale. En permettant à l'une des entités anonymes de Barry Rafko de planquer de l'argent sur le compte en fidéicommis de mon cabinet, je l'avais censément aidé à canaliser des liquidités qu'il soutirait à des clients, à nettoyer un peu ces capitaux sur des comptes offshore, puis à les convertir dans un actif de valeur – le pavillon de chasse. J'étais également accusé d'avoir aidé Barry à dissimuler de l'argent au FBI et à l'administration fiscale, entre autres.

Les manœuvres d'avant procès éliminèrent quelques accusés ; plusieurs d'entre eux furent autorisés à faire cavalier seul, soit en coopérant avec le gouvernement, soit en obtenant d'être jugés dans le cadre d'une procédure distincte. Mon avocat et moi déposâmes vingt-deux requêtes, depuis le jour de mon inculpation jusqu'au début de mon procès, et la cour les repoussa toutes, sauf une, qu'il jugea recevable. Et c'était là une victoire inutile.

Le département de la Justice, à travers le FBI et le bureau du procureur du district de Columbia, balança tout ce qu'il avait contre Barry Rafko et ses complices, y compris un membre du Congrès et l'un de ses assistants parlementaires. Peu importait que deux d'entre nous puissent être innocents, et peu importait que notre version de la vérité ait été déformée par le gouvernement.

Moi, j'étais là, assis dans une salle d'audience bondée, avec sept autres prévenus, parmi lesquels l'affairiste politique le plus frelaté que Washington ait engendré depuis des décennies. J'étais coupable, en effet. Coupable de stupidité de m'être laissé entraîner dans un pareil guêpier.

Après la sélection des jurés, le procureur fédéral me proposa un dernier marché : plaider coupable d'infraction à l'une des dispositions de la loi RICO, verser une amende de dix mille dollars, et purger deux années d'emprisonnement.

Une fois encore, je lui ai répété d'aller au diable. J'étais innocent.

8.

M. Victor Westlake
Direction adjoint, FBI
Hoover Building
935 Pennsylvania Avenue
Washington, D.C. 20535

VEUILLEZ FAIRE SUIVRE

Cher M. Westlake,

Je m'appelle Malcolm Bannister, je suis détenu au camp de détention fédéral de Frostburg, dans le Maryland. Lundi 21 février 2011, j'ai rencontré deux agents chargés de l'enquête sur le meurtre du juge Fawcett – les agents Hanski et Erardi. Des types sympathiques et tout, mais je n'ai pas eu le sentiment de leur avoir fait une impression très favorable, ni moi ni mon histoire.

Selon les articles parus ce matin dans le Washington Post, le New York Times, le Wall Street Journal et le Roanoke Times, votre équipe et vous continuez de vous mordre la queue et n'avez pas beaucoup d'indices à vous mettre sous la dent. Je n'ai aucun moyen de savoir si vous disposez d'une liste de suspects crédibles, toutefois je peux vous garantir que le vrai tueur ne figure sur aucune des listes établies par votre équipe et vous.

Comme je l'ai expliqué à Hanski et Erardi, je connais l'identité du tueur, et je connais son mobile.

Au cas où les détails auraient échappé à Hanski et Erardi – à ce propos, je ne les ai pas trouvés trop efficaces dans leur prise de notes –, voici ma proposition de transaction : je vous révèle le nom du tueur, et vous (le Gouvernement) acceptez de me libérer. Je me refuse à envisager une simple suspension de peine sous conditions. Je n'envisage pas de mise en liberté conditionnelle. Je sors en homme libre, avec une nouvelle identité et la protection de gens de chez vous.

Évidemment, un tel accord nécessite l'intervention du département de la Justice et des bureaux du procureur des deux districts nord et sud de Virginie.

Je veux également toucher l'argent de la récompense, auquel j'ai droit. Selon le Roanoke Times *de ce matin, l'offre vient juste d'être augmentée à cent cinquante mille dollars.*

Cela étant, vous êtes libre de continuer de vous mordre la queue.

En tant qu'anciens marines, vous et moi, nous devrions vraiment discuter.

Vous savez où me trouver.
Bien sincèrement,

Malcolm Bannister.
 # 44861-127

Mon coturne est un gamin noir de dix-neuf ans, originaire de Baltimore, qui tire huit ans pour revente de crack. Gerard est comme mille autres types que j'ai pu croiser ces cinq dernières années, un jeune Noir des quartiers. À sa naissance, sa mère était encore adolescente, et le père avait disparu depuis longtemps. Il a lâché le lycée en seconde et trouvé un boulot de plongeur. Quand sa mère a atterri derrière les barreaux, il s'est installé avec sa grand-mère, qui élevait aussi toute une flopée de cousins. Il a commencé à consommer du crack, avant d'en vendre. Malgré toute une vie dans la rue, Gerard est une bonne âme, sans mauvaises tendances. Il n'a pas d'antécédents de violence et n'a aucune envie de gâcher sa vie en prison. C'est l'un des millions de jeunes Noirs que l'on entrepose de la sorte, aux frais du contribuable. Nous approchons les deux millions et demi de prisonniers, ici, en Amérique, et c'est de loin le taux d'incarcération le plus élevé de toutes les nations plus ou moins civilisées.

Il n'est pas inhabituel d'hériter d'un coturne que vous n'appréciez pas vraiment. J'en ai eu un qui avait assez peu besoin de sommeil et faisait tourner son iPod toute la nuit. Il avait des écouteurs, qui sont obligatoires après 22 heures, mais il réglait le volume si fort que je pouvais entendre sa musique. Il m'a fallu trois mois pour obtenir mon transfert. Gerard, en revanche, comprend les règles. Il m'a raconté qu'à une période il avait dormi des semaines dans une voiture abandonnée et qu'il avait failli mourir gelé. Alors, tout vaut mieux que ça.

Gerard et moi, nous entamons chacune de nos journées à 6 heures du matin. Une sonnerie nous réveille. Nous enfilons en vitesse notre uniforme de prisonnier, en veillant autant que possible à ne pas empiéter sur l'espace de l'autre, dans notre cellule de trois mètres sur quatre. Nous faisons nos couchettes. Il a celle du haut et, en raison de mon ancienneté, j'occupe celle du bas. À 6 h 30, nous nous dépêchons d'aller à la cantoche, pour le petit déjeuner.

Au réfectoire, d'invisibles barrières vous dictent où vous asseoir et où manger. Il existe une section pour les Noirs, une pour les Blancs et une pour les Marrons. Les mélanges sont mal vus et ne se produisent presque jamais. Frostburg a beau n'être qu'un camp d'emprisonnement, cela reste une prison, avec quantité de tensions. L'une des règles les plus importantes consiste à respecter l'espace de chacun. À ne jamais franchir la ligne. À ne jamais tendre la main pour attraper quelque chose. Si vous voulez le sel et le poivre, vous demandez à quelqu'un de vous les passer – et en disant « s'il vous plaît ». À Louisville, ma précédente adresse, les bagarres n'étaient pas rares, au réfectoire, et commençaient généralement par un crétin aux coudes osseux qui empiétait sur l'espace du voisin.

Ici, nous mangeons lentement, avec un savoir-vivre surprenant de la part d'une bande de condamnés. Une fois sortis de nos cellules exiguës, nous profitons des volumes plus spacieux du réfectoire. On s'asticote pas mal, on échange des blagues crues, et on parle des femmes. J'ai connu des types qui passaient leur temps au mitard ou en isolement cellulaire ; le pire, là-dedans, c'est l'absence de relations avec les autres. Certains le supportent pas trop mal, mais la plupart craquent au bout de quelques jours. Même les plus solitaires, et il y en a un paquet, en prison, ont besoin d'avoir du monde autour d'eux.

Après le petit déjeuner, Gerard se présente au travail : il est chargé de récurer les sols. J'ai une heure de battement avant de gagner la bibliothèque, et je me rends au coin café, où je lis les journaux.

Aujourd'hui, une fois de plus, il y a peu de progrès dans l'enquête Fawcett. Seul détail notable : le fils aîné du magistrat s'est plaint au *Washington Post* de ce que le FBI tienne la famille médiocrement informée. Aucune réaction dudit FBI.

Chaque journée qui passe, la tension monte.

Hier, un journaliste a écrit que le FBI s'intéressait à l'ancien mari de Naomi Clary. Leur divorce, trois ans auparavant, avait été litigieux, les deux parties s'accusant d'adultère. Selon le journaliste, ses sources lui auraient indiqué que le FBI avait interrogé cet ex-mari au moins à deux reprises.

L'annexe où est logée la bibliothèque abrite également une petite chapelle et une infirmerie. La bibliothèque elle-même mesure exactement douze mètres de long par neuf de large et comporte quatre boxes qui offrent un peu de tranquillité, cinq ordinateurs et trois longues tables où les détenus sont autorisés à lire, à écrire et à effectuer des recherches. Les dix étagères contiennent à peu près mille cinq cents livres, principalement des grands formats reliés. Dans nos cellules, nous avons le droit de garder jusqu'à dix livres de poche, mais, dans la pratique, tout le monde en a davantage. Un détenu peut toujours se rendre à la bibliothèque à ses heures de détente, et les règles sont assez souples. On a la permission d'emprunter deux volumes par semaine, et je passe la moitié de mon temps à tenir le décompte des livres dont le délai de restitution est dépassé.

Je consacre le quart de mon temps à mes activités d'avocat taulard, et aujourd'hui j'ai un nouveau client. Roman vient d'une petite ville de Caroline du Nord où il possédait une échoppe de prêteur sur gages spécialisée dans le recel d'articles volés, principalement des armes à feu. Ses fournisseurs étaient deux gangs d'abrutis accros à la coke qui cambriolaient des maisons élégantes en plein jour. Dépourvus de la plus petite once de lucidité, ces voleurs s'étaient fait prendre en flagrant délit et, dans les quelques minutes qui avaient suivi, s'étaient balancés mutuellement. Roman était tombé sous le coup de toutes sortes d'infractions fédérales. Il avait plaidé l'ignorance, malheureusement il s'était avéré que son avocat commis d'office était sans l'ombre d'un doute le personnage le plus stupide de la salle d'audience.

Je ne prétends pas être un expert en droit pénal, mais n'importe quel étudiant de première année serait en mesure de dresser le catalogue des erreurs commises par le défenseur de Roman durant son procès. Mon « client » avait été reconnu coupable et condamné à sept ans de réclusion, et son affaire allait prochainement être entendue en appel.

Il m'apporte ses « papiers juridiques », cette pile de documents que chaque détenu est autorisé à conserver en cellule, et nous les épluchons dans mon petit bureau, un box jonché de mes effets personnels et dont l'accès est interdit à tous les autres détenus. Roman ne cesse de fulminer contre la bêtise de son conseil, et il ne me faut pas longtemps pour en avoir confirmation. L'AIC (l'« assistance inefficace du conseil ») est un motif de plainte fréquent chez les prévenus condamnés, pourtant cela constitue rarement un motif d'annulation auprès des juridictions d'appel – sauf dans les affaires où une sentence de mort a été prononcée.

À l'idée de pouvoir m'attaquer à la prestation minable d'un confrère qui sévit encore quelque part, qui gagne encore sa vie et se prétend bien meilleur qu'il n'est en réalité, je suis électrisé. Je consacre une heure à Roman, puis nous prenons rendez-vous pour une autre séance.

C'est l'un de mes tout premiers clients qui m'a parlé du juge Fawcett. Ce type mourait d'envie de sortir de prison, et il me croyait capable d'accomplir des miracles. Il savait précisément ce que contenait le coffre-fort, au sous-sol du bungalow, et n'avait qu'une obsession : mettre la main sur ce contenu avant qu'il disparaisse.

9.

Je suis de retour dans le bureau du directeur, et il se trame quelque chose. Il porte un costume sombre, une chemise blanche empesée, une cravate à motif cachemire, et ses bottes de cowboy à bout pointu sont cirées de frais. Il a toujours son air supérieur, pourtant je le sens fébrile.

— Je ne sais pas ce que vous leur avez raconté, Bannister, me déclare-t-il, mais votre histoire leur a plu. J'ai horreur de me répéter, pourtant s'il s'agit d'une plaisanterie de votre part, vous le paierez cher.

— Ce n'est pas une plaisanterie, monsieur.

Je le soupçonne d'avoir écouté depuis la pièce voisine et de savoir exactement ce que je leur ai dit.

— Ils ont envoyé quatre agents ici, il y a deux jours. Ils ont fouiné partout, ils voulaient savoir avec qui vous traînez, de quels dossiers juridiques vous vous chargez et pour qui, avec qui vous jouez aux dames, où vous travaillez, avec qui vous mangez, avec qui vous vous douchez, avec qui vous partagez votre cellule, et ainsi de suite.

— Ma douche, je la prends seul.

— Ils essaient de comprendre qui sont vos camarades de jeu, j'imagine, hein ?

— Je n'en sais rien, monsieur, mais cela ne me surprend pas. Je m'en doutais.

Je n'avais pas vu d'agents dans les parages, en revanche je savais que le FBI était venu fouiner un peu partout dans Frostburg. Les secrets sont extrêmement difficiles à garder, en prison, surtout quand on apprend que des personnages venus de l'extérieur posent des questions. À mon avis, si j'en crois mon expérience, ils ont une façon bien maladroite de fouiller dans mon existence.

— Bon, eh bien, ils vont repasser, m'informe Wade. Ils seront ici à 10 heures et ils m'ont averti que cela risquait de durer.

Il sera 10 heures dans cinq minutes. La même douleur cuisante me tord de nouveau les boyaux, et j'essaie de respirer profondément, sans que cela se voie trop. Je hausse les épaules, comme s'il n'y avait franchement pas de quoi en faire un plat.

— Qui vient ?

— J'en sais foutre rien.

Quelques secondes plus tard, son téléphone sonne, et sa secrétaire lui transmet un message.

Nous sommes dans la même pièce attenante au bureau du directeur. Il n'est pas présent, bien sûr. Les agents Hanski et Erardi sont de retour, accompagnés d'un jeune type agressif, un certain Dunleavy, adjoint du procureur, district sud de Virginie, bureau de Roanoke.

Je prends de l'ampleur, je gagne en crédibilité, je suscite la curiosité. Mon petit groupe d'enquêteurs vient encore de s'étoffer.

Dunleavy a beau être le plus jeune des trois, il est procureur fédéral alors que les deux autres sont de simples flics. Il a la prééminence et m'a l'air très imbu de sa personne – une attitude qui n'a rien d'exceptionnel, dans sa position. Il ne doit pas y avoir plus de cinq ans qu'il est sorti de la fac de droit, et je suppose que c'est lui qui va mener les débats.

— À l'évidence, monsieur Bannister, commence-t-il sur un ton d'odieuse condescendance, si nous n'accordions pas un certain intérêt à votre petite histoire, nous ne serions pas ici.

Ma petite histoire. Quel taré !

— Puis-je vous appeler Malcolm ? me demande-t-il.

— Restons-en à monsieur Bannister et monsieur Dunleavy, jusqu'à nouvel ordre, en tout cas. Je suis un détenu, et cela fait des années qu'on ne m'appelle plus « monsieur » Bannister. Ça sonne bien, et ça me plaît.

— Ça roule, acquiesce-t-il de son ton cassant.

Sur ce, il plonge rapidement la main dans sa poche, en sort un enregistreur ultraplat et le pose sur la table, à équidistance de moi et d'eux trois.

— Je souhaiterais enregistrer notre conversation, si vous n'y voyez pas d'inconvénient.

Là, mon affaire accomplit un gigantesque bond en avant. Il y a une semaine, Hanski et Erardi répugnaient à sortir leur stylo et à prendre quelques notes, et maintenant voilà que le gouvernement tient à recueillir chacun de mes propos. Je hausse les épaules.

— Cela m'est égal.

Il appuie sur un bouton.

— Donc, vous prétendez savoir qui a tué le juge Fawcett, et vous voulez échanger cette information contre votre ticket de sortie. En résumé, ce serait la teneur de notre arrangement ?

— Ça roule, dis-je, reprenant sa formule.

— Pourquoi devrions-nous vous croire ?

— Parce que je connais la vérité, et parce que vous, les gars, vous en êtes loin.

— Comment le savez-vous ?

— Je le sais, c'est tout. Si vous aviez un suspect un peu sérieux, vous ne seriez pas ici à causer avec moi.

— Êtes-vous en contact avec le tueur ?

— Je ne répondrai pas à cette question.

— Il faut nous fournir quelque chose, monsieur Bannister, quelque chose qui nous permette de mieux sentir ce petit marché que vous nous proposez, là.

— Je ne le qualifierais pas de « petit » marché.

— Alors nous l'appellerons comme vous voudrez. Et si vous nous expliquiez un peu la chose ? Vous l'envisagez comment, ce grand marché ?

— Bien. D'abord, tout cela doit rester hautement confidentiel. Nous passons un accord écrit, approuvé par les bureaux du procureur fédéral du district nord, où j'ai été jugé et condamné, et du district sud, où l'enquête en cours a lieu. Le juge Slater, qui m'a condamné, devra apposer sa signature au bas de cet accord. Ensuite, une fois que nous nous serons entendus, je vous communiquerai le nom du tueur. Vous le coffrez, vous enquêtez sur lui, et dès que le jury de mise en accusation l'inculpe pour meurtre, je suis transféré dans une autre prison. Sauf que je ne purge plus aucune peine d'emprisonnement. Je pars d'ici comme s'il s'agissait d'un transfert, pour être immédiatement pris en charge dans le cadre d'un programme de protection de témoin. Ma sentence est commuée, mon casier judiciaire effacé, mon nom changé, et je vous demande sans doute de m'organiser une intervention de chirurgie plastique, afin de modifier mon apparence. Je reçois de nouveaux papiers d'identité, j'ai une nouvelle tête, un joli emploi fédéral quelque part et, en plus, je touche l'argent de la récompense.

Trois visages de marbre me toisent. Finalement, Dunleavy réagit.

— C'est tout ?

— C'est tout. Et ce n'est pas négociable.

— Oulah ! marmonne Dunleavy, comme s'il accusait le coup. J'imagine que vous avez pu amplement y réfléchir.

— Bien plus le temps que vous.

— Et si vous vous trompez ? Et si nous ramassons le mauvais numéro ? Si nous aboutissons à une mise en accusation, vous, vous êtes libéré, et que se passe-t-il ensuite si nous ne réussissons pas à prouver sa culpabilité ?

— Ce sera votre problème. Si vous foirez la procédure, c'est votre faute.

— D'accord, mais une fois que nous tenons notre homme, de quelles preuves disposerons-nous ?

— Vous aurez tout le gouvernement fédéral à votre disposition. Une fois que vous tiendrez le tueur, vous serez sûrement en mesure de réunir assez de preuves. Je ne peux pas tout faire à votre place.

Histoire de faire plus dramatique, Dunleavy se lève, s'étire et arpente la pièce en prenant un air torturé, plongé dans ses pensées. Puis il se retourne, vient se rasseoir à sa place, me lance un coup d'œil furibond.

— Nous perdons notre temps, là, annonce-t-il.

Piètre tentative de bluff, jouée de manière pas très convaincante par un jeunot qui ne verrait plus aucun intérêt à sa présence dans cette pièce. Hanski, le vétéran, baisse un peu la tête, cligne des yeux. Dunleavy est tellement mauvais qu'il n'arrive pas à y croire. Erardi ne me quitte pas une seconde du regard, et je le sens désemparé. Je perçois aussi toute la tension qui existe entre le FBI et le bureau du procureur, ce qui n'a rien d'inhabituel.

Je me lève lentement.

— Vous avez raison. Nous perdons notre temps. Et tant qu'on ne m'enverra pas quelqu'un qui soit là pour autre chose que la frime, je n'accepterai plus aucune entrevue. Je vous ai exposé mon marché, et la prochaine fois que nous aurons l'occasion de bavarder, je veux voir autour de la table M. Victor Westlake et un de vos patrons, monsieur Dunleavy. Et si vous êtes présent dans la pièce, moi, j'en sors.

Là-dessus, je m'en vais. En refermant la porte, je jette un coup d'œil derrière moi ; Hanski se masse les tempes.

Ils reviendront.

Ils auraient pu programmer cette réunion dans le Hoover Building, sur Pennsylvania Avenue, à Washington. Victor Westlake aurait été heureux de rentrer brièvement chez lui, de voir le patron, de prendre des nouvelles de son équipe et de profiter d'un charmant dîner avec sa famille, entre autres. Seulement voilà, le directeur avait envie de s'offrir une petite escapade. Éprouvant le besoin de s'échapper quelques heures du siège, il s'était embarqué avec tout son entourage à bord d'un jet privé aux lignes racées, l'un des quatre que possède le FBI, et ils avaient décollé pour Roanoke – un vol de quarante minutes.

Il s'appelait George McTavey et était âgé de soixante et un ans. C'était un haut fonctionnaire de carrière, nullement nommé pour des raisons politiques, bien que ses orientations le mettent actuellement en délicatesse avec le président des

États-Unis. À en croire le flot intarissable des ragots qui circulaient dans la capitale, le poste de McTavey ne tenait plus qu'à un fil. Le président voulait un nouveau directeur à la tête du FBI ; au bout de quatorze ans, McTavey allait devoir céder la place. Selon la rumeur, dans le Hoover Building, le moral était au plus bas. Et depuis quelques mois McTavey laissait rarement échapper une occasion de quitter Washington, ne serait-ce que pour quelques heures.

En outre, se concentrer sur un bon vieux crime aussi traditionnel qu'un meurtre, voilà qui était rafraîchissant. Il combattait le terrorisme depuis maintenant dix ans, et il n'avait pas encore décelé le moindre indice susceptible de relier la mort de Fawcett à Al-Qaïda ou à des cellules terroristes de l'intérieur. L'époque glorieuse de la lutte contre le crime organisé et de la chasse aux faux-monnayeurs était révolue.

À Roanoke, un 4 × 4 noir attendait au pied de la passerelle de l'avion, et on y fit précipitamment monter McTavey et son équipe, comme si des tireurs embusqués les guettaient. Une minute plus tard, ils s'immobilisaient devant le Congélateur et se ruaient à l'intérieur.

Une visite du directeur sur le terrain visait deux objectifs. Le premier consistait à remonter le moral de la force d'intervention et à faire savoir aux hommes que, en dépit de leur absence de progrès, leur mission conservait la plus haute priorité. Le second consistait à accroître la pression. Après une rapide visite de ces installations de fortune et une tournée de poignées de main à faire pâlir de jalousie un politicien, on conduisit le directeur McTavey à la grande salle de réunion.

Il s'installa à côté de Victor Westlake, un vieil ami, et ce fut en mâchant leurs beignets qu'ils écoutèrent l'un des principaux responsables de l'enquête leur faire un exposé laborieux des derniers développements – qui se résumaient à pas grand-chose. McTavey n'avait pas besoin d'être briefé personnellement : depuis le meurtre, il s'était entretenu avec Westlake au moins deux fois par jour.

— Parlons de ce personnage, ce Bannister, proposa McTavey au bout d'une demi-heure d'un ennuyeux laïus qui ne menait nulle part.

Un autre rapport circula autour de la table.

— C'est le tout dernier, expliqua Westlake. Nous avons commencé par les camarades de lycée, avant d'aborder l'université et la faculté de droit, et nous n'avons pas de suspects valables. Aucune information concernant des amis ou de proches connaissances, personne, vraiment, qui ait pu croiser la route du juge Fawcett. Pas de membres de gangs, de dealers ou de criminels chevronnés. Ensuite, nous avons remonté la trace du maximum d'anciens clients, sans succès car nous ne pouvons pas accéder à quantité de ses vieux dossiers. Là encore, personne d'intéressant. Il a fait son boulot d'avocat dans une petite ville pendant à peu près dix ans, en association avec deux avocats afro-américains plus âgés que lui, et leur boutique est absolument nickel.

— A-t-il eu l'occasion de plaider une affaire devant le juge Fawcett ?

— Il n'existe aucun dossier signalant qu'il aurait défendu un client devant le juge. Il n'a pas eu beaucoup à intervenir à l'échelon fédéral, et en plus il dépendait du district nord de Virginie. On peut avancer sans risque que M. Bannister n'était pas un avocat de plaidoirie très recherché.

— Vous considérez donc que Bannister aurait rencontré en prison celui qui a tué le juge Fawcett. À supposer, bien sûr, que nous partions du principe qu'il connaisse la vérité.

— Exact. Il a purgé les vingt-deux premiers mois de sa peine à Louisville, dans le Kentucky, un établissement de moyenne sécurité, avec deux mille autres détenus. Il a eu trois compagnons de cellule différents, et il a travaillé à la blanchisserie et en cuisine. Il a aussi développé ses talents d'avocat taulard et il a effectivement permis l'élargissement d'au moins cinq détenus. Nous disposons d'une première liste d'environ cinquante individus qu'il connaissait probablement assez bien, mais franchement il est impossible d'identifier tous ceux avec lesquels il est entré en contact à Louisville. Et il en est de même à Frostburg. Il y est depuis trois ans, et il a purgé sa peine au contact d'un millier d'autres prisonniers.

— Votre liste complète est longue ? demanda McTavey.

— Nous avons à peu près cent dix noms, mais aucun de ces types ne nous paraît intéressant.

— Combien ont été condamnés par Fawcett ?

— Six.

— Il n'y a donc aucun suspect évident dans l'historique carcéral de Bannister ?

— Pas encore. Nous continuons de fouiner. N'oubliez pas, il s'agit là de notre seconde théorie, qui part du principe que celui qui a tué le juge lui gardait rancune en raison d'une décision malheureuse rendue sous sa juridiction. Notre première théorie considère qu'il s'agit d'un meurtre classique assorti d'un cambriolage.

— Et votre troisième théorie ?

— L'ex-mari jaloux de la défunte secrétaire.

— Peu crédible, exact ?

— Exact.

— Et vous en avez une quatrième ?

— Non, pas pour le moment.

Le directeur McTavey but une gorgée de son café.

— Il est infect, ce jus.

À l'autre bout de la salle, deux larbins, le doigt sur la couture du pantalon, disparurent précipitamment pour se mettre en quête d'un breuvage plus acceptable.

— Désolé, fit Westlake.

Il était de notoriété publique que le directeur était un très grand amateur de café et qu'il était extrêmement déplacé de lui servir un vulgaire jus de chaussette.

— Rappelez-moi donc les faits concernant Bannister, reprit McTavey.

— Dix ans, un délit tombant sous le coup de la loi RICO, s'est fait prendre dans la débâcle Barry Rafko, il y a de cela quelques années. Il ne figurait pas parmi les gros joueurs. Il avait traité quelques affaires foncières pour Barry et s'est retrouvé mis en accusation.

— Donc il n'a jamais couché avec ces mineures de seize ans ?

— Oh non, les coucheries ne concernaient que nos parlementaires. Bannister semble être un type bien, un ancien marine et tout, il a juste choisi le mauvais client.

— Était-il coupable ou non ?

— C'était le sentiment du jury. Et celui du juge. On n'écope pas de dix ans sans avoir merdé quelque part.

On déposa une autre tasse de café devant le directeur, qui le huma avant d'en avaler une gorgée. Tout le monde retint son souffle. Il en but une autre gorgée. Tout le monde respira.

— Qu'est-ce qui nous pousse à croire Bannister ? demanda McTavey.

— Hanski.

L'agent Chris Hanski se tenait sur le qui-vive. Il s'éclaircit la gorge et se lança :

— Eh bien, je ne sais pas au juste ce qui nous amène à croire Bannister, mais il nous a fait bonne impression. Je l'ai interrogé à deux reprises, je l'ai observé attentivement, et je n'ai pas décelé de signes de mystification. Il est intelligent, habile, et n'a rien à gagner à nous mentir. Au bout de cinq ans de détention, il est très possible qu'il soit tombé sur un individu qui aurait voulu dégommer le juge Fawcett ou le dévaliser.

— Et nous n'avons vraiment aucune idée de qui pourrait être cet individu ? Exact ?

Hanski consulta Victor Westlake du regard.

— Jusqu'à présent, c'est exact, fit ce dernier. Nous continuons de creuser.

— Cela ne me plaît guère, que nos chances de découvrir l'identité du tueur reposent sur notre capacité à découvrir qui ce M. Bannister aurait pu croiser en prison, lâcha McTavey, ce qui était un raisonnement parfaitement logique. Nous risquons de multiplier les impasses pour les dix prochaines années. Mais quel inconvénient y aurait-il à conclure un marché avec Bannister ? Ce type est un escroc en col blanc qui a déjà tiré cinq ans pour des activités criminelles relativement anodines eu égard au contexte. Vous ne trouvez pas, Vic ?

Vic acquiesça avec gravité. McTavey poursuivit :

— Donc, ce type sort de prison. Et ce n'est pas comme si nous relâchions un tueur en série ou un prédateur sexuel. S'il dit vrai, cette affaire est résolue et nous pouvons rentrer chez nous. Si le gaillard nous arnaque, est-ce un drame ?

À cet instant, personne autour de la table ne voulait envisager un drame quelconque.

— Qui pourrait soulever une objection ? ajouta-t-il.

— Le bureau du procureur n'est pas dans le coup, observa Westlake.

— Rien de surprenant. Je rencontre le ministre de la Justice demain après-midi. Je peux neutraliser le procureur. D'autres inquiétudes ?

Hanski se racla de nouveau la gorge.

— Eh bien, monsieur, ce Bannister nous a prévenus : il ne nous fournira aucun nom tant qu'un juge fédéral n'aura pas signé un arrêt de commutation de peine. Je ne sais pas au juste comment cela fonctionne, mais la commutation deviendra automatique quand le jury de mise en accusation aura inculpé notre mystérieux tueur.

McTavey écarta l'objection d'un revers de main.

— Nous avons des avocats capables de gérer cela. Bannister en a-t-il un ?

— Pas que je sache.

— Lui en faut-il un ?

— Je lui poserai volontiers la question, fit Hanski.

— Bouclons cet accord, vu ? s'impatienta McTavey. J'y vois un gros avantage et un inconvénient minime. Étant donné nos progrès jusqu'à présent, il est plus que temps de trouver une ouverture.

10.

Un mois s'est écoulé depuis les meurtres du juge Fawcett et de Naomi Clary. Les articles des journaux consacrés à l'enquête sont plus courts et moins fréquents. Au début, le FBI n'avait aucun commentaire à faire et, au bout d'un mois de travail effréné sans aboutir à rien, la force d'intervention semble s'être évaporée. Un tremblement de terre en Bolivie, une fusillade dans une école du Kansas, l'overdose d'une star du rap et la cure de désintoxication d'une autre ont détourné l'attention vers d'autres événements plus importants.

Pour moi, c'est une bonne nouvelle. En surface l'enquête paraît stagner, mais en interne la pression monte. Mon pire cauchemar, c'est un gros titre annonçant l'arrestation d'un suspect, quoique cela soit de moins en moins probable. Les jours passent, et j'attends patiemment.

Je ne reçois des clients que sur rendez-vous. Je les rencontre dans mon box à la bibliothèque. Ils apportent les pièces de leur dossier juridique, une pile de conclusions diverses, des ordonnances, des requêtes et des jugements qu'en tant que détenus nous sommes autorisés à conserver dans notre cellule – les SP n'ont pas le droit de toucher à nos dossiers judiciaires.

Deux rendez-vous suffisent souvent à convaincre la plupart de mes clients qu'il n'y a rien à tenter. Lors du premier, nous passons en revue les aspects les plus élémentaires et j'examine leurs pièces. Ensuite, je consacre quelques heures à effectuer des recherches. Lors du deuxième rendez-vous, en général, j'annonce la mauvaise nouvelle : mon client n'a aucune chance ; il n'existe aucune faille permettant de le tirer d'affaire.

En cinq ans, j'ai aidé six détenus à obtenir une libération anticipée. Inutile de le préciser, cela consolide fortement ma réputation d'avocat taulard au brio magistral, pourtant je mets en garde chaque client : la situation penche lourdement en sa défaveur.

C'est ce que j'explique au jeune Otis Carter, vingt-trois ans, père de deux enfants, qui passera les quatorze prochains mois ici, à Frostburg, pour un crime qui n'aurait pas dû être considéré comme tel. Otis est un garçon de la campagne, un baptiste à la foi profondément enracinée, électricien de son état, heureux en mariage, qui n'arrive toujours pas à croire qu'il se retrouve dans une prison fédérale. Son grand-père et lui ont été inculpés et condamnés pour violation du Civil War Battlefield and Artifact Preservation Act de 1979, un texte qui protège les champs de bataille et les vestiges de la guerre de Sécession, amendé en 1983, 1989, 1997, 2002, 2008 et 2010. Son grand-père, âgé de soixante-douze ans et souffrant d'emphysème, est enfermé dans un centre médical fédéral du Tennessee, où il purge également une peine de quatorze mois d'internement. En raison de son état, il en coûtera au contribuable à peu près vingt-cinq mille dollars par mois.

Les Carter recherchaient des vestiges sur leur ferme de quatre-vingts hectares jouxtant le parc historique national du champ de bataille de New Market, dans la vallée de Shenandoah, à moins d'une heure de ma ville natale de Winchester. Cette ferme est dans la famille Carter depuis plus d'un siècle et, dès qu'il avait été en âge de marcher, Otis accompagnait son grand-père quand ce dernier allait « déterrer » des reliques et des souvenirs de la guerre de Sécession. Au cours des décennies, sa famille a réuni une collection impressionnante de balles Minié, de boulets de canon, de cantines, de boutons en cuivre, d'éléments d'uniformes, auxquels s'ajoutent deux étendards et plusieurs dizaines de fusils de toutes sortes. Ils ont exhumé tous ces objets en toute légalité. Il est illégal de prélever des vestiges et des reliques sur un site historique national, qui est territoire fédéral, et les Carter avaient bien connaissance de la loi. Leur petit musée privé, dans une grange à foin reconvertie, était uniquement garni d'objets retrouvés sur leur propriété.

Toutefois, en 2010, le Civil War Battlefield and Artifact Preservation Act fut de nouveau amendé. En réponse aux revendications des défenseurs du patrimoine historique visant à restreindre l'aménagement des sols à proximité des champs de bataille, une formule de dernière minute fut ajoutée à un amendement d'une centaine de pages. Il devenait illégal d'exhumer des reliques « dans un périmètre de trois kilomètres » autour d'un site historique national, quelle que soit la nature du terrain dans lequel on creuse. Les Carter n'étaient pas informés de ces nouvelles restrictions : cette formule était tellement enfouie dans les profondeurs de l'amendement que pratiquement personne n'était au courant.

Pendant des années, les agents fédéraux avaient harcelé le grand-père d'Otis, l'accusant de creuser sur des terres protégées. Ils s'arrêtaient régulièrement à son domicile et ils exigeaient de contrôler son musée. Quand la loi changea, ils attendirent patiemment de cueillir Otis et son grand-père alors que, munis d'un détecteur de métaux, ils étaient allés fouiller une zone boisée de leur propriété. La famille Carter engagea un avocat, qui leur conseilla de plaider coupable. Pour quantité de délits pénaux fédéraux, l'intention criminelle n'est plus requise. L'ignorance de la loi ne constitue plus une ligne de défense.

En tant que victime de la loi RICO sur les organisations soumises au racket et à la corruption – un texte de loi fédéral souvent mal interprété et réputé très flexible –, je m'intéresse de près à l'inflation réglementaire du code pénal fédéral, qui compte vingt-sept mille pages et reste en constante augmentation. La Constitution ne désigne expressément que trois crimes fédéraux : la trahison, la piraterie et la fabrication de fausse monnaie. Aujourd'hui, il existe plus de quatre mille cinq cents délits fédéraux, et ce chiffre continue de croître ;

le Congrès entend se montrer de plus en plus ferme avec la criminalité, et les procureurs fédéraux se révèlent de plus en plus créatifs dans les moyens d'appliquer les nouvelles lois.

Otis pourrait éventuellement attaquer la constitutionnalité de cet amendement. Cela donnerait lieu à une procédure, qui se prolongerait plusieurs années après sa remise en liberté conditionnelle et son retour auprès de sa famille. Lors de notre deuxième entrevue, je le lui explique, mais cette option ne semble pas l'intéresser. S'il ne peut pas être libéré tout de suite, pourquoi s'embêter ? Cependant, l'affaire m'intrigue. Nous décidons d'en discuter plus tard.

Si mon plan grandiose tombe à plat, je pourrais me charger de l'affaire Otis, me battre et la porter devant la Cour suprême. Cela me tiendrait occupé pendant les cinq prochaines années.

Par deux fois, la Cour suprême a refusé de statuer sur mon cas. Sans que nous puissions le prouver, nous avons eu la sensation très nette que mes recours en appel étaient promptement expédiés par l'appareil judiciaire, en raison de la ferme volonté du gouvernement de coincer derrière les barreaux Barry Rafko et ses complices – moi inclus.

J'ai été inculpé en novembre 2005 et condamné deux mois plus tard à dix ans de réclusion. Dès le prononcé de ma sentence, il y a eu ordonnance de renvoi ; en d'autres termes, j'ai été incarcéré. Certains individus coupables de crimes fédéraux, s'ils ont de la chance, se voient accorder le choix de la « présentation volontaire », autrement dit celui de rester libre jusqu'à ce qu'ils reçoivent l'ordre de se présenter à un établissement pénitentiaire.

Mon avocat avait estimé que j'écoperais de cinq ou six années d'emprisonnement. Barry le Bakchich, l'inculpé vedette, la cible, le scélérat de haut vol que tout le monde adorait haïr, a écopé de douze ans. À l'évidence, je ne méritais pas d'être condamné à même la moitié de la peine de cette pourriture. Dionne, mon épouse belle et aimante, mon soutien indéfectible, était présente dans la salle d'audience, fièrement assise à côté de mon père, que je sentais si humilié. J'ai été le seul à être condamné ce jour-là. Debout devant le juge Slater, avec mon avocat à ma droite, j'avais du mal à respirer. Ce n'est pas possible, me répétais-je, tandis que tout autour de moi devenait flou. Je ne mérite pas ça. Je peux tout expliquer. Je ne suis pas coupable. Slater y alla de ses réprimandes et de son sermon, il fit son numéro pour la presse, et moi, je me sentais comme un boxeur poids lourd au douzième round qui essuie une pluie de coups, qui se tasse dans les cordes en se couvrant le visage, et qui attend le prochain direct qui va le cueillir en pleine face. J'avais les genoux en pâte à modeler. J'étais en nage.

Quand le juge Slater a prononcé ces mots – « dix ans » –, j'ai entendu une exclamation derrière moi : Dionne s'effondrait en larmes. Lorsqu'on m'a conduit hors de la salle, je lui ai lancé un dernier regard. Cette scène-là, je l'avais vue cent fois au cinéma, dans des séries à la télévision et dans des reportages-vérité tournés en salles d'audience – le dernier regard d'adieu du condamné désespéré. À quoi pensez-vous, quand vous quittez le tribunal en sachant que vous ne rentrerez pas chez vous ? La vérité, c'est que rien n'est clair. Trop de pensées se bousculent, vous avez trop de peur, trop de colère, trop d'émotions brutes en vous pour comprendre ce qui vous arrive.

Sous le choc, Dionne, les mains plaquées sur la bouche, pleurait, le visage baigné de larmes. Mon père, le bras autour de ses épaules, s'efforçait de la consoler. C'est la dernière vision que j'ai eue – celle de ma très belle femme, anéantie, ravagée.

Et maintenant, elle est mariée avec un autre.

Grâce au gouvernement fédéral.

Les membres de mon jury venaient du district de Columbia. Certains me semblaient intelligents et instruits, mais la majorité n'était pas très sophistiquée, j'ose l'affirmer. Après trois journées de délibération, ils ont annoncé au juge qu'ils ne progressaient pas beaucoup. Et comment leur en vouloir ? En s'appuyant sur une portion considérable du Code pénal fédéral, les procureurs avaient adopté une stratégie éprouvée consistant à nous traîner dans la boue, à un point tel que l'on ne puisse plus nous laver d'aucun soupçon. Ce matraquage avait transformé ce qui aurait dû se limiter à une procédure relativement simple contre Barry Rafko et un parlementaire en véritable bourbier judiciaire. J'avais passé des heures innombrables à travailler à ma défense, et je n'arrivais pas à comprendre toutes les thèses de l'accusation. D'emblée, mon avocat avait prédit que le jury serait incapable de dégager une majorité.

Au bout de quatre jours de délibéré, le juge Slater a lâché ce que l'on appelle couramment le « bâton de dynamite » dans les cercles judiciaires. Au fond, il s'agit d'une demande adressée aux jurés pour qu'ils aboutissent à un verdict, à tout prix : tant que vous n'avez pas tranché, vous ne rentrez pas chez vous ! Une telle manœuvre porte rarement ses fruits, malheureusement je n'ai pas eu cette chance. Une heure plus tard, des jurés épuisés, émotionnellement à bout, revenaient avec un verdict unanime contre tous les accusés, et sur la globalité des chefs d'accusation. Pour moi et pour beaucoup d'autres, il était évident qu'ils n'avaient rien compris à la quasi-totalité des sections du Code pénal et des théories alambiquées de l'accusation. Ce propos d'un des jurés fut cité par la suite : « Nous sommes simplement partis du principe qu'ils étaient coupables, sans quoi ils n'auraient pas été inculpés. » Je me suis servi de cette citation lors de mes recours en appel, sans être entendu.

J'ai attentivement observé les jurés tout au long du procès, et, dès les déclarations liminaires, ils étaient noyés. Comment aurait-il pu en être autrement ? Neuf avocats différents avaient livré leurs versions des faits. Pour accueillir tous les prévenus et leurs avocats, le tribunal avait dû être réaménagé et rénové.

Ce procès s'était changé en spectacle, en farce, en entreprise ridicule de recherche de la vérité. Mais, comme je l'ai appris, la vérité n'a pas d'importance. En d'autres temps, peut-être, un procès était un exercice de présentation des faits, de recherche de la vérité à seule fin de rendre la justice. Aujourd'hui, un procès est un concours d'où une partie sortira victorieuse et l'autre perdante. Chaque partie s'attend à ce que l'autre triche ou fausse les règles, de sorte qu'aucune des deux ne joue franc-jeu. Dans pareille mêlée, la vérité se perd.

Deux mois plus tard, je suis retourné en salle d'audience pour la sentence. Mon avocat avait demandé que l'on m'accorde la présentation volontaire, mais notre requête n'avait guère convaincu le juge Slater. Après m'avoir condamné à dix années de réclusion, il a ordonné que l'on me place en détention provisoire.

Il est en fait remarquable que l'on n'abatte pas plus de juges fédéraux. Pendant des semaines, après cela, j'ai échafaudé toutes sortes de plans pour infliger à ce Slater une morte lente et atroce.

Des marshals fédéraux m'ont escorté hors de la salle d'audience, vers une cellule d'attente, dans le palais de justice, avant mon transfert vers la prison du district de Columbia, où l'on m'a déshabillé, fouillé, remis une combinaison orange de détenu et placé dans une cellule bourrée à craquer. Six autres prisonniers s'y entassaient ; il n'y avait que quatre couchettes. La première nuit, je me suis assis à même le sol en béton, rien que moi et ma maigre couverture pleine de trous. La prison était un zoo bruyant, avec sa surpopulation de prisonniers et ses surveillants en sous-effectif, et il m'a été impossible de trouver le sommeil. J'avais trop peur, j'étais trop sonné pour fermer les yeux ; je me suis donc recroquevillé dans un coin, et jusqu'à l'aube j'ai écouté les beuglements, les cris et les menaces. Je suis resté là une semaine, mangeant peu, dormant peu, urinant dans une pissotière répugnante, sans porte, à la chasse d'eau en panne, à moins de trois mètres de mes compagnons de cellule. À un moment, nous nous sommes retrouvés enfermés à dix, là-dedans. Je ne me suis pas douché une seule fois. À la moindre sollicitation de mes intestins, j'étais obligé d'implorer pour qu'on me laisse me rendre au « parloir à merde » du bout du couloir.

Le transport des prisonniers condamnés par une cour fédérale s'effectue sous la garde des U.S. marshals, et c'est un cauchemar. Des détenus de tous niveaux de sécurité sont entassés ensemble, quels que soient les crimes qu'ils ont commis ou les risques qu'ils pourraient faire peser sur autrui. Pour cette raison, nous étions tous traités comme de sauvages meurtriers. J'avais les mains entravées par des menottes, les chevilles enchaînées, et j'étais attaché au détenu qui me précédait et à celui qui se trouvait derrière moi. L'humeur générale était détestable. Les marshals ont une mission : assurer le transfert de leurs prisonniers, en toute sécurité et sans risque d'évasion. Bon nombre de ces détenus étaient des novices comme moi, et ils avaient peur, étaient sur les nerfs, paumés.

Quatorze d'entre nous ont quitté le district de Columbia en bus, un véhicule banalisé à remorque articulée qui, des dizaines d'années plus tôt, transportait des écoliers. Nous avons pris la direction du sud. On ne nous a pas retiré nos menottes et nos chaînes. Un marshal armé d'un fusil était assis au premier rang. Au bout de quatre heures, nous avons fait halte dans une prison du comté, en Caroline du Nord. On nous a distribué un sandwich détrempé à chacun et nous avons été autorisés à descendre uriner derrière le bus, toujours enchaînés et attachés les uns aux autres. Jamais on ne nous a retiré ces menottes et ces fers aux chevilles. Au bout de deux heures d'attente, nous sommes repartis avec trois prisonniers supplémentaires, en direction de l'ouest. Les six jours suivants, nous avons multiplié les escales dans les prisons de plusieurs comtés successifs, en Caroline du Nord, dans le Tennessee et en Alabama, pour y ramasser des prisonniers ou en déposer, à l'occasion ; chaque soir nous couchions dans une cellule différente.

Les prisons des comtés étaient les pires : des cellules minuscules, surpeuplées, sans chauffage, sans climatisation, sans lumière naturelle et sans sanitaires corrects, de la nourriture que même des chiens auraient refusée, pas beaucoup d'eau, des culs-terreux du Sud en guise de gardiens, un risque bien plus élevé de violences, et des détenus locaux qui réagissaient très mal à l'intrusion de « prisonniers fédéraux ». Je ne pouvais croire que des conditions de vie aussi déplorables existent dans ce pays, mais j'étais bien naïf. Plus notre périple se prolongeait, plus l'humeur virait à l'aigre, et plus la grogne augmentait dans le bus. Pour que cela cesse, il a fallu qu'un vieil habitué nous explique le concept de « thérapie du diesel » : plaignez-vous, faites du raffut, et les marshals vous garderont dans ce bus des semaines en vous offrant une tournée gratuite de dizaines de prisons de comtés.

Rien ne pressait. Les marshals ne peuvent transporter les prisonniers que de jour ; en conséquence, les étapes avaient tendance à raccourcir. Ils se moquaient éperdument de notre confort ou de la promiscuité.

Nous avons fini par atteindre un centre de répartition, à Atlanta, un endroit à la réputation redoutable où je suis resté enfermé en isolement cellulaire vingt-trois heures par jour, le temps que mon dossier s'achemine lentement jusqu'à un bureau de Washington. Au bout de trois semaines de ce traitement, j'avais perdu mon équilibre mental. Rien à lire, personne avec qui bavarder, une nourriture épouvantable, des gardiens féroces. Par la suite, on nous a de nouveau enchaînés et fait monter dans un autre bus, qui nous a conduits à l'aéroport d'Atlanta, où nous avons embarqué à bord d'un avion cargo. Enchaînés à un banc en plastique et serrés comme des sardines, nous nous sommes envolés vers Miami, sans aucune idée de notre destination finale. L'un des marshals nous a obligeamment tenus informés. À Miami, nous avons récupéré encore quelques détenus, puis nous avons décollé pour La Nouvelle-Orléans, où nous sommes restés stationnés une heure, dans une moiteur suffocante, le temps que les marshals chargent encore d'autres prisonniers.

Dans l'avion, nous étions autorisés à parler, et ces discussions avaient quelque chose de réparateur. La plupart d'entre nous venaient d'endurer des journées entières d'isolement, et nous nous sommes donc immergés dans la conversation. Certains de ces gars n'en étaient pas à leur premier voyage, et ils racontaient des histoires d'autres transports qu'ils avaient endurés, enchaînés, aux frais du gouvernement fédéral. J'ai ainsi pu commencer à entendre quelques évocations de la vie carcérale.

À la tombée de la nuit, nous sommes arrivés à Oklahoma City ; là, on nous a entassés dans un bus et conduits vers un autre centre de répartition. L'endroit n'était pas aussi pénible que celui d'Atlanta, pourtant, à ce moment-là, je songeais déjà au suicide. Au bout de cinq jours d'isolement, on nous a remis les chaînes et reconduits à l'aéroport. Nous nous sommes envolés vers le Texas, haut lieu mondial de l'exécution par injection létale, et dans mes rêves éveillés je me voyais, l'aiguille plantée dans un bras, partir à la dérive. À Dallas, huit durs, tous des Hispaniques, ont embarqué à bord de notre « Taul'Air », et nous avons décollé pour Little Rock, puis Memphis et Cincinnati, où se sont achevées mes journées de périple aérien. J'ai passé six nuits dans une prison municipale pénible, avant qu'un tandem de marshals ne me conduise vers la prison de Louisville, dans le Kentucky.

Louisville est à huit cents kilomètres de ma ville de Winchester, en Virginie. Si l'on avait accédé à ma demande de présentation volontaire, nous aurions effectué ce trajet en à peu près huit heures, mon père et moi. Il m'aurait déposé devant le portail et m'aurait dit au revoir.

Quarante-quatre jours, dont vingt-six en isolement, et trop d'escales pour que je m'en souvienne. Ce système n'a aucune logique, et tout le monde s'en moque. Personne ne le contrôle.

La véritable tragédie du système pénal fédéral ne réside pas tant dans ces absurdités. La tragédie, ce sont ces vies détruites, gâchées. Le Congrès exige des sentences longues et dures, uniquement appropriées pour les condamnés violents. Les criminels endurcis sont enfermés dans des « U.S. Pens », des pénitenciers qui sont de vraies forteresses, où les gangs sévissent, où le meurtre relève de la routine. Mais la majorité des prisonniers fédéraux sont non violents, et nombre d'entre eux sont déclarés coupables de délits ne comportant que peu ou pas d'activités criminelles.

Pour le restant de mes jours, je vais être considéré comme un criminel, et je refuse de m'y résoudre. Je vais tout mettre en œuvre pour me construire une existence affranchie de mon passé et loin des tentacules du gouvernement fédéral.

11.

L'article 35 des réglementations fédérales de procédure pénale expose le seul et unique mécanisme relatif à la commutation d'une peine de prison. Ce texte est d'une impeccable logique et convient parfaitement à ma situation. Si un détenu peut résoudre un délit criminel, autre que le sien, qui suscite l'intérêt des fédéraux, sa sentence peut être réduite. Naturellement, cela requiert la coopération des autorités chargées de l'enquête – le FBI, la DEA, la CIA, l'ATF (le Bureau de l'alcool, du tabac et des armes à feu), etc. – et du tribunal devant lequel le détenu a été condamné.

Si tout se déroule comme prévu, j'aurai bientôt le privilège de revoir Son Honneur, le juge Slater, et cette fois ce sera moi qui fixerai les conditions.

C'est le retour de la cavalerie.

Le directeur est bien plus aimable avec moi, ces temps-ci. Il s'imagine détenir une pièce de choix que de gros bonnets convoitent, et il a très envie d'être au cœur de l'action. Je prends un siège, en face de lui, à son bureau, et il me demande si je veux un café. Cette proposition est presque trop irréelle, dépasse l'entendement – notre directeur tout-puissant proposant un café à un détenu !

— Bien sûr, lui dis-je. Noir.

Il appuie vigoureusement sur un bouton et transmet nos desiderata à un secrétaire. Je remarque qu'il porte des boutons de manchette aujourd'hui, un bon signe.

94

— Ici, ce matin, on reçoit les grosses légumes, Malcolm, m'informe-t-il.

Il a l'air content de lui, comme si c'était lui qui coordonnait tous ces efforts en vue de démasquer le meurtrier. Et puisque nous sommes devenus si bons camarades, il m'appelle par mon prénom. Jusqu'à présent, c'était Bannister par-ci, Bannister par-là.

— Qui cela ?

— Le directeur de la force d'intervention, Victor Westlake, de Washington, et une bande d'avocats. Ils vous accordent apparemment toute leur attention.

Je ne peux m'empêcher de sourire, juste une seconde.

— Ce type qui a tué le juge Fawcett, il est passé par ici, à Frostburg ? me demande-t-il.

— Désolé, monsieur le directeur, je ne peux pas répondre à cette question.

— J'en conclus qu'il est passé par ici ou par Louisville.

— Peut-être, ou peut-être que je le connaissais avant la prison.

Il se rembrunit et se masse le menton.

— Je vois, marmonne-t-il.

Le café arrive sur un plateau et, pour la première fois depuis des années, je bois dans une tasse qui n'est ni en plastique ni en papier. Nous tuons quelques minutes à causer de rien. À 11 h 05, son secrétaire l'informe par l'interphone qui trône sur son bureau.

— Ils sont en place.

Je le suis jusqu'à la salle de réunion que je connais déjà.

Cinq hommes, dans les mêmes costumes sombres, les mêmes chemises blanches aux cols boutonnés, les mêmes cravates ternes. Si je les avais aperçus dans la foule, à cinq cents mètres de distance, j'aurais immédiatement pensé : « Eh oui, des fédés. »

Après les présentations d'usage, guindées à souhait, le directeur s'éclipse à contrecœur. Je m'assois d'un côté de la table et mes cinq nouveaux camarades de jeu s'installent en face. Victor Westlake est au milieu avec, à sa droite, l'agent Hanski et un visage nouveau, l'agent Sasswater. Aucun de ces deux-là ne prononce un mot. À la gauche de Westlake sont assis les deux adjoints du procureur – Mangrum, du district sud de Virginie, et Craddock, du district nord. Ils ont oublié Dunleavy le novice.

Des orages ayant éclaté dans la région juste après minuit, Westlake commence par ce commentaire :

— Un sacré déluge, la nuit dernière, hein ?

Je plisse les paupières et je le dévisage.

— Sérieusement ? Vous voulez discuter de la météo ?

Cela l'agace, mais c'est un pro. Un sourire, un grommellement, et il enchaîne :

— Non, monsieur Bannister, je ne suis pas ici pour discuter de la météo. Mon patron estime que nous devrions conclure un accord avec vous, c'est donc pour cela que je suis ici.

— Génial. Et, oui, un sacré déluge, en effet.

— Nous aimerions entendre vos conditions.

— Je crois que vous les connaissez. Nous appliquons l'article 35. Nous signons un accord, tous autant que nous sommes, selon les termes duquel je vous livre le nom de l'homme qui a tué le juge Fawcett. Vous l'arrêtez, vous enquêtez sur lui, vous faites ce que vous avez à faire et, dès qu'un jury fédéral de mise en accusation l'inculpe, je suis libéré. Le jour même. Vous me transférez de Frostburg et je disparais, sous le programme de protection des témoins. Plus de peine de prison, plus de casier judiciaire, plus de Malcolm Bannister. L'accord est confidentiel, sous scellés, enterré, et signé par le ministre de la Justice.

— Le ministre de la Justice ?

— Oui, monsieur. Je ne me fie ni à vous ni à personne d'autre dans cette pièce. Je ne me fie pas au juge Slater ni à aucun autre juge fédéral, à aucun procureur, à aucun procureur adjoint, à aucun agent du FBI, ou à qui que ce soit d'autre parmi ceux qui travaillent pour le gouvernement fédéral. Les papiers doivent être parfaits, l'accord à toute épreuve. Quand le tueur aura été inculpé, je sors. Point à la ligne.

— Aurez-vous recours à un avocat ?

— Non, monsieur. Je peux m'en charger tout seul.

— Comme vous voudrez.

Mangrum exhibe soudain une chemise dont il extrait plusieurs exemplaires d'un document. Il en fait glisser un de l'autre côté de la table, et la liasse s'immobilise devant moi, parfaitement positionnée. J'y jette un coup d'œil et mon cœur se met à battre la chamade. L'en-tête est le même que celui de toutes les requêtes et de tous les arrêts joints à mon dossier : « Devant la Cour de District Fédérale de Washington, D.C. ; les États-Unis contre Malcolm W. Bannister. » Au milieu de la page, tout en majuscules, ces mots : « REQUÊTE EN APPLICATION DE l'ARTICLE 35. »

— C'est une proposition d'arrêt de la cour, commente Mangrum. Il s'agit juste d'un point de départ, mais nous y avons consacré un certain temps.

Deux jours plus tard, on m'installe sur la banquette arrière d'un 4 × 4 Ford et nous quittons Frostburg, ma première sortie du camp de détention depuis le jour de mon arrivée, il y a trois ans. Plus de chaîne aux pieds, en ce jour, seulement les poignets menottés. Mes deux camarades de jeu sont des U.S. marshals dont le nom ne m'est pas révélé ; ils se montrent assez sympas. Après avoir fini de discuter de la météo, l'un d'eux me demande si je n'en ai pas entendu de bonnes, sous les verrous. Enfermez six cents hommes ensemble, accordez-leur quantité de temps libre, et les blagues vont pleuvoir.

— Gentillettes ou graveleuses ? leur demandé-je, bien qu'il s'échange peu de blagues gentillettes en prison.

— Ah, graveleuses, bien sûr !

Je leur en raconte deux ou trois qui me valent quelques bons gros éclats de rire, tandis que les kilomètres défilent. Nous sommes sur l'Interstate 68, nous fonçons à travers Hagerstown, et cette sensation de liberté est exaltante. Malgré les menottes, je peux presque sentir le goût de la vie, là, dehors. J'observe la circulation, je rêve de posséder et de conduire à nouveau une voiture, de pouvoir aller n'importe où. J'aperçois des fast-foods aux échangeurs, et je salive à la pensée d'un hamburger et de frites. Je vois un couple qui entre main dans la main dans un magasin, et je peux presque sentir le contact des chairs de cette femme. Derrière la vitrine d'un bar, une enseigne à bière me donne soif. Une affiche publicitaire pour une croisière dans les Caraïbes m'emmène dans un autre monde. J'ai l'impression d'être resté enfermé un siècle.

Nous roulons vers le sud, sur l'Interstate 70, et nous ne tardons pas à nous engager dans la conurbation de Washington-Baltimore. Trois heures après notre départ de Frostburg, nous arrivons au sous-sol du tribunal fédéral, dans le centre du district de Columbia. À l'intérieur du bâtiment, on me retire les menottes ; j'avance, un marshal devant moi et l'autre dans mon dos.

L'entrevue a lieu dans le cabinet du juge Slater, toujours aussi ombrageux, et qui, ces cinq dernières années, paraît avoir vieilli de vingt ans. Il me considère comme un criminel et c'est à peine s'il tient compte de ma présence. Parfait, je m'en moque. Il est évident que d'innombrables conversations ont eu lieu entre son bureau, le bureau du procureur, le FBI et le ministre de la Justice du gouvernement des États-Unis. Je compte onze personnes autour de la table. La requête en application de l'article 35 ainsi que le protocole d'accord joint ont augmenté en épaisseur et comportent vingt-deux pages. J'en ai lu chaque mot cinq fois. J'ai même exigé qu'on y intègre une partie de mes propres formulations.

En résumé, ce protocole m'accorde tout ce que j'ai exigé. La liberté, une nouvelle identité, la protection du gouvernement, et les cent cinquante mille dollars de la récompense.

Après les raclements de gorge d'usage, le juge Slater conduit l'entretien.

— Nous allons maintenant entamer la partie officielle, annonce-t-il.

Son greffier débute la prise de notes en sténographie. Bien qu'il s'agisse d'une affaire confidentielle, et que l'ordre de la cour soit destiné à rester sous scellés, je veux un procès-verbal de cette audience. Un silence, pendant qu'il brasse quelques documents.

— Ceci est une requête d'élargissement introduite par les États-Unis aux termes de l'article 35. Bannister, avez-vous lu le texte complet de cette requête, le protocole d'accord et la proposition d'ordonnance ?

— Oui, Votre Honneur.

— Je crois que vous êtes avocat ou, plutôt, que vous étiez avocat.

— C'est exact, Votre Honneur.

— La requête, le protocole d'accord et l'ordonnance reçoivent-ils votre approbation ?

Et pas qu'un peu, mon p'tit père.

— Oui, monsieur.

Il entame un tour de table et répète les mêmes questions. Tout cela n'est qu'une formalité, car on est déjà tous d'accord. Et, surtout, le ministre de la Justice a signé ce protocole.

Slater revient à moi et me regarde.

— Comprenez-vous, monsieur Bannister, que, si le nom que vous nous aurez fourni ne conduit pas à une inculpation au bout de douze mois, cet accord sera nul et non avenu, votre sentence ne sera pas commuée et vous purgerez le reste de votre peine en totalité ?

— Oui, monsieur.

— Et que, jusqu'à cette inculpation, vous resterez sous la garde du Bureau des prisons ?

— Oui, monsieur.

Après une discussion complémentaire sur les termes de l'accord, le juge Slater signe l'ordonnance et l'audience est close. Il ne me dit pas au revoir et je ne le maudis pas comme j'aurais aimé le maudire. Encore une fois, c'est un miracle que l'on ne voit pas plus de juges fédéraux se faire buter.

Toute une cohorte vient m'entourer et me conduit au bas des marches, dans une pièce où m'attendent d'autres personnages en costume sombre. Une caméra vidéo a été branchée rien que pour moi, et M. Victor Westlake arpente la pièce. On me prie de m'asseoir au bout de la table, face à la caméra, et on me propose quelque chose à boire. Il sont tous très nerveux, ils meurent d'envie de m'entendre prononcer ce fameux nom.

12.

— Il s'appelle Quinn Rucker, c'est un Noir âgé de trente-huit ans, originaire du sud-ouest du district de Columbia, inculpé, il y a deux ans, pour revente de stupéfiants et condamné à sept ans de réclusion. Je l'ai rencontré à Frostburg. Il y a trois mois, il s'est fait la belle et on ne l'a plus revu. Il est issu d'une vaste famille de dealers qui a été active et qui a très bien réussi pendant de nombreuses années. On est loin des dealers de rue. Ce sont des hommes d'affaires, avec des contacts sur toute la côte Est. Ils s'efforcent d'éviter le recours à la violence, sans pour autant la craindre. Ils sont disciplinés, coriaces et pleins de ressources. Plusieurs d'entre eux ont fait un détour par la prison. Plusieurs d'entre eux ont été tués. Pour eux, cela fait juste partie des pertes et profits.

J'observe une pause. La pièce est plongée dans le silence.

Ils sont au moins cinq de ces personnages en costume sombre à prendre des notes. L'un d'eux a un ordinateur portable et il a déjà affiché le dossier de Quinn Rucker – qui a gravi plusieurs échelons et figure désormais dans la liste des cinquante premiers suspects du FBI, surtout à cause de sa peine d'emprisonnement avec moi à Frostburg et de son évasion.

— Comme je vous l'ai dit, j'ai fait la connaissance de Quinn Rucker à Frostburg, et nous sommes devenus amis. Comme beaucoup de détenus, il était convaincu que je serais capable d'introduire une requête pour le faire sortir de là comme par magie, mais dans son cas, c'était peu probable. Il supportait mal d'être enfermé : Frostburg était son premier séjour en taule. C'est ce qui arrive à certains nouveaux qui n'ont pas connu d'autres prisons. Ils n'apprécient pas l'atmosphère du camp. En tout cas, plus sa peine se prolongeait, plus il s'agitait. Il ne s'imaginait pas tenir encore cinq ans. Il avait une femme, deux gosses, des liquidités qui lui venaient de l'activité familiale, et un gros sentiment d'insécurité. Il était convaincu que certains de ses cousins allaient s'en mêler, reprendre ses fonctions, lui voler sa part. J'écoutais une bonne partie de ce qu'il me racontait, mais sans tout gober. Ces types des gangs débitent généralement pas mal de conneries et ils aiment bien exagérer, surtout quand il est question d'argent et de violence. Pourtant, il me plaisait, ce Quinn. À ce jour, c'est sans doute le meilleur ami que je me sois fait en prison. Nous n'avons jamais été en cellule ensemble, mais nous étions proches.

— Savez-vous pourquoi il s'est échappé ? me demande Victor Westlake.

— Je crois. Quinn Rucker vendait de l'herbe et ça marchait bien. Il en fumait aussi beaucoup. Comme vous le savez, le moyen le plus rapide de sortir d'un camp de détention fédéral, c'est de se faire choper avec des drogues ou de l'alcool. Strictement défendu. Quinn Rucker a su par un mouchard que les SP étaient au courant de son trafic et qu'ils étaient sur le point de le faire tomber. Comme la plupart des types qui vendent au marché noir, il cachait son stock dans les espaces collectifs. Il était dans le collimateur, et il savait que, s'il se faisait prendre, on l'enverrait dans un endroit plus pénible. Donc il est parti. Je suis sûr qu'il n'a pas eu à marcher bien loin. Quelqu'un l'attendait sans doute à l'extérieur.

— Savez-vous où il est, maintenant ?

Je hoche la tête, je prends mon temps.

— Il a un cousin, je ne connais pas son nom, qui possède deux clubs de strip-tease à Norfolk, en Virginie, près de la base navale. Trouvez le cousin, et vous trouverez Quinn Rucker.

102

— Sous quel nom ?

— Je n'en sais rien, mais ce ne sera pas Rucker.

— Comment le savez-vous ?

— Désolé, cela ne vous regarde pas.

À cet instant, Westlake fait un signe de la tête à un agent près de la porte, et celui-ci s'éclipse. La recherche est lancée.

— Parlons du juge Fawcett, suggère Westlake.

— D'accord.

Je ne compte plus le nombre de fois où j'ai vécu ce moment en pensée. Où je me suis répété tout ceci, dans l'obscurité de ma cellule, quand je ne trouvais pas le sommeil. J'en ai rédigé le récit, avant de le détruire. J'ai prononcé ces mots à voix haute tout en effectuant de longues, très longues, promenades le long du périmètre de Frostburg. Que cela se réalise enfin, c'est difficile à croire.

— Une grande partie des affaires du gang consistait à acheminer de la cocaïne de Miami vers les grandes villes de la côte Est, surtout dans la partie sud – Atlanta, Charleston, Raleigh, Charlotte, Richmond et ainsi de suite. L'Interstate 95 était leur route de prédilection, parce qu'elle est extrêmement fréquentée, mais le gang utilisait aussi toutes les routes d'État et de comtés possibles. L'acheminement, c'était le travail des mulets. Les trafiquants payaient un chauffeur cinq mille dollars pour louer une voiture et transporter le contenu d'un coffre rempli de coke vers un centre de distribution – dans n'importe quelle ville. Ce mulet se chargeait de la livraison, puis il faisait demi-tour et rentrait dans le sud de la Floride. Selon Quinn, les neuf dixièmes de la coke sniffée à Manhattan aboutit à New York dans une voiture louée à Miami par un de ces mulets qui prennent la route du nord comme s'il s'agissait d'un boulot tout à fait licite. Ils sont pratiquement impossibles à détecter. Quand un mulet se fait prendre, c'est que quelqu'un a mouchardé. Quoi qu'il en soit, un neveu de Quinn Rucker avait gravi les échelons du commerce familial. Ce gamin faisait le mulet, et la police l'a pincé sur l'Interstate 81, juste à la sortie de Roanoke. Il roulait à bord d'un fourgon de location Avis et il prétendait livrer des meubles d'antiquités à une boutique de Georgetown. Il y avait en effet des meubles dans ce fourgon, mais sa véritable cargaison, c'était de la cocaïne, pour une valeur de revente de cinq millions. Suspectant un coup fourré, le premier policier a demandé du renfort. Le neveu connaissait les réglementations et il avait refusé que l'on fouille le fourgon. Le second policier était un bleu, un vrai garçon consciencieux, et il s'est mis à fouiner un peu dans l'espace de chargement. Il n'avait pas de mandat, pas de présomption légitime et aucune autorisation de fouiller. Quand il a déniché la cocaïne, il a piqué sa crise et tout a basculé.

Je marque une pause, je bois une gorgée d'eau. L'agent à l'ordinateur portable tape à tout va, sans aucun doute pour transmettre des directives sur la côte Est.

— Quel est le nom du neveu ? s'enquiert Westlake.

— Je ne sais pas, mais je ne pense pas qu'il s'appelle Rucker. Dans sa famille, il y a plusieurs patronymes et pas mal de pseudos.

— Et donc l'affaire du neveu a été confiée au juge Fawcett ?

Westlake m'incite à poursuivre, bien que personne ne paraisse trop pressé. Ils boivent chacune de mes paroles et sont très désireux de débusquer Quinn Rucker, mais ils veulent connaître toute l'histoire.

— Oui, et Quinn Rucker a engagé un grand avocat de Roanoke, qui lui a assuré que cette fouille était un acte d'une inconstitutionnalité flagrante. Si cette fouille était rejetée par Fawcett, la preuve le serait aussi. Pas de preuve, pas de procès, pas de condamnation, rien. Quelque part au cours de la procédure, Quinn a compris que le juge Fawcett considérerait le dossier du neveu d'un œil plus favorable si un peu d'argent liquide changeait de mains. Une somme substantielle. Selon Rucker, le marché a été négocié par leur avocat. Et, non, je ne connais pas le nom de l'avocat.

— Combien d'argent liquide ?

— Un demi-million.

Ma réponse est accueillie avec beaucoup de scepticisme, et je n'en suis pas surpris.

— J'ai eu du mal à le croire, moi aussi. Qu'un juge fédéral accepte une enveloppe. Mais j'étais aussi sous le choc le jour où un agent du FBI a été pris en flagrant délit d'espionnage pour le compte des Russes. Je suppose que, pourvu que le contexte s'y prête, un homme est capable de faire à peu près n'importe quoi.

— Ne nous écartons pas de notre sujet, fait Westlake, irrité.

— Entendu... Quinn et la famille ont versé ce pot-de-vin. Fawcett l'a accepté. L'affaire a progressé lentement, jusqu'au jour où s'est tenue l'audience d'examen de la requête du neveu visant à obtenir le rejet des pièces à conviction saisies lors d'une fouille illégale. À la surprise générale, le juge a tranché au détriment du neveu, en faveur du ministère public, et il a ordonné un procès. Faute d'une défense appropriée, le jury a déclaré le gamin coupable, mais l'avocat estimait qu'ils avaient de bonnes chances en appel. L'affaire est encore dans les tuyaux, en deuxième instance. En attendant, le neveu purge une peine de dix-huit ans en Alabama.

— C'est une jolie histoire, monsieur Bannister, ironise Westlake, mais comment savez-vous que Quinn Rucker a tué le juge ?

— Parce qu'il m'a dit qu'il allait le tuer pour se venger et récupérer son argent. Il m'en a souvent parlé. Il savait exactement où vivait le magistrat, où il travaillait et où il aimait passer ses week-ends. Il suspectait que l'argent était caché quelque part dans le bungalow, et il était fermement convaincu de ne pas être le seul à s'être fait filouter par Fawcett. Et, monsieur Westlake, dès que vous l'aurez arrêté, il me prendra pour cible, parce que c'est lui qui m'a confié tout cela. Je sortirai peut-être de prison, mais j'aurai toujours tendance à jeter un coup d'œil par-dessus mon épaule. Ces gens-là sont très intelligents – regardez votre propre enquête : rien, pas un indice. Ils sont très rancuniers et très patients. Rucker a attendu presque trois ans de pouvoir tuer le juge. Pour m'avoir, il attendra vingt ans.

— S'il est si intelligent, pourquoi serait-il allé vous raconter tout ça ? s'étonne Westlake.

— Simple. Comme beaucoup de détenus, Quinn pensait que je serais capable de déposer une requête imparable, de trouver la faille et de le sortir de prison. Il m'a promis de me payer, il m'a juré que je toucherais la moitié de ce qu'il récupérerait chez Fawcett. J'avais déjà entendu ça, avant, et depuis. J'ai examiné le dossier de Quinn Rucker et je lui ai expliqué que, selon moi, il n'y avait rien à faire.

Il faut qu'ils croient que je dis la vérité. Si Quinn Rucker n'est pas inculpé, alors je vais passer ces cinq prochaines années en prison. Nous sommes encore dans deux camps opposés, eux et moi, mais nous nous acheminons lentement vers un terrain d'entente.

13.

Six heures plus tard, deux agents du FBI, des Noirs, payaient leur couvert au Velvet Club, à trois rues de la base navale de Norfolk. Vêtus de tenue d'ouvrier du bâtiment, ils se mêlèrent très facilement à la clientèle, qui était moitié blanche, moitié noire, moitié marins et moitié civils. Les danseuses étaient aussi moitié-moitié – la discrimination positive s'exerçait donc partout. Deux fourgons de surveillance attendaient sur le parking, avec une dizaine d'autres agents. Quinn Rucker avait été repéré, photographié et identifié à son entrée dans le club, à 17 h 30. Il y travaillait comme barman et, quand il quitta son poste, à 20 h 45, pour se rendre aux toilettes, il fut suivi. Aux toilettes, les deux agents l'abordèrent. Après une brève discussion, ils se mirent d'accord pour sortir par une porte de derrière. Quinn avait compris la situation et s'abstint de tout geste intempestif. Il n'eut pas l'air surpris non plus. Pour beaucoup d'évadés, à bien des égards la fin de la cavale est un soulagement. Sous le poids des défis d'une vie normale, les rêves de liberté s'effondrent. Il subsiste toujours une part d'eux-mêmes qui reste enfermée.

On le menotta et on le conduisit au bureau du FBI de Norfolk. Dans une salle d'interrogatoire, les deux agents noirs lui servirent un café, avant d'entamer une conversation cordiale. Son seul crime avait été de s'évader, ni plus ni moins, et il n'avait rien pour sa défense. Il était aussi coupable qu'on peut l'être, et c'était la prison qui l'attendait.

Ils lui demandèrent s'il acceptait de répondre à quelques questions élémentaires concernant son évasion, quelque trois mois plus tôt. Il leur dit oui, bien sûr, pourquoi pas ? Il admit spontanément qu'un complice, dont il ne livra pas le nom, l'attendait non loin du camp de détention de Frostburg, et qu'il l'avait ramené à Washington en voiture. Il avait traîné quelques jours là-bas, mais sa présence n'avait pas été bien accueillie. Les évadés, cela attire l'attention, et ses gars n'appréciaient pas trop l'éventualité que le FBI vienne fouiner dans les parages, à sa recherche. Il avait d'abord fait le mulet, passé de la cocaïne entre Miami et Atlanta, mais le marché était mou. Il se traînait une casserole et son « syndicat », comme il l'appelait, en avait assez de lui. Il voyait sa femme et ses fils, à l'occasion, tout en sachant le danger qu'il y avait à s'éterniser trop près de chez lui. Il était resté un certain temps chez une ancienne petite amie à Baltimore, quoiqu'elle non plus n'ait pas été trop emballée de l'avoir dans les pattes. Il avait zoné un peu, en décrochant une livraison de drogue de temps à autre, puis il avait eu de la chance quand son cousin lui avait dégotté un boulot de barman au Velvet Club.

Derrière le mur, dans une salle d'interrogatoire plus vaste, deux enquêteurs chevronnés du FBI écoutaient la conversation. Une autre équipe s'était installée à l'étage, en attente, à l'écoute. Si les choses se déroulaient positivement, pour Quinn, la nuit serait longue. Pour le FBI, il fallait que les choses se déroulent positivement. En l'absence de preuve matérielle, il était impératif que l'interrogatoire produise au moins un élément probant. Toutefois, le Bureau était inquiet : ils avaient affaire à un homme qui affichait déjà quelques heures de vol ; il était peu probable que le recours à l'intimidation suffise à faire beaucoup parler leur suspect.

Dès que les agents eurent escorté Quinn par la porte de derrière du Velvet Club, ils coincèrent son cousin et exigèrent des informations. Le cousin connaissait toutes les ficelles et ne se montra guère loquace, jusqu'à ce qu'ils le menacent de le poursuivre pour avoir protégé un évadé. Il avait un casier judiciaire impressionnant, des poursuites au niveau national, et une nouvelle inculpation le renverrait vraisemblablement sous les verrous. Préférant la vie à l'extérieur, il se mit à table. Quinn vivait et travaillait sous le nom d'emprunt de Jackie Todd ; sa rémunération lui était versée en espèces et sans être déclarée. Le cousin mena les agents jusqu'à un village de mobile-homes délabré, à huit cents mètres de là, et leur indiqua celui que Quinn Rucker louait meublé, au mois. Un Hummer H3, modèle 2008, immatriculé en Caroline du Nord, était garé à côté du mobile-home. Le cousin expliqua que Quinn préférait ne pas trop s'afficher avec le Hummer et venait travailler à pied, si le temps le permettait.

En moins d'une heure, le FBI disposait d'un mandat de perquisition pour le mobile-home et le Hummer, que les agents firent remorquer jusqu'à un parking de la police, à Norfolk, pour l'inspecter. La porte principale du mobile-home était verrouillée, mais peu solide. Un bon coup de masse, et les agents étaient à l'intérieur. L'endroit était remarquablement propre et rangé. Opérant avec un objectif précis, six agents passèrent l'intérieur au peigne fin, de fond en comble, dans le sens de la largeur, soit quatre mètres, et de la longueur, soit une quinzaine de mètres. Dans l'unique chambre, entre le matelas et le sommier à ressorts, ils trouvèrent le portefeuille de Rucker, ses clefs et son téléphone portable. Le portefeuille contenait cinq cents dollars en espèces, un faux permis de conduire de Caroline du Nord et deux cartes de crédit Visa prépayées, garnies de mille deux cents dollars chacune. Le téléphone portable était à carte prépayée, l'idéal pour un homme en fuite. Sous le lit, les agents découvrirent aussi un pistolet Smith & Wesson à canon court, calibre .38, chargé de balles à pointe creuse.

Maniant ce pistolet avec soin, ils supposèrent immédiatement que cette même arme avait servi à tuer le juge Fawcett et Naomi Clary.

Le trousseau de clefs comprenait celle d'un garde-meubles situé à trois kilomètres de là. Dans un tiroir de la cuisine, un agent exhuma tout le contenu du bureau à domicile de

Quinn – deux enveloppes kraft garnies de quelques maigres documents. L'un des formulaires était un contrat de location de six mois pour un espace de rangement chez Macon's Mini Storage, signé par Jackie Todd. L'enquêteur principal appela Roanoke, où un magistrat fédéral était de service, et un mandat de perquisition fut transmis à Norfolk par e-mail.

L'enveloppe recelait également une carte grise émise au nom de Jackie Todd pour le Hummer. La carte ne comportait aucune mention de gage ou d'hypothèque : on pouvait donc supposer à bon droit que M. Todd avait payé le véhicule en totalité, à la livraison, soit en espèces, soit par chèque. Ce tiroir ne contenait ni chéquiers ni relevés de compte bancaire – ils ne s'attendaient pas à en trouver. La facture du véhicule leur révéla qu'il avait été acheté le 9 février 2011, sur le parking d'un vendeur de véhicules d'occasion, à Roanoke. Le 9 février, c'est-à-dire deux jours après la découverte des corps.

Munis de leur mandat de perquisition fraîchement émis, deux agents pénétrèrent dans le minuscule espace de stockage de Jackie Todd, chez Macon's Mini Storage, sous le regard attentif et suspicieux de M. Macon en personne. Sol en béton, murs en parpaing non peints, ampoule solitaire vissée au plafond. Il y avait là cinq cartons empilés contre un mur. Un rapide coup d'œil leur révéla quelques vieux vêtements, une paire de rangers boueuses, un pistolet Glock 9 millimètres au numéro de série limé et, enfin, une boîte en métal bourrée de billets de banque. Les agents emportèrent les cinq cartons, remercièrent M. Macon de son accueil, et filèrent en vitesse.

Simultanément, on entra le nom de Jackie R. Todd dans le système informatique du Centre d'information national sur la criminalité. Il y eut un résultat, correspondant à Roanoke, en Virginie.

À minuit, Quinn Rucker fut déplacé dans la salle voisine ; où on lui présenta les agents spéciaux Pankovits et Delocke. Ils commencèrent par lui expliquer que le FBI avait recours à eux pour interroger les évadés. C'était un interrogatoire de routine, rien d'autre, un petit coup de sonde destiné à vérifier les faits, ce qu'ils appréciaient toujours ; en effet, qui n'aimerait pas s'entretenir avec un évadé et recueillir ainsi tous les détails ? Il était tard, et si Rucker voulait s'accorder un peu de sommeil dans la prison du comté, ils acceptaient volontiers de reprendre le lendemain matin à la première heure. Il leur répondit qu'il préférait en finir tout de suite. On apporta des sandwiches et des boissons sans alcool. L'humeur était bon enfant et les agents se montrèrent d'une extrême cordialité. Pankovits était blanc, Delocke était noir, et Quinn semblait apprécier leur compagnie. Il grignota un sandwich jambon-emmenthal pendant qu'ils évoquaient l'histoire d'un détenu qui avait passé vingt et un ans en cavale. Le FBI les avait envoyés jusqu'en Thaïlande pour le ramener au bercail. Un vrai bonheur.

Ils le questionnèrent sur son évasion et ses faits et gestes au cours des journées qui avaient suivi – autant de questions et de réponses déjà exposées lors du premier interrogatoire. Quinn refusa de leur révéler l'identité de son complice et ne leur fournit le nom d'aucun de ceux qui l'avaient aidé sur sa route. Très bien. Ils n'insistèrent pas : poursuivre d'autres protagonistes n'avait pas l'air de les intéresser. Au bout d'une heure d'amical bavardage, Pankovits se rappela qu'ils ne lui avaient pas lu ses droits, en application de la loi Miranda. Il n'y avait pas mal à cela, lui expliquèrent-ils, car son délit, manifeste, se réduisait à une simple évasion. Pas de quoi fouetter un chat, pourtant s'il voulait continuer, il allait devoir accepter de renoncer à ses droits. Quinn s'en acquitta en signant un formulaire. À ce stade, ils s'appelaient encore Quinn, Andy, pour Pankovits, et Jesse, pour Delocke.

Ils reconstituèrent soigneusement ses allées et venues des trois précédents mois. Quinn se montra d'une minutie surprenante en se remémorant les dates, lieux et événements. Impressionnés, les agents le félicitèrent pour son excellente mémoire. Ils se montrèrent tout particulièrement attentifs à ses gains ; rien que des espèces, naturellement, mais combien avait-il touché, dans chacun de ses emplois ?

— Donc, au terme de votre deuxième livraison, de Miami à Charleston, fit Pankovits, qui consultait ses notes avec un sourire, celle que vous avez effectuée une semaine après le Nouvel An, vous avez touché combien, en espèces ?

— Six mille, je crois.

— D'accord, d'accord.

Les deux agents griffonnèrent énergiquement, comme s'ils ajoutaient foi au moindre propos de leur interlocuteur. Rucker leur expliqua qu'il avait vécu et travaillé à Norfolk depuis la mi-février, soit à peu près un mois. Il habitait chez son cousin et deux de ses petites amies, dans un vaste appartement pas très loin du Velvet Club. Il était rémunéré en espèces, en repas, en boissons, en sexe et en herbe.

Delocke additionna une colonne de chiffres.

— Eh bien, Quinn, apparemment, vous avez gagné quarante-six mille dollars, depuis votre départ de Frostburg, le tout en liquide et sans acquitter d'impôts. Pas mal, pour trois mois de travail.

— J'imagine.

— Combien avez-vous dépensé ? voulut savoir Pankovits.

Quinn haussa les épaules, comme si cela n'avait plus vraiment d'importance.

— J'en sais rien. Presque tout. Il faut pas mal d'argent pour circuler.

— Quand vous effectuiez vos courses depuis Miami et retour, avec quoi louiez-vous les véhicules ? s'enquit Delocke.

— Je ne les louais pas. Quelqu'un les louait pour moi, et il me donnait les clefs. Mon boulot, c'était de conduire prudemment, lentement, et de ne pas me faire arrêter par les flics.

Pas d'objection ; les deux agents acquiescèrent volontiers à tout cela.

— Est-ce que vous vous êtes acheté un véhicule ? lui demanda Pankovits sans relever les yeux de son carnet de notes.

— Non, fit Quinn avec un sourire. Question idiote. Quand vous êtes en cavale, sans papiers, vous ne pouvez pas vous acheter de voiture.

Bien sûr que non.

Au Congélateur, à Roanoke, Victor Westlake était assis devant un grand écran, figé devant l'image de Quinn Rucker. Une caméra cachée dans la salle d'interrogatoire retransmettait l'image vidéo à l'autre bout du Commonwealth, dans une salle aménagée à la va-vite mais équipée d'une panoplie stupéfiante de gadgets et de technologie. Quatre autres agents avaient pris place à côté de Westlake ; tous scrutaient les regards et les expressions de Rucker.

— Pas possible, marmonna l'un des quatre. Ce type est trop malin pour ça. Il sait que nous aurons trouvé son mobile-home, le portefeuille, la fausse carte d'identité, le Hummer.

— Peut-être pas, grommela un autre. Pour l'heure, il s'agit juste d'une évasion. Il pense que nous ignorons tout du meurtre. Pour lui, ce n'est rien de grave.

— Je suis d'accord, fit un autre. Je pense qu'il se couvre, il place ses billes. Il s'imagine pouvoir se sortir de ces quelques questions, avant qu'on ne le raccompagne en cellule, et retour à la case prison. Il se figure qu'à un moment ou un autre il va pouvoir appeler son cousin et l'avertir d'aller tout récupérer.

— Voyons comment il réagit quand la première bombe va lui tomber dessus, trancha Westlake.

À 2 heures Quinn demanda :
— Je peux aller aux toilettes ?
Delocke l'escorta hors de la pièce, jusqu'au bout du couloir. Un autre agent rôdait par là – pure démonstration de force. Cinq minutes plus tard, leur suspect était de retour à sa place.

— Il se fait tard, Rucker, lui signala Pankovits. Vous voulez retourner en cellule et dormir un peu ? Nous avons tout notre temps.

— Je préfère rester ici plutôt que retourner en cellule, leur confia-t-il avec un air attristé. Combien de temps pensez-vous que ça nous prenne ?

— Je n'en sais rien, Rucker, lui répondit Delocke. Cela dépend du procureur. Le point négatif, c'est qu'ils ne vont pas vous renvoyer dans un camp de détention. Jamais. Cette fois, vous êtes parti pour une vraie prison.

— Vous savez, Jesse, le camp, ça me manque, enfin, c'était pas si mal, après tout.

— Pourquoi en êtes-vous parti ?

— C'est tout bête... parce que je le pouvais. Je suis sorti, voilà, et personne n'a eu l'air de s'en préoccuper.

— Nous interrogeons tous les ans vingt-cinq types qui se tirent d'un camp fédéral. « Tout bête », c'est l'expression, en effet.

Pankovits consulta ses papiers.

— Bien, Quinn, je crois que nous avons à peu près saisi la chronologie. Les dates, les lieux, les déplacements, les sommes gagnées en espèces. Tout cela sera inclus dans votre rapport préalable à la sentence. Le bon côté, c'est que vous n'avez commis aucun acte extrêmement répréhensible au cours de ces trois derniers mois. Un peu de convoyage de drogue, ce qui évidemment ne va pas vous aider, mais au moins vous n'avez fait de mal à personne. Exact ?

— Exact.

— C'est la chronologie intégrale, exact ? Rien oublié ? Vous nous avez tout dit, là ?

— Eh ouais.

Les deux agents se raidirent quelque peu, l'œil sombre. Pankovits reprit la parole.

— Et Roanoke, Rucker ? Vous n'avez pas passé un moment à Roanoke ?

Quinn regarda au plafond, réfléchit une seconde, puis répondit :

— J'y suis peut-être passé une ou deux fois, pas plus.

— Vous en êtes sûr ?

— Oui, j'en suis sûr.

Delocke ouvrit un dossier, parcourut un feuillet imprimé, et lui posa sa question.

— Qui est Jackie Todd ?

Quinn ferma les yeux, entrouvrit la bouche. Il lâcha un soupir rauque, un bruit de gorge étouffé surgi des entrailles,

114

comme si on venait de le frapper au-dessous de la ceinture. Ses épaules se voûtèrent. S'il avait été blanc, il aurait pâli.

— J'en sais rien, murmura-t-il enfin. Jamais rencontré.

Delocke persista :

— Vraiment ? Eh bien, il semblerait que M. Jackie R. Todd ait été arrêté un mardi soir, le 8 février, dans un bar de Roanoke. Ivresse sur la voie publique, coups et blessures. Le rapport de police signale qu'il s'est bagarré avec d'autres ivrognes et qu'il a passé la nuit en prison. Le lendemain matin, il versait une caution en espèces de huit cents dollars et il sortait.

— C'était pas moi.

— Ah, vraiment ?

Delocke fit glisser vers lui une feuille de papier. Quinn la prit lentement. C'était un cliché d'identité judiciaire, et c'était visiblement lui.

— Pas trop de doute là-dessus, Rucker, hein ?

Quinn reposa la feuille de papier.

— D'accord, d'accord. Donc, j'avais un pseudo. Qu'est-ce que je pouvais faire ? Jouer à cache-cache avec mon vrai nom ?

— Bien sûr que non, Quinn, fit Pankovits. Mais vous nous avez menti, n'est-ce pas ?

— Vous n'êtes pas les premiers flics à qui j'ai menti.

— Mentir au FBI, ça peut vous valoir cinq ans.

— D'accord, j'ai un peu raconté des salades.

— Rien de surprenant. Sauf que maintenant nous ne pouvons plus rien croire du tout. Nous allons devoir tout reprendre à zéro.

— Le 9 février, intervint Delocke, un certain Jackie Todd est entré sur le parking d'un vendeur de voitures d'occasion, à Roanoke, et il a versé vingt-quatre mille dollars en espèces pour un Hummer H3 2008. Ça vous évoque quelque chose, Quinn ?

— Non. C'était pas moi.

— C'est bien ce que je pensais.

Delocke poussa vers lui la facture de vente.

— Et vous n'aviez jamais vu ceci non plus, n'est-ce pas ?

Leur suspect examina le document.

— Non.

— Allons, Rucker ! lâcha sèchement Pankovits. Nous ne sommes pas aussi stupides que vous croyez. Vous étiez à Roanoke le 8 février, vous êtes entré dans ce bar, vous vous êtes bagarré, vous êtes allé en prison, vous avez versé votre caution le lendemain, vous êtes retourné à votre chambre dans votre motel, le Safe Lodge – la chambre que vous avez réglée en liquide –, vous êtes encore allé chercher des espèces et vous vous êtes acheté un Hummer.

— Où est le crime, de payer cash pour un véhicule ?

— Aucun, absolument aucun. À un point près : vous n'étiez pas supposé avoir autant d'argent liquide sur vous, à ce moment-là.

— Je me suis peut-être trompé sur une partie des dates et des paiement que j'ai touchés. Je peux pas me souvenir de tout.

— Et vous vous souvenez de l'endroit où vous avez acheté les pistolets ? lui lança Delocke.

— Quels pistolets ?

— Le Smith & Wesson, calibre .38, que nous avons retrouvé dans votre mobile-home, plus le Glock 9 millimètres que nous avons récupéré dans votre espace de stockage, il y a environ deux heures.

— Des pistolets volés, ajouta Pankovits, toujours serviable. Encore un délit fédéral.

Quinn Rucker fixa ses genoux du regard. Une minute s'écoula, puis une autre. Sans ciller, sans bouger un muscle, les deux agents l'observèrent. La pièce resta plongée dans le silence, un silence figé, tendu. Finalement, Pankovits piocha dans ses documents avant d'en brandir un.

— L'inventaire provisoire comporte un portefeuille avec cinq cent douze dollars, un faux permis de conduire de Caroline du Nord, deux cartes Visa prépayées, un téléphone portable à carte prépayée, le Smith & Wesson calibre .38 déjà mentionné, une facture de vente et une carte grise pour le Hummer, un contrat de location pour ce garde-meubles, un certificat d'assurance pour le véhicule, une boîte de balles pour le .38, plus quelques autres objets, le tout saisi dans le mobile-home que vous louiez pour quatre cents dollars par mois. Dans votre espace de stockage, nous avons inventorié des vêtements, le Glock 9 millimètres, une paire de rangers, quelques autres pièces et, surtout, une boîte en métal contenant quarante et un mille dollars en billets de cent.

Quinn Rucker croisa lentement les bras et planta ses yeux dans ceux de Delocke, qui reprit la parole.

— Nous avons toute la nuit, Quinn. Que diriez-vous d'une petite explication ?

— J'imagine que le mulet a été plus occupé que je ne pensais. Il y a eu un paquet d'allers-retours pour Miami.

— Pourquoi ne nous avez-vous pas parlé de tous ces trajets ?

— Je le répète : je peux pas tout me rappeler. Quand on est sur des livraisons comme ça, on a tendance à oublier des trucs.

— Vous souvenez-vous d'avoir utilisé ces armes en une quelconque occasion, Rucker ? lui demanda Delocke.

— Non.

— Vous êtes-vous servi de ces pistolets, ou est-ce que vous ne vous souvenez tout simplement pas de vous en être servi ?

— Je n'ai pas utilisé ces armes.

Pankovits retourna un autre feuillet imprimé, qu'il étudia avec gravité.

— Vous êtes sûr de ça, Rucker ? J'ai ici un rapport balistique préliminaire.

Quinn recula lentement sa chaise et se leva. Il s'étira et s'éloigna de quelques pas vers l'angle de la pièce.

— Il va peut-être me falloir un avocat.

14.

Il n'y avait pas de rapport balistique. Le Smith & Wesson .38 était au laboratoire de criminologie du FBI, à Quantico, et serait analysé dès que les techniciens arriveraient à leur poste de travail, à peu près cinq heures plus tard. Le feuillet que Pankovits tenait en main comme une arme était la photocopie d'une note interne sans intérêt.

Delocke et lui possédaient un répertoire entier de coups tordus, tous approuvés par la Cour suprême des États-Unis. L'utilisation qu'ils en feraient dépendrait de Quinn : jusqu'où se laisserait-il faire ? Le problème immédiat, c'était sa remarque au sujet d'un avocat. Si le suspect avait dit clairement et sans équivoque : « Je veux un avocat ! », ou : « Je ne répondrai plus à aucune question tant que je n'aurai pas un avocat ! », ou quelque chose de cet ordre, l'interrogatoire aurait immédiatement pris fin. Mais il avait biaisé, et il avait employé le mot « peut-être ».

En l'occurrence, tout était une question de timing. Pour faire diversion par rapport à cette question de l'avocat, les deux agents s'empressèrent de changer de décor. Delocke se leva.

— J'ai besoin d'aller faire un petit pipi, annonça-t-il.
— Et moi, j'ai besoin d'un autre café. Et vous, Quinn ?
— Non.

Delocke sortit en claquant la porte. Pankovits se leva et se massa le dos. Il était presque 3 heures du matin.

Rucker avait deux frères et deux sœurs, âgés de vingt-sept à quarante-deux ans, tous impliqués, à un moment ou à un autre, dans leur gang familial de trafiquants de drogue. Une sœur s'était mise en retrait du trafic et de la revente proprement dits tout en restant engagée dans diverses opérations de blanchiment. L'autre sœur avait quitté l'activité, était partie s'installer ailleurs et évitait la famille. Le plus jeune des frères et sœurs, Dee Ray Rucker, un jeune homme tranquille, étudiait la finance à l'université de Georgetown et savait faire circuler l'argent. Il avait écopé d'une inculpation pour détention d'arme à feu – rien de méchant. Dee Ray n'avait pas assez de cran pour affronter la violence de la rue, et il s'efforçait de rester à l'écart. Il habitait avec sa petite amie dans un modeste immeuble près d'Union Station, et c'était là que le FBI l'épingla, peu après minuit. Il était au lit, sous le coup d'aucun mandat d'arrêt, d'aucune enquête, ignorant tout de ce qui arrivait à Quinn, son cher frère, et profondément endormi, dans une insouciance totale. Il se laissa conduire en garde à vue sans résistance et en râlant énormément. Une fois dans l'immeuble du FBI, sur Pennsylvania Avenue, on le fit entrer sans ménagement dans une pièce où on l'installa sur une chaise, entouré d'agents, tous vêtus d'une parka bleue avec le sigle « FBI » en lettres jaune vif. La scène fut photographiée sous plusieurs angles. Après l'avoir fait mijoter pendant une heure, menotté et sans que quiconque lui adresse la parole, on le raccompagna au fourgon et on le reconduisit chez lui. On le déposa sur le trottoir sans un mot.

Sa petite amie alla lui chercher des comprimés et il finit par se calmer. Il appellerait son avocat dans la matinée et ferait un scandale, puis tout cet épisode serait bientôt oublié.

Dans le commerce de la drogue, la happy end n'est guère de mise.

Quand Delocke revint des toilettes, il laissa la porte ouverte un instant. Une secrétaire, mince et jolie, entra avec un plateau de boissons et de biscuits, qu'elle posa au bord de la table. Elle sourit à Quinn, qui était encore debout dans son coin, trop perturbé pour se rendre compte de sa présence. Après son départ, Pankovits fit sauter l'opercule d'une canette de Red Bull et s'en servit un verre, sur un fond de glaçons.

— Vous voulez du Red Bull, Quinn ?

— Non.

Il en servait tous les soirs, au bar, du Red Bull et de la vodka, mais le goût ne lui avait jamais plu. Ce temps mort lui avait laissé un moment pour reprendre son souffle et tenter de remettre de l'ordre dans ses idées. Devait-il continuer, ou fallait-il qu'il reste silencieux et qu'il insiste pour être secondé par un avocat ? Son instinct le poussait vers cette dernière solution, cependant il était extrêmement curieux de comprendre ce que savait au juste le FBI. Ce qu'ils avaient déjà découvert l'avait ébranlé, mais jusqu'où pourraient-ils aller ?

Delocke se servit un Red Bull lui aussi, sur glace, et croqua un cookie.

— Prenez un siège, Quinn, dit-il en lui faisant signe de revenir à la table.

Quinn obtempéra. Pankovits prenait déjà des notes.

— Votre frère aîné, je crois qu'on l'appelle Tall Man, il est toujours dans le secteur du district de Columbia ?

— Quel rapport il aurait avec tout ça ?

— Je remplis juste quelques blancs, là, Rucker. C'est tout. J'aime bien disposer de tous les éléments, le maximum en tout cas. Vous l'avez beaucoup vu, Tall Mann, ces trois derniers mois ?

— Pas de commentaire.

— D'accord. Votre frère cadet, Dee Ray, il est toujours dans le district de Columbia ?

— Je ne sais pas où est Dee Ray.

— Vous l'avez beaucoup vu, ces trois derniers mois ?

— Pas de commentaire.

— Est-ce que Dee Ray est allé à Roanoke avec vous, quand vous avez été arrêté ?

— Pas de commentaire.

— Est-ce que quelqu'un était avec vous quand vous avez été arrêté à Roanoke ?

— J'étais seul.

Exaspéré, Delocke souffla. Pankovits soupira comme si c'était encore un autre mensonge, et comme s'ils le savaient.

— Je jure que j'étais seul, répéta Quinn.

— Que faisiez-vous à Roanoke ?

— Des affaires.

— Du trafic ?

— Roanoke est sur notre territoire. On avait un problème, là-bas, et il fallait que je m'en occupe.

— Quel genre de problème ?

— Pas de commentaire.

Pankovits but une longue gorgée de son Red Bull.

— Vous savez, Quinn, notre problème à nous, pour l'instant, c'est que nous ne croyons pas un mot de ce que vous nous racontez. Vous mentez. Nous savons que vous mentez. Vous admettez même que vous mentez. Nous vous posons une question, vous nous servez un mensonge.

— Nous n'aboutissons nulle part, Rucker, renchérit Delocke. Qu'est-ce que vous faisiez à Roanoke ?

Quinn tendit la main et prit un Oreo. Il retira le dessus, lécha la crème de chocolat blanc, dévisagea Delocke, et finit par répondre :

— On avait là-bas un mulet qu'on soupçonnait d'être un indic. On avait perdu deux chargements dans des circonstances bizarres, et on a compris. Je suis allé voir ce mulet.

— Pour le tuer ?

— Non, c'est pas comme ça qu'on opère. On n'a pas pu le trouver. Apparemment, quelqu'un l'avait tuyauté et il avait décollé. Je suis allé dans un bar, j'ai trop bu, je me suis bagarré, j'ai passé une mauvaise soirée. Le lendemain, un ami m'a parlé d'une bonne affaire sur un Hummer, alors je suis allé le voir.

— Qui était cet ami ?

— Pas de commentaire.

— Vous mentez, répéta Delocke. Vous mentez, et nous savons que vous mentez. Vous n'êtes même pas bon menteur, Quinn, vous le savez, ça ?

— Je m'en fous.

— Pourquoi avez-vous immatriculé le Hummer en Caroline du Nord ? lui demanda Pankovits.

— Parce que j'étais en cavale, vous vous souvenez ? J'étais un évadé, et j'essayais de ne pas trop laisser de trace. Vous pigez, les gars ? Fausse pièce d'identité. Fausse adresse. Faux tout.

— Qui est Jakeel Staley ? lui lança Delocke.

Cherchant le moyen de contourner la question, Quinn hésita avant de répondre nonchalamment :

— Mon neveu.

— Et où est-il maintenant ?

— Quelque part dans un pénitencier fédéral. Je suis sûr que vous, messieurs, vous connaissez la réponse.

— Dans l'Alabama, dix-huit ans de réclusion, lui précisa Pankovits. Jakeel s'est fait choper près de Roanoke avec un fourgon plein de cocaïne, exact ?

— Vous avez son dossier, je suis sûr.

— Avez-vous essayé de venir en aide à Jakeel ?

— Quand ?

Les deux agents eurent une réaction exagérée d'agacement feint. Ils burent tous deux une gorgée de Red Bull. Delocke prit un Oreo. Il en restait une dizaine dans l'assiette, et un pot de café plein. À en juger par leur attitude, ils prévoyaient de rester là toute la nuit.

— Allez, Rucker, arrêtez de jouer à vos petits jeux ! Nous avons pu établir que Jakeel s'était fait serrer à Roanoke avec un tas de cocaïne. Il a un paquet d'années de taule devant lui, et la question est de savoir si vous avez aidé ou non ce garçon.

— Bien sûr. Il fait partie de la famille, partie de nos activités, et il s'est fait choper dans le cadre de son métier. La famille intervient toujours.

— Avez-vous engagé un avocat ?

— Oui.

— Combien avez-vous payé cet avocat ?

Quinn réfléchit un moment, avant de répondre :

— Je ne m'en souviens pas vraiment. C'était un sac d'espèces.

— Vous avez payé l'avocat en liquide ?

— Rien de mal à avoir du liquide, que je sache. On ne se sert pas de comptes en banque, de cartes de crédit, de tous les trucs que les fédés peuvent pister. Rien que du cash.

— Qui vous a fourni les espèces nécessaires pour engager cet avocat ?

— Pas de commentaire.

— Avez-vous reçu du liquide de Dee Ray ?

— Pas de commentaire.

Pankovits tendit lentement la main vers une mince chemise et en retira une feuille de papier.

— Bon, Dee Ray nous a expliqué qu'il vous avait donné tout le liquide dont vous avez eu besoin à Roanoke.

Quinn secoua la tête et leur lâcha un sourire mauvais, manière de leur dire : « Que des conneries. »

Pankovits fit glisser l'agrandissement couleur au format 18 × 24 d'une photographie de Dee Ray entouré d'agents du FBI, menotté, la bouche ouverte, l'air fâché.

— Nous avons ramassé Dee Ray dans le district de Columbia, environ une heure après vous avoir amené ici. Il aime bien parler. En fait, il parle beaucoup plus que vous.

Quinn resta en arrêt devant la photo ; il était sans voix.

Le Congélateur, 4 heures du matin. Victor Westlake se leva de nouveau et marcha dans la pièce. Il avait besoin de bouger, pour lutter contre le sommeil. Les quatre autres agents étaient encore éveillés, leur organisme bourré d'amphétamines (cachets en vente libre), de Red Bull et de café.

— Bon Dieu, ces types sont d'une lenteur ! se plaignit l'un d'eux.

— Ils sont méthodiques, lui répliqua un autre. Ils l'usent. Le fait qu'il cause encore au bout de sept heures, c'est incroyable.

— Il n'a pas envie de finir dans la prison du comté.

— Ça, je ne peux pas lui en vouloir.

— Je pense qu'il est curieux. Il joue au chat et à la souris. Qu'est-ce qu'on sait, en réalité ?

— Ils ne le piégeront pas. Il est trop malin.

— Ils savent ce qu'ils font, trancha Westlake en se versant une énième tasse de café.

À Norfolk, Pankovits se servit un peu de café.

— Qui vous a conduit à Roanoke ? demanda-t-il.

— Personne. Je me suis conduit tout seul.

— Quel type de voiture ?

— Je ne me souviens pas.

— Vous mentez, Rucker. Quelqu'un vous a conduit à Roanoke la semaine précédant le 7 février. Vous étiez deux. Nous avons des témoins.

— Alors vos témoins mentent. Vous mentez. Tout le monde ment.

— Vous avez acheté ce Hummer le 9 février, payé en liquide, et il n'y a pas eu de reprise d'un autre véhicule. Comment êtes-vous arrivé sur le parking de ce vendeur de véhicules d'occasion, le jour où vous avez acheté le Hummer ? Qui vous a conduit ?

— Je ne me rappelle pas.

— Vous ne vous rappelez pas qui vous a conduit là-bas ?

— Je ne me souviens de rien. J'avais la gueule de bois et j'étais encore à moitié saoul.

— Allons, Rucker ! insista Delocke. Ces mensonges deviennent ridicules. Qu'est-ce que vous avez à cacher ? Vous ne mentiriez pas autant si vous ne cachiez rien.

Quinn leva les mains en l'air.

— Qu'est-ce que vous voulez savoir, exactement ?

— Où avez-vous eu tout cet argent liquide, Quinn ?

— Je suis dealer de drogue. J'ai été dealer quasiment toute ma vie. Si j'ai passé du temps en prison, c'est parce que je suis dealer. Du cash, on en brûle. Du cash, on en bouffe. Vous comprenez pas ça ?

Pankovits secouait la tête.

— D'après votre version des événements, Rucker, vous n'avez pas beaucoup travaillé pour la famille, après votre évasion. Ils avaient peur de vous, exact ? J'ai pas raison, là-dessus ? lui demanda-t-il, avec un regard à Delocke, qui lui

124

confirma rapidement que, oui, là-dessus, son équipier avait raison.

— La famille vous a évité, poursuivit Delocke, donc vous vous êtes mis à multiplier ces livraisons, ces allers-retours dans le Sud. Vous prétendez avoir gagné quarante-six mille dollars, et nous savons que c'est un mensonge, parce que vous en avez dépensé vingt-quatre pour le Hummer et que nous en avons trouvé quarante et un mille autres dans votre espace de stockage.

— Vous êtes tombé sur un sacré paquet de fric, Quinn, renchérit Pankovits. Qu'est-ce que vous cachez ?

— Rien.

— Alors pourquoi mentez-vous ?

— Tout le monde ment. Je croyais qu'on était tous d'accord là-dessus.

Delocke tapota sur la table.

— Revenons quelques années en arrière, Rucker. Votre neveu Jakeel Staley est en prison, ici, à Roanoke, en attente de son procès. Vous avez versé à son avocat une certaine somme en espèces pour ses services juridiques, exact ?

— Exact.

— Y en avait-il encore plus, de ces liquidités ? Un petit supplément pour contribuer à huiler le système ? Un pot-de-vin, peut-être, pour que le tribunal n'ait pas la main trop lourde avec ce jeune ? Rien de ce style, Quinn ?

— Non.

— Vous êtes sûr ?

— Évidemment que je suis sûr.

— Allons, Quinn !

— J'ai versé du cash à l'avocat. Je suppose qu'il a gardé l'argent en paiement de ses honoraires. C'est tout ce que je sais.

— Qui était ce juge ?

— Je ne m'en souviens pas.

— Est-ce que le nom de juge Fawcett vous rappelle quelque chose ?

Quinn haussa les épaules.

— Ça se peut.

— Étiez-vous au tribunal avec Jakeel ?

— J'étais là quand il a été condamné à dix-huit ans.

— Avez-vous été surpris qu'il écope de dix-huit années ?

— Oui, ça m'a surpris.

— Il était censé en prendre beaucoup moins, non ?

— D'après son avocat, oui.

— Et vous étiez au tribunal, donc vous avez bien vu à quoi ressemblait le juge Fawcett, hein ?

— J'étais au tribunal avec mon neveu. C'est tout.

Le tandem marqua une pause. Delocke but une gorgée de son Red Bull.

— J'ai besoin d'aller aux toilettes, annonça Pankovits. Ça va, Rucker ?

Quinn se pinça le front à deux doigts.

— Bien sûr.

— Je vous rapporte quelque chose à boire ?

— Un Sprite, si vous avez.

— C'est comme si c'était fait.

Pankovits prit son temps. Quinn but une gorgée. À 4 h 30, l'interrogatoire recommença, avec cette question posée par Delocke :

— Alors, Quinn, avez-vous suivi les infos, ces trois derniers mois ? Lu la presse ? Vous étiez sûrement curieux de vous informer sur votre propre évasion, non ?

— Pas vraiment.

— Vous avez entendu parler du juge Fawcett ?

— Nan. Qu'est-ce qu'il a ?

— Assassiné, deux balles dans la nuque.

Aucune réaction de Quinn. Aucune surprise. Aucune pitié. Rien.

— Vous ne le saviez pas, Quinn ? lui lança Pankovits.

— Non.

— Deux projectiles à pointe creuse, tirés par un pistolet de calibre .38 identique à celui que nous avons trouvé dans votre mobile-home. Le rapport balistique préliminaire indique qu'il y a quatre-vingt-dix pour cent de chances pour que votre arme ait servi à tuer le juge.

Quinn sourit en hochant la tête.

— Là, je comprends ! Tout ça, c'est par rapport au juge qui est mort. Alors, vous, les gars, vous croyez que j'ai tué le juge Fawcett, juste ?

— Juste.

— Super ! Alors on a passé, quoi, sept heures en conneries ? Vous me faites perdre mon temps, vous perdez le vôtre, le temps de Dee Ray, le temps de tout le monde. J'ai tué personne.

— Êtes-vous allé à Ripplemead, en Virginie, population de cinq cents habitants, assez loin dans les montagnes à l'ouest de Roanoke ?

— Non.

— C'est le patelin le plus proche d'un petit lac, là où le juge a été assassiné. Il n'y a pas de Noirs, à Ripplemead, et quand il y en a un qui se pointe là-bas, on le remarque. La veille du jour où le juge a été assassiné, un homme noir correspondant à votre description était en ville, selon le gérant d'une station-service.

— Une identification formelle ou juste une supposition ?

— Un peu des deux. Nous allons lui montrer une meilleure photo de vous, demain.

— J'en suis convaincu, et je parie que la mémoire va drôlement lui revenir.

— En général, c'est le cas, admit Delocke. À six kilomètres à l'ouest de Ripplemead, on arrive au bout du monde. La route asphaltée s'arrête, et une succession de chemins gravillonnés s'enfoncent dans les montagnes. Il y a un vieux commerce de campagne qui s'appelle Peacock's, et M. Peacock voit tout. Il nous a indiqué que, la veille du meurtre, un homme, un Noir, s'est arrêté pour lui demander son chemin. M. Peacock n'a pas souvenir d'avoir jamais vu d'homme noir dans cette partie du monde. Il nous a fourni une description. Qui vous correspond très bien.

Quinn haussa les épaules.

— Je ne suis pas si stupide.

— Vraiment ? Alors pourquoi avez-vous conservé ce Smith & Wesson ? Quand nous aurons le rapport balistique définitif, vous serez mort, Quinn.

— Le pistolet volé, hein ? Les pistolets volés, ça tourne. Je l'ai acheté chez un prêteur sur gages à Lynchburg, il y a deux semaines. Rien que cette année, il a sûrement changé de mains une dizaine de fois.

Un argument judicieux, qu'ils n'avaient aucun moyen de contredire, du moins pas tant que les tests balistiques ne seraient pas terminés. Quand ils détiendraient cette preuve, en revanche, aucun jury ne croirait l'histoire de Quinn, celle du pistolet volé.

— Nous avons trouvé une paire de rangers dans votre espace de stockage. Une paire bon marché de faux surplus de l'armée de terre, en toile, couleur camouflage, ce genre de souliers merdiques. Elles sont quasi neuves et n'ont pas beaucoup servi. Pourquoi avez-vous besoin de rangers, Rucker ?

— J'ai les chevilles fragiles.

— Bravo. Combien de fois les avez-vous portées ?

— Pas souvent, si elles étaient au stockage. Je les ai essayées, elles m'ont fait une ampoule, j'ai laissé tomber. C'est quoi, la question ?

— La question, c'est qu'elles correspondent à l'empreinte que nous avons relevée dans la terre à proximité du bungalow où le juge Fawcett a été assassiné, répliqua Pankovits, qui mentait, mais qui mentait avec efficacité. Une correspondance, Quinn. Une correspondance qui vous situe sur la scène de crime.

Quinn baissa la tête et se frotta les yeux. Ils étaient fatigués et injectés de sang.

— Quelle heure est-il ?

— Cinq heures moins dix, lui répondit Delocke.

— J'ai besoin de dormir un peu.

— Eh bien, ça risque d'être compliqué, Quinn. Nous avons vérifié avec la prison du comté, et votre cellule est complètement pleine. Huit hommes, quatre couchettes. Si vous trouvez de la place au sol, vous aurez de la chance.

— Je ne crois pas que je vais me plaire, dans cette prison. On pourrait essayer dans une autre ?

— Navré, Rucker. Attendez un peu de voir le couloir de la mort.

— Je vais pas y aller, dans le couloir de la mort, parce que je n'ai tué personne.

— Voici où nous en sommes, Quinn, reprit Pankovits. Deux témoins vous situent dans le voisinage au moment du meurtre, et ce voisinage, ce n'est pas précisément un coin de rue très fréquenté. Vous étiez là, on vous a remarqué et on se souvient de vous. La balistique va vous coincer. L'empreinte de ranger, c'est la cerise sur le gâteau. Ça, c'est pour la scène de crime. Après le crime, c'est encore mieux, ou encore pire, selon le point de vue. Vous étiez à Roanoke le lendemain du jour où les corps ont été découverts, le mardi 8 février, de votre propre aveu et si l'on se fie au rapport de la prison municipale et au rôle des causes du tribunal. Et, subitement, vous avez une sacoche de pleine de billets. Vous avez versé votre caution, payé vingt-quatre mille dollars pour le Hummer, ensuite vous en avez lâché encore plus, et quand on vous a finalement rattrapé, vous en aviez encore un paquet supplémentaire caché dans le garde-meubles. Le mobile ? Les mobiles, ce n'est pas ce qui manque. Vous aviez un accord avec le juge Fawcett pour qu'il tranche en faveur de Jakeel Staley. Vous lui avez remis une enveloppe, de l'ordre de cinq cent mille dollars, et une fois qu'il a touché cette somme, il a oublié votre accord. Il a collé le maximum à Jakeel, et vous avez juré de vous venger. Finalement, vous l'avez eue, votre vengeance. Malheureusement, sa secrétaire était là, elle aussi.

— C'est un acte qui mérite la peine de mort, Rucker, ça fait pas un pli. La peine de mort, au niveau fédéral.

Quinn ferma les yeux. Son corps se ratatina, sa respiration s'accéléra, il avait le front moite de sueur, juste au-dessus des sourcils. Il s'écoula une minute, puis une autre. Subitement, le gros dur avait disparu. Celui qui le remplaçait reprit la parole d'une voix faiblarde :

— Vous avez pas le bon client.

Pankovits s'esclaffa.

— Vous n'auriez pas mieux que ça ? s'écria Delocke avec un sourire sarcastique.

— Vous n'avez pas chopé le bon client, répéta Quinn, avec déjà moins de conviction.

— Ça me paraît un peu vaseux, Rucker. Et ça paraîtra encore plus vaseux devant un tribunal.

Quinn regarda fixement ses mains. Une minute supplémentaire s'écoula.

— Si vous en savez tellement, vous, les gars, dit-il enfin, qu'est-ce que vous voulez de plus ?

— Il subsiste quelques zones d'ombre. Vous avez agi seul ? Comment avez-vous ouvert le coffre ? Pourquoi avez-vous supprimé la secrétaire ? Qu'est devenu le reste de l'argent ?

— Là, je peux pas vous aider. Je sais rien.

— Vous savez tout, Rucker, et vous ne partirez pas d'ici tant que vous n'aurez pas clarifié ces points-là.

— Alors j'imagine qu'on est parti pour rester ici un bout de temps, répliqua Quinn.

Il se pencha et posa la tête contre la table.

— Je vais m'accorder une sieste.

Les deux agents se levèrent, réunirent leurs dossiers et leurs carnets.

— On va faire une pause, Quinn. On sera de retour dans une demi-heure.

15.

Quoique satisfait du déroulement de l'interrogatoire, Victor Westlake était inquiet. Ils n'avaient ni témoins ni rapport balistique liant le calibre .38 de Rucker à la scène de crime, aucune empreinte de ranger, et ils ne menaient aucun interrogatoire de Dee Ray en parallèle. Il y avait bien un mobile, s'ils devaient ajouter foi à l'histoire de Malcolm Bannister concernant le versement de ce pot-de-vin. L'élément de preuve le plus solide, jusqu'à présent, c'était le fait que Quinn Rucker ait été présent à Roanoke le lendemain de la découverte des cadavres et qu'il dispose de trop d'argent liquide. Westlake et son équipe étaient épuisés, après cette nuit blanche, et il faisait encore noir, dehors. Ils se rechargèrent en café et firent de longues marches tout autour du Congélateur. De temps à autre, ils vérifiaient à l'écran les images de leur suspect. Rucker s'était couché sur la table, mais il ne dormait pas.

À 6 heures, Pankovits et Delocke retournèrent en salle d'interrogatoire. Ils avaient chacun un grand verre de Red Bull avec des glaçons. Quinn se releva de la table et s'installa dans sa chaise, pour un nouveau round.

Pankovits se lança le premier.

— Je viens d'avoir le procureur fédéral au téléphone, Quinn. On l'a informé de l'évolution des choses, ici, avec vous, et il nous signale que le jury de mise en accusation sera convoqué demain, pour aboutir à une inculpation. Deux chefs d'accusation, pour meurtre qualifié.

— Félicitations, leur répliqua Quinn Rucker. J'imagine que j'ai intérêt à me trouver un avocat.

— C'est sûr, quoique, un seul, ça risque de ne pas suffire. Je ne sais pas si vous êtes très informé des lois fédérales sur le racket, Quinn, mais elles peuvent être sévères. La position qu'adoptera le procureur, c'est que les meurtres du juge Fawcett et de sa secrétaire sont les actes d'un gang, un gang bien connu et très organisé, avec vous, bien sûr, dans le rôle de l'exécuteur. L'acte d'accusation reprendra un grand nombre de chefs d'inculpation, notamment le meurtre qualifié, mais aussi la corruption. Il ne mentionnera pas seulement votre nom, il mentionnera aussi ceux d'autres personnages malfaisants, comme Tall Man, Dee Ray, d'une de vos sœurs, de votre cousin Antoine Beck et d'une vingtaine d'autres membres de votre famille.

— Comme ça, vous pourrez avoir votre couloir de la mort à vous tout seuls, ajouta Delocke. Le gang Rucker-Beck, toute la rangée, les cellules collées les unes aux autres, attendant la seringue.

Delocke souriait et Pankovits avait l'air de bien s'amuser. Deux comiques. Quinn Rucker se gratta la joue et regarda au sol.

— Vous savez, moi, je me demande ce qu'en penserait mon avocat, qu'on m'enferme dans cette pièce sombre, sans fenêtre, toute la nuit, depuis, quoi, à peu près neuf heures hier soir, et que je sois encore ici à 6 heures du matin, neuf heures d'affilée à écouter vos conneries non-stop à tous les deux, à m'accuser d'avoir graissé la patte à un juge et puis de l'avoir tué, et maintenant à me menacer de mort, et non seulement de me buter, moi, mais aussi toute ma famille. Vous me racontez que vous avez des témoins qui m'attendent, dehors, tous en rang, prêts à déposer sous serment, et que vous avez la balistique sur un pistolet volé, et des empreintes de rangers, là où une raclure aurait marché dans la boue, et moi comment je serais censé savoir si vous dites la vérité ou si vous me débitez des salades, parce que jamais je croirai le

FBI, j'y ai jamais cru, je ne le croirai jamais. La première fois qu'ils me sont tombés dessus et qu'ils m'ont envoyé en taule, ils m'ont menti, alors moi, je pars du principe qu'ici, cette nuit, vous m'avez menti. Peut-être que j'ai menti un peu moi aussi, mais, honnêtement, est-ce que vous pourriez me jurer, là, tout de suite, que vous m'avez pas raconté des salades, cette nuit ? Hein, vous pourriez me le jurer ?

Pankovits et Delocke le dévisagèrent. Peut-être était-ce la peur ou la culpabilité. Peut-être délirait-il. En tout cas, Quinn Rucker se lâchait.

— Nous disons la vérité, réussit à lui répondre Pankovits.

— Et vous me mettrez un mensonge de plus ! Mon avocat ira au bout de cette histoire. Il va vous traîner devant la cour, il va vous démasquer, il démasquera tous vos mensonges. Montrez-moi l'analyse de l'empreinte de ranger. Là, maintenant, je veux la voir.

— Nous ne sommes pas autorisés à vous la montrer, pas pour le moment, riposta Pankovits.

— C'est trop commode.

Quinn se pencha vers eux, les coudes fermement plantés sur les genoux, le front touchant presque le bord de la table. Il continua de parler en s'adressant au sol en béton sous ses pieds.

— Et le rapport balistique ? J'ai le droit de le voir ?

— Nous ne sommes pas autorisés...

— Quelle surprise ! Mon avocat l'obtiendra, dès que je pourrai le consulter, là où je pourrai le consulter. J'ai demandé après lui toute la nuit, et j'ai subi une violation de mes droits.

— Vous n'avez pas réclamé votre avocat, rectifia Delocke. Vous avez mentionné votre avocat en des termes vagues, mais vous n'en avez pas exigé un. Et vous avez continué de nous parler.

— Comme si j'avais le choix. Soit tu restes assis ici et tu causes, soit on t'expédie dans l'aquarium à biture avec une bande de soûlards. Je suis déjà passé par là, vous savez, et ça ne me fait pas peur. Ça fait juste partie du métier, vous voyez ? Tu perds, tu paies. Quand on entre dans le métier, on connaît les règles. On voit tous ses amis, toute sa famille se faire embarquer, puis on les voit revenir. La taule, t'y entres, et ensuite t'en sors.

— Ou tu t'évades.

— Ça aussi. Assez stupide, j'imagine, mais j'avais besoin de sortir.

— Parce que vous aviez un compte à régler, pas vrai, Quinn ? Pendant deux ans, en prison, vous avez pensé au juge Fawcett tous les jours. Il a accepté votre fric et puis il a rompu le marché. Pour votre activité, il fallait le supprimer, exact ?

— Exact.

Quinn se massait les tempes en fixant ses pieds et en marmonnant. Les agents respirèrent à fond et échangèrent un bref sourire. Enfin un premier début d'aveu.

Pankovits remit de l'ordre dans quelques papiers.

— Bon, Quinn, voyons un peu où nous en sommes. Vous venez d'admettre qu'il fallait supprimer le juge Fawcett, n'est-ce pas ? Quinn ?

Quinn se tenait encore fermement calé sur ses deux coudes, les yeux rivés au sol, et il se balançait, comme hébété. Il ne répondit rien.

Delocke relut la page de son carnet.

— D'après mes notes, Rucker, j'ai posé la question et, là, je cite : « Pour votre activité, il fallait le supprimer, exact ? », et vous avez répondu : « Exact. » Est-ce que vous allez le nier, Quinn ?

— Vous me faites dire ce que je n'ai pas dit, là ! Arrêtez ça !

Pankovits sauta sur l'occasion.

— D'accord. Quinn, on va devoir vous informer des derniers développements. Il y a environ deux heures, Dee Ray a finalement admis vous avoir donné le liquide à remettre au juge Fawcett, et que lui, Tall Man et quelques autres vous ont aidé à planifier ce meurtre. Dee Ray s'est mis à table, et il a déjà conclu un marché – pas de peine de mort, pas de meurtre qualifié. On a cueilli Tall Man voilà deux heures, et maintenant on cherche une de vos sœurs. Ça sent mauvais.

— Ils ne savent rien.

— Bien sûr que si, et ils vont être inculpés avec vous demain.

— Vous pouvez pas faire ça, les mecs. Allez, quoi. Ma mère, ça va la tuer. La pauvre femme, elle a soixante-dix ans et elle a le cœur malade. Vous pouvez pas lui tomber dessus comme ça.

— Alors mouillez-vous, Quinn ! s'exclama Pankovits d'une voix forte. Endossez ! Vous avez commis ce crime. Vous avez fait le mariole. Alors, pour reprendre la formule qui vous plaît tant, maintenant, vous allez payer. Faire tomber le reste de la famille avec vous, ça n'a pas de sens.

— Me mouiller, et puis quoi ?

— Conclure un marché. Vous nous livrez tous les détails, et on intercède auprès du procureur pour qu'il laisse votre famille tranquille.

— Il y a autre chose, ajouta Delocke. Si on passe le bon accord, il n'y aura pas de peine de mort. Juste la perpétuité, sans remise de peine. Apparemment, la famille Fawcett est contre la peine de mort, et elle ne veut pas non plus d'un long procès douloureux. Ils veulent que l'affaire soit bouclée, et le procureur respectera leurs souhaits. À l'entendre, il est disposé à envisager un plaider coupable, ce qui vous sauvera la vie.

— Pourquoi devrais-je vous croire ?

— Vous n'êtes pas obligé, Rucker. Attendez juste deux jours que tombent les actes d'accusation. Il pourrait y avoir jusqu'à trente personnes citées sur la base de charges diverses.

Quinn Rucker se leva lentement et étira les mains aussi haut que possible. Il fit quelques pas dans une direction, puis dans une autre, et se mit à répéter :

— Bannister, Bannister, Bannister.

— Qu'est-ce que vous dites, Quinn ? fit Pankovits.

— Bannister, Bannister, Bannister.

— Qui est Bannister ?

— Bannister, c'est une balance, lâcha Rucker avec aigreur. Une raclure, un ancien pote de Frostburg, un avocat véreux qui se prétend innocent. Rien d'autre qu'une balance. Faites pas semblant de pas le connaître, parce que si ce n'était pas une balance, vous seriez pas ici.

— Jamais rencontré ce gars-là, lui rétorqua Pankovits.

Delocke fit lui aussi non de la tête.

Leur suspect s'assit, les deux coudes calés sur la table. Il était pleinement éveillé, à présent, et scrutait les deux agents de ses yeux étroits. Il frotta ses mains épaisses l'une contre l'autre.

— Alors, c'est quoi, le marché ? demanda-t-il.

— Nous n'avons pas la possibilité de conclure un marché, Quinn, mais nous pouvons favoriser certaines choses, rectifia Pankovits. Pour commencer, nous rappelons nos troupes, dans le district de Columbia, et nous laissons tranquilles votre famille et votre gang, en tout cas pour le moment. Le procureur est sous pression depuis cinq semaines, avec ce meurtre, et il a besoin de bonnes nouvelles à tout prix. Il nous assure, et nous pouvons vous assurer, qu'il n'y aura pas d'accusation de meurtre qualifié et que votre inculpation sera la seule et unique. Rien que vous, pour les deux meurtres. Pur et simple.

— Ça, c'est la moitié de l'accord, précisa Delocke, l'autre moitié, c'est une déclaration enregistrée en vidéo où vous avouez ces crimes.

Rucker se prit la tête dans les mains et ferma les yeux. Une minute s'écoula, une minute de lutte avec lui-même.

— Je veux vraiment voir mon avocat, déclara-t-il finalement sans desserrer les dents.

— Rien ne s'y oppose, Quinn, admit Delocke. Absolument rien ne s'y oppose. Mais Dee Ray et Tall Man sont en garde à vue, en ce moment, ils mouchardent tout ce qu'ils peuvent, et la situation ne fait qu'empirer. Il va peut-être s'écouler un jour ou deux avant que votre avocat puisse arriver jusqu'ici. Vous prononcez le mot qu'il faut, nous relâchons vos frères et nous les laissons tranquilles.

Subitement, Quinn beugla :

— D'accord !

— D'accord quoi ?

— D'accord, je vais faire ça !

136

— Pas si vite, Quinn ! On doit d'abord régler quelques aspects. Nous allons repasser les faits en revue, clarifier un peu les choses, planter le décor, s'assurer qu'on est sur la même longueur d'onde concernant la scène de crime. Nous devons être sûrs de prendre en compte tous les détails importants.

— OK, OK. Mais je peux avoir un petit déjeuner ?

— Bien sûr, Quinn, pas de problème. On a toute la journée.

16.

L'une des rares vertus de la vie en prison, c'est que l'on y acquiert progressivement la patience. Rien n'avance à une allure raisonnable, et vous apprenez à ignorer l'horloge. Pour ce qui est du lendemain, on y sera toujours bien assez tôt ; survivre à sa journée constitue un défi suffisant. Après ma brève escapade dans le district de Columbia, je rôde dans Frostburg quelques jours en me répétant à quel point je suis devenu patient, que le FBI va agir vite et qu'en tout état de cause je n'y peux pas grand-chose. À ma grande surprise, et à mon grand soulagement, les événements se précipitent.

Je ne m'attends pas à ce que le FBI me tienne informé, donc je n'ai aucun moyen de savoir s'ils ont arrêté Quinn Rucker et s'il a avoué. La nouvelle est annoncée par le *Washington Post*, le samedi 19 mars, en bas de la première page : « SUSPECT ARRÊTÉ DANS LE MEURTRE DU JUGE FÉDÉRAL ». Le journal publie une grande photo en noir et blanc de Quinn, l'un de ses clichés d'identité judiciaire, et je fixe ces yeux-là en prenant un siège dans le coin café, juste après le petit déjeuner. Côté informations, l'article est assez léger, mais il est lourd de soupçons. À l'évidence, toutes les infos sont distillées par le FBI, et rien n'est détaillé. Arrestation à Norfolk d'un criminel évadé, condamné pour trafic de drogue et ayant des liens de longue date avec un gang de la région du district de Columbia. Pas l'ombre d'un mobile, aucun indice sur ce qui a conduit le FBI à considérer que ce Rucker était leur homme. Juste une allusion en passant au rapport balistique. Le plus important, c'est que l'article indique ceci : « Après avoir renoncé à son droit de garder le silence, au titre de la loi Miranda, le suspect s'est volontairement soumis à un très long interrogatoire et il a fourni au FBI des aveux filmés en vidéo. »

J'ai rencontré Quinn Rucker il y a deux ans, peu après son arrivée à Frostburg. Une fois installé, il s'est rendu à la bibliothèque et m'a demandé d'étudier l'arrêt de sa condamnation. En prison, vous apprenez à vous faire des amis avec lenteur et grande prudence, parce que peu d'individus sont sincères. Naturellement, l'endroit grouille d'escrocs, d'entourloupeurs et d'arnaqueurs, et tout le monde cherche à sauver sa peau. Avec Rucker, pourtant, les choses étaient différentes. Il s'est montré instantanément sympathique, et je ne suis pas certain d'avoir jamais rencontré quelqu'un qui dégage autant de charisme et possède en lui autant de sincérité. Parfois, son humeur changeait du tout au tout : il se repliait sur lui-même et traversait ses « jours sombres », comme il disait. Il pouvait être grossier, dur, et on sentait la violence potentielle du personnage affleurer sous la surface. Il prenait ses repas dans son coin et ne parlait à personne. Puis, tout à coup, il vous racontait des blagues au petit déjeuner et défiait les joueurs de poker les plus chevronnés. Il pouvait se montrer grande gueule et supérieur, avant de redevenir silencieux et vulnérable. Comme je l'ai dit, il n'y a pas de violence, à Frostburg. Tout ce que j'y ai vu, en fait de bagarre, c'est un épisode où un péquenaud qu'on appelait Skunk a défié Quinn dans un combat à mains nues pour régler une querelle entre joueurs. Skunk mesurait bien quinze centimètres de moins que Quinn et pesait quinze kilos de moins que lui, pourtant il n'y a jamais eu de combat. Quinn a reculé et s'est laissé humilier. Deux jours plus tard, il m'a montré un couteau artisanal, un « surin », comme il l'appelait, qu'il s'était acheté au marché noir. Il prévoyait de s'en servir pour trancher la gorge de Skunk.

Je l'ai persuadé de ne pas commettre ce meurtre – cela étant, je ne suis pas convaincu qu'il l'ait sérieusement envisagé. J'ai passé beaucoup de temps avec lui et nous sommes devenus amis. Il avait la certitude que je pouvais opérer une sorte de magie juridique nous permettant de nous arracher à cette prison, et que nous deviendrions en quelque sorte partenaires. Il était fatigué de l'activité de la famille et il voulait devenir réglo. Un trésor caché l'attendait quelque part, et le juge Fawcett était assis dessus.

Henry Bannister patiente dans la salle des visites, assis tristement sur une chaise pliante pendant qu'une jeune mère et ses trois enfants se chamaillent à proximité. Au fur et à mesure de la matinée, la salle va se remplir, et Henry préfère en finir avec ses visites au début plutôt que vers la fin. Le règlement autorise un membre de la famille à s'asseoir et à bavarder avec un détenu entre 7 heures et 15 heures, tous les samedis et tous les dimanches, mais une heure suffit à Henry. Et à moi aussi.

Si les choses se déroulent comme prévu, et j'ai quelques raisons de croire que ce sera le cas, ce pourrait être la dernière visite de mon père. Je ne le reverrai peut-être plus avant des années, si je le revois, mais de cela je ne peux pas discuter. Je prends le sac de cookies de tante Racine et j'en grignote un. Nous parlons de mon frère Marcus et de ses sales gamins, de ma sœur Ruby et de ses enfants si parfaits.

Winchester compte en moyenne un meurtre par an ; ce quota a été atteint la semaine dernière quand un mari, rentré tôt du travail, a aperçu un camion non identifié garé dans son allée. Il s'est faufilé chez lui, où il a surpris sa femme avec l'une de ses connaissances, tous les deux occupés à violer les règles du mariage avec un bel entrain. Le mari a attrapé son fusil et, voyant cela, le cavaleur a tenté de sauter, nu, par une fenêtre de la chambre, qui n'était hélas pas ouverte. Il a échoué dans sa tentative, et une fusillade s'en est suivie.

Henry estime que le type pourrait s'en tirer, et il se délecte à me raconter cette histoire. Apparemment la ville entière est partagée entre la culpabilité et ce que l'on appelle un homicide justifiable. J'entends presque d'ici le flot des ragots dans les cafés de la vieille ville où je me rendais à une époque. Mon père s'étend un bon moment sur cette affaire, sans doute parce nous n'avons aucune envie d'aborder les questions de famille.

Et, pourtant, nous sommes tenus de les aborder. Il change de sujet.

— Cette petite Blanche envisage de se faire avorter. Peut-être que je serai pas arrière-grand-père, en fin de compte.

— Delmon recommencera, lui dis-je.

Avec ce gamin, on s'attend toujours au pire.

— Il faudrait le faire stériliser. Il est trop bête pour utiliser des capotes.

— Achète-lui en quand même. Tu sais que Marcus est fauché.

— Ce gamin, je ne le vois que lorsqu'il veut quelque chose. Bon sang, on va sûrement me tomber dessus, pour cet avortement. À mon avis, cette fille est une roulure.

Tant qu'on est sur le sujet de l'argent, je ne peux pas m'empêcher de penser à la récompense dans l'affaire Fawcett. Cent cinquante mille dollars en liquide. Je n'ai jamais vu autant d'argent. Avant la naissance de Bo, nous nous sommes rendu compte, Dionne et moi, que nous avions épargné six mille dollars. Nous en avions mis la moitié dans un fonds commun de placement, et avec le reste nous étions partis en croisière. Nous avons vite oublié nos habitudes économes, et nous n'avons plus jamais eu pareille somme en espèces. Juste avant mon inculpation, nous avons repris une hypothèque sur notre maison afin d'en extraire jusqu'à la dernière goutte de marge de crédit. L'argent a fini en frais juridiques.

Je vais être riche et en fuite. Je me répète de ne pas trop m'emballer, même si c'est impossible.

Henry a besoin d'un nouveau genou gauche, et nous en discutons un petit moment. Il s'est toujours moqué des vieux qui se répandent sur leurs maladies, mais il commence à leur ressembler. Au bout d'une heure, il s'ennuie et il est prêt à partir. Je l'accompagne jusqu'à la porte, où nous nous serrons la main avec raideur. Il s'en va ; peut-être ne le reverrai-je jamais.

Dimanche. Aucune nouvelle du FBI, ou de qui que ce soit d'autre. Après le petit déjeuner, je lis quatre journaux, sans rien apprendre ou presque à propos de Quinn Rucker ou de son arrestation. Toutefois, il y a un fait nouveau d'importance : selon le *Washington Post*, le procureur du district sud de Virginie soumettra le dossier au jury de mise en accusation dès demain, lundi. Si le jury prononce une inculpation, en théorie, et en vertu de notre accord, je suis censé devenir un homme libre.

Il existe un nombre surprenant d'organismes religieux, en prison. Nous autres, hommes perturbés, nous avons besoin de réconfort, de paix et de conseils éclairés. Nous avons été humiliés, rabaissés, dépouillés de notre dignité, de notre famille, de nos biens, et il ne nous reste rien. Jetés en enfer, nous levons les yeux au-dessus de nos têtes, en quête d'une issue. À Frostburg on compte quelques musulmans qui prient cinq fois par jour et qui restent entre eux, ainsi qu'un moine bouddhiste autoproclamé et ses rares disciples ; ni juifs ni mormons, à ma connaissance. Ensuite, il y a nous, les chrétiens, et c'est là que cela se complique. Un prêtre catholique vient servir la messe deux fois par mois, à 8 heures, le dimanche matin. Dès que les catholiques évacuent la petite chapelle, un service non confessionnel se tient pour les églises méthodistes, baptistes, presbytériennes, etc. J'y assiste presque tous les dimanches. À 10 heures, les pentecôtistes blancs se réunissent pour un service religieux tapageur, avec musiques tonitruantes et sermons qui le sont encore plus, ainsi qu'une séance de glossolalie et de guérison par la foi. Ce service est supposé s'achever à 11 heures, mais souvent il se prolonge, les fidèles se laissant gagner par l'humeur du moment. Les pentecôtistes noirs entrent dans la chapelle à 11 heures, toutefois ils doivent parfois attendre que les Blancs se calment. J'ai entendu des histoires d'échanges de propos brutaux entre les deux groupes, mais jusqu'à présent aucune bagarre n'a éclaté dans la chapelle. Une fois qu'ils sont montés en chaire, les pentecôtistes noirs n'en sont plus délogés de l'après-midi.

On aurait tort d'en retirer l'impression que Frostburg serait rempli de prêcheurs qui brandissent leur bible à tout propos. Ce n'est pas le cas. Cela reste une prison, et la majorité de mes compagnons de détention préféreraient mourir plutôt que d'assister à un service religieux.

Lorsque je quitte la chapelle après le service non confessionnel, un SP vient me chercher.

— Ils te demandent au bâtiment de l'administration.

17.

L'agent Hanski m'attend avec un nouveau joueur, qui fait son entrée dans la partie : Pat Surhoff, un U.S. marshal. Après les présentations, nous nous installons autour d'une petite table, dans le couloir, non loin du bureau du directeur. Ce dernier, naturellement, n'est pas dans les locaux, pas un dimanche, et qui pourrait le lui reprocher ?

D'un geste rapide, Hanski sort un document qu'il pousse dans ma direction.

— Voici l'acte d'accusation, m'annonce-t-il. Il est tombé vendredi après-midi, à Roanoke, et est encore confidentiel. Il sera communiqué à la presse à la première heure demain matin.

Je le tiens comme un lingot d'or, et j'ai du mal à me concentrer sur ces quelques mots. « États-Unis d'Amérique contre Quinn Rucker. » C'est imprimé dans le coin supérieur droit, avec la date de vendredi dernier à l'encre bleue.

Je réussis tout de même à leur objecter, alors que ce qui s'est passé paraît assez évident :

— Le *Washington Post* avait annoncé que le jury de mise en accusation se réunissait dans la matinée,

— Nous jouons avec la presse, réplique Hanski d'un air supérieur.

Supérieur, mais le type cherche à se rendre sympathique, cette fois-ci. Les rôles ont changé du tout au tout. J'étais un taulard au regard fuyant cherchant à conclure un marché et sans doute à truander le système. Maintenant, c'est l'inverse, je suis un *golden boy* sur le point de sortir d'ici avec de l'argent en poche.

Je hoche la tête.

— Je ne trouve pas mes mots, les gars. Aidez-moi, là.

Hanski saute sur l'occasion.

— Voilà ce que j'ai en tête, monsieur Bannister.

— Et si vous m'appeliez Malcolm, maintenant ?

— Parfait. Alors, moi, c'est Chris, et lui, c'est Pat.

— Entendu.

— Le Bureau des prisons vient de vous réaffecter à l'établissement de moyenne sécurité de Fort Wayne, dans l'Indiana. Motif inconnu ou non communiqué. Une infraction quelconque au règlement qui a foutu les grands chefs en rogne. Pas de visiteurs pendant six mois. Isolement cellulaire. Les curieux pourront vous trouver en ligne grâce au service de localisation des détenus, mais ils se heurteront vite à un mur. Au bout de deux mois à Fort Wayne, vous serez de nouveau réaffecté. Le but est de vous faire circuler dans le système, qu'on vous oublie.

— Je suis sûr que, pour le Bureau, ce ne sera pas compliqué, dis-je, et cela les fait tous les deux rire.

Eh bien, mon vieux ! on m'accueille dans l'équipe adverse ou quoi ?

— D'ici quelques minutes, nous allons passer à la procédure des menottes et des chaînes aux pieds, puis vous faire sortir d'ici comme pour un transfert ordinaire. Vous aurez droit à un fourgon banalisé avec Pat et un autre marshal. Ils vous conduiront dans l'Ouest, en direction de Fort Wayne. Je vous suivrai. Dans une centaine de kilomètres, à l'entrée de Morgantown, nous nous arrêterons dans un motel où nous avons loué quelques chambres. Vous vous changerez, vous déjeunerez, et nous parlerons de l'avenir.

— Dans quelques minutes ? dis-je, sous le choc.

— C'est le plan. Y a-t-il quelque chose dans votre cellule dont vous ne pouvez vous passer ?

— Oui. J'ai des affaires personnelles, des papiers et autres.

— D'accord. Nous demanderons à la prison de tout mettre dans un carton, demain, et nous vous l'apporterons. Il vaut mieux que vous ne retourniez pas là-bas. Si quelqu'un vous voit rassembler vos affaires, il risque de poser des questions. Tant que vous ne serez pas parti, nous tenons à ce que personne ici ne sache que vous vous en allez.

— Pigé.

— Pas question de faire vos adieux ou ce genre de bêtises, compris ?

— D'accord.

L'espace d'une seconde, je songe à mes amis, ici, à Frostburg, puis je laisse vite tomber. Pour eux tous aussi ce jour-là finira par arriver et, une fois que vous êtes libre, vous ne revenez plus sur le passé. Je doute fortement que des amitiés nouées en prison puissent se prolonger une fois dehors. Et, dans mon cas, jamais je ne réussirai à prendre des nouvelles des vieux potes et à échanger des souvenirs. Je suis sur le point de devenir un autre.

— Vous avez soixante-dix-huit dollars sur votre compte de prisonnier. Nous vous les virerons à Fort Wayne, et ils se perdront dans le système.

— Baisé par le gouvernement fédéral une fois de plus, dis-je, et, là encore, ils trouvent ça drôle.

— Des questions ? me demande Hanski.

— Bien sûr. Comment l'avez-vous amené à avouer ? Il est trop malin pour ça.

— Franchement, ça nous a surpris. Nous avons eu recours à deux de nos enquêteurs les plus chevronnés, et ils ont leurs méthodes. Il a mentionné un avocat à deux reprises, avant de faire marche arrière. Il avait envie de parler, et il avait l'air accablé de s'être fait prendre, non pas tant à cause de son évasion que pour ce meurtre. Il voulait connaître l'étendue de nos informations, alors nous avons continué de discuter. Pendant dix heures. Toute la nuit, jusqu'au petit matin. Il n'avait pas envie de sortir de là et de se retrouver en prison, donc il est resté dans cette salle. Une fois qu'il a été convaincu que nous savions, il a craqué. Quand nous avons évoqué la possibilité d'inculper sa famille, ainsi que la quasi-totalité de son gang, il a voulu conclure un marché. Il a fini par tout nous livrer.

146

— Par « tout », vous voulez dire... ?

— Son histoire correspond grosso modo à ce que vous nous avez raconté. Pour sauver son neveu, il a graissé la patte du juge Fawcett, à hauteur de cinq cent mille dollars. Le juge l'a entubé : il a gardé l'argent et il a envoyé le gamin en taule. Dans le monde de Quinn Rucker, c'est un crime impardonnable dont il faut se venger. Il a pisté le juge Fawcett, il l'a suivi jusqu'à son bungalow, il est entré par effraction, il est tombé sur le juge et la secrétaire, et il a eu sa vengeance.

— Combien d'argent restait-il ?

— À peu près la moitié. Quinn prétend avoir forcé l'appartement du juge à Roanoke, il a tout fouillé et il n'a pas trouvé l'argent. Il suspectait le juge de l'avoir caché ailleurs, dans un endroit plus sûr. C'est pour ça qu'il l'a suivi jusqu'au bungalow. Il a maîtrisé le juge, qui se trouvait sous sa véranda, et il est entré. Il n'était pas sûr que l'argent soit bien là, mais il était déterminé à le trouver. Il a torturé la secrétaire et il a forcé le juge à lui sortir le magot. Ce qui explique le coffre caché. Dans l'esprit de Quinn, cette somme lui appartenait.

— Et il a estimé devoir les tuer ?

— Oh, bien sûr. Il ne pouvait pas laisser deux témoins derrière lui. Il n'a aucun remords, Malcolm. Le juge n'a eu que ce qu'il méritait, et la secrétaire s'est juste trouvée sur son chemin. Maintenant, il est sous le coup de deux chefs d'inculpation pour meurtre.

— Il risque donc la peine de mort ?

— Très vraisemblablement. Nous n'avons jamais exécuté personne pour le meurtre d'un juge fédéral, et nous serions ravis de faire de Quinn Rucker notre premier exemple.

— A-t-il mentionné mon nom ? lui demandé-je, certain de la réponse.

— Et comment ! Il vous soupçonne fortement d'être notre source, et il va sans doute mijoter sa vengeance. C'est pour ça que nous sommes ici, prêts à partir.

Je veux m'en aller, mais pas si vite.

— Quinn sait tout de l'article 35. En fait, tous les détenus savent un tas de choses sur ce règlement. Si vous résolvez un crime commis hors de la prison, vous obtenez une commutation de peine. En plus, il me prend pour un brillant avocat. Sa famille et lui sauront que je suis sorti, que je ne suis plus en prison, ni à Fort Wayne ni dans un autre établissement pénitentiaire.

— Exact, mais laissons-les à leurs devinettes. Il est aussi important que votre famille et vos amis vous croient encore sous les verrous.

— Vous vous inquiétez pour ma famille ?

Pat Surhoff s'exprime enfin :

— À un certain niveau, oui. Rien ne nous empêche de leur apporter notre protection, si vous le souhaitez. Évidemment, si nous les protégeons, cela perturbera leur existence.

— Ils n'accepteront jamais. Mon père vous flanquerait un coup de poing, si vous le lui proposiez. C'est un ancien policier de l'État à la retraite, convaincu de pouvoir se débrouiller tout seul. Et mon fils a un nouveau père, une nouvelle vie.

Je n'arrive pas à envisager de donner un coup de fil à Dionne pour l'avertir que Bo risquerait d'être en danger à cause de moi. En outre, quelque part au fond de moi je ne crois pas que Quinn Rucker irait causer du mal à un jeune garçon.

— Nous en discuterons plus tard, si vous le souhaitez, suggère Surhoff.

— Oui, je préfère. Pour le moment j'ai beaucoup trop d'idées qui partent dans tous les sens.

— La liberté vous attend, Malcolm, me rappelle Hanski.

— Allons-nous-en d'ici.

Je les suis dans un autre bâtiment, où nous rejoignons trois SP et le capitaine. Je suis menotté, les chevilles enchaînées, puis escorté jusqu'au trottoir, où un fourgon nous attend. Un observateur non averti se figurerait que l'on me conduit à mon exécution. Un marshal, un dénommé Hitchcock, est au volant. Surhoff fait coulisser la portière derrière moi et s'installe à l'avant, à la droite du chauffeur. Et nous voilà partis.

Je m'abstiens de me retourner pour un dernier regard d'adieu sur Frostburg. J'ai suffisamment d'images pour des années. Je fixe mon attention sur la campagne qui défile et je ne peux réprimer un sourire.

Un peu plus tard, nous nous arrêtons sur le parking d'un centre commercial. Surhoff bondit dehors, ouvre la portière coulissante, déverrouille mes menottes. Puis il me libère les chevilles.

— Félicitations, me fait-il avec chaleur.

Décidément, ce type me plaît ! J'entends une dernière fois le raclement des chaînes, et je me masse les chevilles.

Sans transition, nous fonçons sur l'Interstate 68, en direction de l'ouest. C'est presque le printemps, et les collines vallonnées de l'extrême ouest du Maryland manifestent quelques signes de vie. Ces premiers moments de liberté sont irrésistibles. J'ai rêvé de ce jour depuis cinq ans, et c'est euphorisant. Quantité de pensées se bousculent dans ma tête. Je meurs d'impatience de choisir mes vêtements, d'enfiler un jean. Je meurs d'impatience d'acheter une voiture et de rouler, d'aller où je veux. J'ai envie de sentir le contact d'un corps de femme, le goût d'un steak et d'une bière froide. Je refuse de m'inquiéter de la sécurité de mon fils et de mon père. Il ne leur sera fait aucun mal.

Les marshals ont envie de causer, donc j'écoute. Pat Surhoff prend la parole.

— Bien, maintenant, Malcolm, vous n'êtes plus sous la garde de quiconque. Si vous choisissez d'intégrer le programme de sécurité des témoins, ce que l'on appelle plus communément la protection de témoins, nous, le service des U.S. marshals, nous veillerons sur vous. Nous serons les garants de votre sécurité et de votre santé. Vous recevrez une nouvelle identité, avec des pièces authentiques. On vous octroiera une allocation pour vous loger, pour vos dépenses courantes et vos soins médicaux. Nous vous trouverons un emploi. Une fois que vous aurez pris vos marques, nous ne surveillerons pas vos activités quotidiennes, en revanche nous serons toujours à proximité si vous avez besoin de nous.

Il s'exprime comme s'il lisait une brochure, mais ces mots-là sont de la musique à mes oreilles. Hitchcock intervient :

— Nous avons eu plus de huit mille témoins dans le cadre de ce programme, et il ne leur a jamais été fait le moindre mal.

Je lui pose la question la plus évidente :

— Où vais-je habiter ?

— L'Amérique est un grand pays, Malcolm, me répond Hitchcock. Nous avons réinstallé des témoins à cent kilomètres de chez eux, et d'autres à deux mille kilomètres. L'essentiel, ce n'est pas tant la distance ; cependant, en règle générale, plus on s'éloigne, mieux ça vaut. Vous préférez la chaleur ou la neige ? Les montagnes et les lacs, ou le soleil et les plages ? Les grandes villes ou les petites ? Les bourgades, c'est problématique, et nous recommandons les endroits qui ont une population d'au moins cent mille habitants.

— C'est plus facile de se fondre dans la masse, précise Surhoff.

— Et j'ai le choix ?

— Dans la limite du raisonnable, oui.

— Laissez-moi réfléchir.

Ce que je fais, sur la dizaine de kilomètres qui suit – et ce n'est pas la première fois. J'ai une idée assez claire de là où je veux aller, et pour quelles raisons. Je jette un œil par-dessus mon épaule et j'entrevois un véhicule qui m'est familier.

— Je suppose que c'est le FBI, juste derrière nous.

— Oui, l'agent Haski et un autre type, me confirme Surhoff.

— Combien de temps vont-ils nous suivre ?

— Ils seront repartis dans quelques jours, je suppose, rétorque Surhoff en échangeant un regard avec Hitchcock.

En réalité, ils n'en savent rien, et ce n'est pas moi qui vais leur tirer les vers du nez.

— Est-ce que le FBI maintient systématiquement le contact avec les témoins dans mon genre ?

— Cela dépend, me répond Hitchcock. D'ordinaire, quand un témoin entre dans le cadre de la protection, certaines procédures sont encore en suspens concernant la ou les personnes qu'il a dénoncées. Le témoin peut avoir à retourner devant un tribunal pour effectuer une déposition.

En ce cas, le FBI veut garder un lien avec lui. Il le fait par notre intermédiaire. Toujours par notre intermédiaire. Avec le temps, les années passant, le FBI finit plus ou moins par oublier les témoins.

Pat change de sujet.

— L'une des premières choses dont vous aurez à vous occuper, ce sera de changer de nom. En toute légalité, naturellement. Nous avons recours à un juge du comté de Fairfax, dans le nord de la Virginie, qui garde ces dossiers-là sous clef. Il s'agit de pure routine, mais vous allez quand même devoir vous choisir un nouveau nom. Il vaut mieux conserver les mêmes initiales, et rester simple.

— Par exemple ?

— Michael Barnes. Matt Booth. Mark Bridges. Mitch Baldwin.

— Ces noms-là m'évoquent des membres éminents du petit monde de la communauté blanche.

— Oui, en effet. Mais Malcolm Bannister aussi.

— Merci.

Pendant quelques kilomètres, nous discutons du choix de mon nouveau patronyme. Surhoff ouvre un ordinateur portable et tape à toute vitesse.

— De tous les noms qui commencent par la lettre B, quel est le plus courant, dans ce pays ?

— Baker, suggère Hitchcock.

— Celui-là, il vient en numéro deux.

— Bailey, proposé-je.

— Ça, c'est le numéro trois. Le quatrième, c'est Bell. Brooks en numéro cinq. Le vainqueur, c'est Brown, avec deux fois plus de clients que Baker, qui se classe deuxième.

— James Baldwin est l'un de mes écrivains afro-américains préférés, leur dis-je. Je prends.

— OK, fait Surhoff en tapant. Prénom ?

— Pourquoi pas Max ?

Hitchcock approuve d'un hochement de tête. Surhoff saisit ce prénom, Max.

— Ça me plaît, acquiesce Hitchcock comme s'il humait un grand cru.

Surhoff relève les yeux.

— Il existe à peu près vingt-cinq Max Baldwin aux États-Unis, donc ça fonctionne. Un bon nom, solide, pas trop répandu, pas trop exotique ou bizarre. J'aime bien. Étoffons-le un peu. Deuxième prénom ? Qu'est-ce qui fonctionnerait, Max ?

Aucun deuxième prénom ne fonctionne avec Max devant. Puis je pense à M. Reed et à M. Copeland, mes deux anciens associés, et leurs locaux minuscules sur Braddock Street, Winchester. Copeland & Reed, avocats & conseillers juridiques. En leur honneur, je choisis Reed.

— Max Reed Baldwin, répète Surhoff. Ça marche. Maintenant, pour parachever le tout, un petit suffixe, Max ? Junior, III ou IV. Sans trop s'égarer dans le chic non plus.

Hitchcock secoue la tête en signe de désapprobation.

— Restons-en là, tranche-t-il.

— Je suis d'accord, dis-je. Rien au bout.

— Super. Donc, nous avons un nom, Max R. Baldwin. D'accord, Max ?

— Je crois. Accordez-moi encore une heure ou deux, que je laisse un peu reposer ça dans ma tête. J'ai besoin de m'habituer.

— Bien sûr.

Si perturbant que ce soit, le choix d'un nouveau nom, que j'emploierai pour le restant de mes jours, sera l'une de mes décisions les plus faciles. Assez vite, je vais être confronté à des choix bien plus épineux – les yeux, le nez, les lèvres, le menton, une maison, un emploi, une histoire familiale ; le genre d'enfance fictive que j'ai pu vivre ; où je suis allé à l'université et quelles études j'ai effectuées ; pourquoi je suis célibataire et si j'ai été marié ; si j'ai des enfants.

J'en ai la tête qui tourne.

18.

Quelques kilomètres à l'est de Morgantown, nous quittons l'Interstate et nous arrivons au parking du Best Western, l'un de ces motels à l'ancienne où vous avez la possibilité de vous garer juste devant votre chambre. Des hommes nous attendent, des agents du FBI, je présume, et, alors que je m'extrais du van, merveilleusement désenchaîné, Hanski se précipite vers moi.

— Vous avez la chambre 38, m'indique-t-il.

L'un de ces agents anonymes déverrouille la porte et me tend la clef. À l'intérieur, il y a deux lits doubles, et, sur l'un des deux, un trousseau de vêtements.

— J'ai eu vos mensurations grâce à la prison, me signale Hanski en désignant ma nouvelle garde-robe. Si ça ne vous convient pas, pas de problème. Nous pouvons aller faire les boutiques.

Il y a là deux chemises blanches et une écossaise dans les bleus, deux pantalons beiges et un jean délavé, une ceinture en cuir marron, deux caleçons soigneusement pliés, deux T-shirts, plusieurs paires de chaussettes encore dans leur emballage, des mocassins marron qui m'ont l'air présentables et la paire de derbys noires la plus horrible que j'aie jamais vue. Somme toute, pas un mauvais début.

— Merci, dis-je.

Hanski continue :

— Brosse à dents, tube de dentifrice, nécessaire de rasage, tout est dans la salle de bains. Il y a un petit sac de sport par là. S'il vous faut quoi que ce soit d'autre, on file au magasin. Vous voulez déjeuner ?

— Pas tout de suite. J'ai juste envie d'être seul.

— Pas de problème, Malcolm.

— C'est Max, maintenant, si ça ne vous ennuie pas.

— Max Baldwin, ajoute Surhoff.

— Ça, c'était du rapide.

Ils sortent et je ferme à clef derrière eux. Je retire lentement ma tenue de prisonnier – chemise et pantalon vert olive, chaussettes blanches, brodequins et caleçon usé jusqu'à la corde. J'enfile un caleçon et un T-shirt neufs, puis je me glisse sous les couvertures et je regarde fixement le plafond.

Pour le déjeuner, nous nous rendons à deux pas de là, dans un bistro de fruits de mer à petit prix, un drive-in où, pour moins de huit dollars, on a droit à plus de pinces de crabe que je ne pourrais jamais en avaler. Nous sommes entre nous, Hanski, Surhoff et moi, et nous savourons un long repas de fruits de mer de qualité médiocre et néanmoins délicieux. Une fois la pression levée, ils me lancent carrément des vannes et des commentaires sur ma garde-robe. Je leur retourne leurs propos insultants en leur rappelant que je ne suis pas, comme eux, membre du petit monde de la communauté blanche, et qu'à partir de maintenant j'achèterai mes vêtements moi-même.

L'après-midi approche et ils me font savoir que du travail nous attend. Quantité de décisions doivent être prises. Nous rentrons au motel, dans la chambre voisine de la mienne, où l'un des deux lits est couvert de dossiers et de documents. Hitchcock nous rejoint, nous sommes donc quatre dans la pièce, tous censés travailler ensemble, bien que je reste sceptique. Je me répète sans cesse que ces types sont maintenant de mon côté, que le gouvernement est mon protecteur et mon ami, pourtant je ne parviens pas à pleinement l'intégrer. Peut-être réussiront-ils à gagner ma confiance, avec le temps, mais j'en doute. La dernière fois que j'ai passé des heures avec des agents du gouvernement, on m'avait promis que je ne serais pas poursuivi.

Mon nouveau nom s'est imposé, à présent, et ma décision est définitive.

— Max, nous partons demain dans la matinée, m'annonce Hanski, et nous devons décider de l'endroit où nous allons. Ce qui va surtout dépendre des changements d'apparence que vous avez en tête. Vous nous aviez clairement signifié que vous souhaitiez faire modifier votre visage, ce qui représente un écueil.

— Par rapport à ma déposition, vous voulez dire ?

— Oui. Le procès de Rucker pourrait se tenir d'ici six mois ou un an.

— Ou alors il risque de plaider coupable et de s'éviter un procès.

— Bien sûr. Mais supposons qu'il n'emprunte pas cette direction. Supposons qu'il aille au procès. Si vous subissez une intervention chirurgicale maintenant, lorsque vous viendrez témoigner à la barre, votre nouveau visage sera visible. Si vous attendiez que le procès soit terminé, vous seriez bien plus en sécurité.

— Plus en sécurité à ce moment-là, mais à la minute présente ? Et ces six prochains mois ? Le gang Rucker va me pister, nous le savons. Ils réfléchissent déjà à certains moyens et, pour eux, le plus tôt sera le mieux. S'ils peuvent me choper avant le procès, ils liquideront un témoin de poids. Ce sont les six prochains mois qui sont les plus dangereux, donc je veux cette intervention sans tarder. Immédiatement.

— D'accord. Et au procès, alors ?

— Allons, Chris ! Il y a des moyens de me dissimuler, vous le savez. Je peux témoigner derrière un paravent ou sous un masque. On a déjà vu ça. Vous ne regardez jamais la télévision, vous n'allez jamais au cinéma ?

Cette remarque suscite bien un ou deux petits rires, quoique l'humeur est assez grave. L'idée d'une déposition sous serment contre Quinn Rucker est assez terrifiante, cependant il existe des moyens de me protéger.

— Nous avons procédé de la sorte, l'an dernier, en effet, reconnaît Hitchcock. Le procès d'un gros bonnet de la drogue, dans le New Jersey. L'informateur avait totalement changé d'apparence, et nous avons placé un paravent devant la barre des témoins, pour que seuls le juge et le jury puissent le voir. Nous avons utilisé un dispositif de brouillage des fréquences vocales, et les accusés n'ont pas eu la moindre idée de qui il était ou de l'allure qu'il avait.

— Ils sauront certainement qui je suis, dis-je. Simplement, je ne veux pas qu'ils me voient.

— Très bien, fait Hanski. C'est vous qui décidez.

— Alors considérez que ma décision est prise.

Hanski sort son téléphone portable et se dirige vers la porte.

— Laissez-moi passer quelques coups de fil.

Dès qu'il est sorti de la pièce, Surhoff prend la suite.

— Bien, pendant qu'il s'occupe de ça, pouvons-nous évoquer une destination ? Guidez-nous un peu, là, Max, que nous puissions nous occuper de vous dénicher un endroit.

— La Floride. Sauf pendant ma période de service au sein des marines, j'ai vécu toute mon existence dans les collines et les montagnes. J'ai envie de changer de décor, envie de plages et de vues sur l'océan, et d'un climat plus chaud.

Je lui débite mon laïus comme si j'avais consacré des heures à peser le pour et le contre, ce qui est la vérité. Je précise :

— Enfin, pas le sud de la Floride, il y fait trop chaud. Pourquoi pas Pensacola ou Jacksonville, dans le nord, où le climat est plus doux ?

Les marshals intègrent mes desiderata, et je les vois réfléchir à toute vitesse. Surhoff se met à taper sur le clavier de son portable, à la recherche de ma nouvelle place au soleil. Moi, je me détends dans un fauteuil, pieds nus sur le lit, et je ne peux m'empêcher de me délecter de l'endroit où je suis. Il est presque 16 heures. Les dimanches après-midi, à Frostburg, étaient les pires moments. Comme la plupart des détenus, lors du repos dominical je ne travaillais pas et, souvent, je m'ennuyais. Je tentais de m'occuper avec tout ce qui était à disposition : matches de base-ball improvisés et longues promenades sur la piste de jogging. Les visites étaient terminées, et ceux qui venaient de voir leur famille avaient en général le moral assez bas. Une nouvelle semaine débutait, en tout point semblable à la précédente.

Lentement, ma vie en prison s'estompe. Je sais qu'il me sera impossible d'oublier, néanmoins il est temps d'entamer le processus de deuil. Malcolm Bannister reste encore détenu quelque part ; Max Baldwin, lui, est un homme libre, il a toutes sortes d'endroits où se rendre et toutes sortes de choses à découvrir.

Après la tombée de la nuit, nous entrons dans Morgantown, à la recherche d'une *steakhouse*. Sur notre route, nous passons devant un club de strip-tease. Rien n'est dit clairement, mais je me sens énormément tenté. En cinq ans, je n'ai pas vu une femme nue, même si je ne me suis pas privé d'en rêver. Toutefois, au point où j'en suis, je ne suis pas sûr que contempler d'un œil béat une troupe de strip-teaseuses serait tellement épanouissant. Nous trouvons le restaurant qui nous a été recommandé et nous choisissons une table – trois vieux copains qui s'offrent un bon dîner. Hanski, Surhoff et moi commandons les plus gros filets de bœuf du menu, et j'engloutis le mien avec trois bières pression. Ils s'en tiennent au thé glacé, mais je vois bien qu'ils m'envient mes chopes. Nous sommes de retour avant 22 heures ; il m'est impossible de trouver le sommeil, alors je regarde la télévision une heure, ce que je faisais rarement à Frostburg.

À minuit, j'attrape l'exemplaire de l'acte d'accusation que Hanski m'a laissé et je le lis en détail. Il n'est nullement fait mention du rapport balistique ou de quelconques témoins. Il comporte un long descriptif de la scène de crime, des blessures par balle, des causes de la mort, des marques de brûlures sur le corps de Naomi Clark et du coffre-fort vide, mais aucune mention de preuves matérielles. Jusqu'à présent, les aveux de Quinn Rucker sont tout ce dont ils disposent. À quoi s'ajoutent les soupçons entourant les sommes en espèces en sa possession. Un acte d'accusation peut être amendé par le ministère public presque à tout moment, et celui-ci mérite d'être complété. Il ressemble à du travail vite expédié, destiné à faire baisser la pression.

Je ne veux pas récriminer ; c'est un document superbe.

19.

Pour Stanley Mumphrey, le procureur fédéral du district sud, cet événement serait à ce jour le plus grand moment de sa brève carrière d'avocat général. En poste depuis deux ans maintenant, nommé par le président des États-Unis, il avait toujours trouvé sa mission assez banale, et, bien que ce soit un fabuleux ajout à son CV, la fonction le laissait un peu sur sa faim. Jusqu'au meurtre du juge Fawcett et de Mme Clary, évidemment. Instantanément, la carrière de Stanley Mumphrey revêtit une signification nouvelle. Il héritait de l'affaire la plus brûlante du pays et, comme beaucoup de procureurs fédéraux, il entendait en retirer un bénéfice maximal.

Cette réunion avait été annoncée comme une conférence de presse, bien qu'aucun des hauts responsables présents n'ait prévu d'y répondre à des questions. C'était un spectacle, rien de plus, rien de moins. Un numéro soigneusement orchestré destiné : 1) à satisfaire quelques egos ; 2) à faire savoir à l'opinion publique, et surtout aux jurés potentiels, que les fédéraux tenaient leur homme, et qu'il s'appelait Quinn Al Rucker.

À 9 heures ce matin-là, l'estrade était constellée de micros, tous marqués du logo de la chaîne de télévision ou de la station de radio qui les envoyait. La salle d'audience était remplie de journalistes de tout calibre. Des hommes, d'encombrantes caméras à l'épaule, jouaient des coudes et se marchaient les uns sur les autres pour se réserver la meilleure place, sous le regard vigilant des adjoints judiciaires du tribunal.

Dans les textes réglementaires et les décisions qui régissent la pratique et la procédure du droit pénal, tant au niveau étatique que fédéral, il n'est écrit nulle part que l'« annonce », le « rendu de la décision », le « prononcé » ou l'« émission » d'un acte d'accusation doive s'entourer de publicité. En réalité, ce n'est presque jamais le cas. Ces actes sont officiellement enregistrés par l'huissier une fois que le jury de mise en accusation a pris sa décision, et la signification est ensuite communiquée au prévenu. L'inculpation ne représente qu'un seul versant d'une affaire – celui du ministère public. Rien de ce que contient un acte d'accusation n'est de l'ordre de la preuve ; au procès, le jury n'en a jamais connaissance. Le jury de mise en accusation qui prononce une inculpation n'entend qu'une seule des parties à la cause, celle représentée par le gouvernement.

Toutefois, à l'occasion, un acte d'accusation se révèle trop brûlant, trop important, et c'est un tel bonheur qu'on ne saurait le laisser benoîtement s'évacuer dans les tuyaux. Il faut que ceux qui ont travaillé si dur à attraper un criminel, et qui le traduiront en justice, puissent en faire la publicité. Stanley Mumphrey n'avait rien tenté pour appréhender Quinn Rucker, mais c'était certainement lui qui le déférerait devant un tribunal. Dans l'ordre hiérarchique, le procureur fédéral se situe à un échelon très supérieur à un simple agent du FBI ; c'est pourquoi il appartenait à Mumphrey d'annoncer la nouvelle. Comme le voulait la coutume, il partagerait les feux de l'actualité avec le FBI (bien à contrecœur).

À 9 h 10, une porte s'ouvrit à côté du banc des juges, et une escouade d'hommes en costume noir, l'air inflexible, envahit l'espace derrière l'estrade. Ils se frayèrent un passage pour prendre position, tous mains jointes devant l'entrejambe. L'ordonnancement était essentiel, car la largeur de l'estrade était limitée. En tribune, debout, côte à côte, se tenaient Stanley Mumphrey et Victor Westlake – le procureur principal et l'enquêteur principal. Derrière eux, des agents du FBI et les procureurs adjoints, en rang serré, s'efforçaient de

160

se placer dans le champ des caméras, avec l'espoir de rester bien visibles. Les plus chanceux écouteraient attentivement M. Mumphrey et M. Westlake, le front creusé de rides, et ils se comporteraient comme s'ils ignoraient totalement la présence de la moindre caméra dans un rayon de trois kilomètres autour du palais de justice. Ils se livreraient là au même numéro pitoyable que celui auxquels se prêtaient tous les élus du Congrès.

Mumphrey commença en détachant ses mots, d'une voix tendue, au moins deux octaves au-dessus de la normale.

— Ce matin, nous avons un acte de mise en accusation dans le cadre du meurtre du juge Raymond Fawcett et de Mme Naomi Clary.

Les dossiers qu'il avait plaidés avaient toujours été laborieux, il avait déjà perdu plusieurs affaires apparemment gagnées d'avance qu'il s'était pourtant réservées. La critique qu'on lui adressait le plus fréquemment, c'était qu'il avait toujours l'air sur les nerfs et pas du tout à sa place. Certains estimaient que c'était sans doute parce qu'il avait trop peu siégé en salle d'audience au cours des dix années d'une carrière assez terne.

Il prit l'acte d'accusation et le brandit en l'air, comme s'il attendait de son auditoire qu'il en déchiffre les mentions imprimées.

— Cet acte d'accusation se fonde sur deux chefs d'inculpation. Le prévenu se nomme Quinn Rucker. Et, je peux l'affirmer ici, je compte bien, dans cette affaire, requérir la peine de mort.

Cette dernière phrase était censée produire un effet spectaculaire sur l'assistance, mais le moment était mal choisi. En revanche, le spectaculaire fut vite au rendez-vous quand un adjoint projeta une grande photo en noir et blanc sur un écran. Le monde découvrait enfin l'homme qui avait tué le juge et sa secrétaire. Le coupable !

Lisant ses notes d'une voix mal assurée, le procureur Mumphrey fournit des éléments de contexte sur Quinn et réussit à donner l'impression que ce dernier s'était évadé de prison dans le seul but de se venger du juge. À un certain moment, Victor Westlake, qui se tenait posté en sentinelle à ses côtés, se rembrunit et jeta un coup d'œil à ses notes. Mais Mumphrey poursuivit, en versant presque des larmes sur son ami et mentor tant apprécié, le juge Raymond Fawcett, soulignant tout ce que ce magistrat avait représenté pour lui, et ainsi de suite. Sa voix trembla même un peu quand il essaya d'expliquer combien il était honoré de se voir confier l'imposante responsabilité de rendre la justice dans ces meurtres « macabres ». Il lui aurait fallu à peu près deux minutes pour donner lecture de l'intégralité de l'acte d'accusation, puis rentrer chez lui. Mais non. Devant un auditoire pareil, et devant des millions de téléspectateurs, Mumphrey jugea nécessaire de discourir et de se lancer dans une diatribe sur la justice et la guerre contre le crime. Après plusieurs digressions laborieuses, il renoua avec son sujet au terme de son monologue, quand vint le moment de céder la parole. Il félicita Victor Westlake et tout le Bureau fédéral d'investigation pour leur travail, un travail à la fois « surhumain, infatigable et brillant ».

Quand il se tut enfin, Westlake le remercia ; on ne savait pas au juste s'il le remerciait d'avoir enfin fermé le bec ou de leur avoir adressé tant de compliments. Westlake avait beaucoup plus l'expérience de ce style de présentation que le jeune Stanley Mumphrey, et il parla cinq minutes sans rien révéler de notable. Il remercia ses hommes, réitéra sa conviction que l'affaire avait été résolue, et adressa tous ses vœux de réussite au procureur. Quand il eut terminé, il recula d'un pas, et un journaliste lui cria une question.

— Pas de commentaire, répliqua sèchement Westlake en signifiant qu'il était temps de vider les lieux.

Stanley, lui, n'était pas prêt à abandonner toutes ces caméras. L'espace d'une seconde, il sourit bêtement à l'assistance, comme pour dire : « Je suis là. » Puis Westlake lui chuchota quelque chose.

— Merci, fit le procureur, et il s'éloigna.

La représentation était terminée.

Je suis cette conférence de presse depuis ma chambre du Best Western. Une idée me traverse l'esprit : avec Stanley Mumphrey aux commandes, au bout du compte, Quinn a de bonnes chances de s'en sortir. Toutefois, si l'affaire va devant un tribunal, l'ami Stanley devra probablement céder la place et laisser l'un de ses adjoints plus chevronnés traiter le dossier. Il continuera sans aucun doute de travailler les médias et commencera d'œuvrer à sa candidature pour un poste plus élevé, mais le vrai travail procédural sera conduit par les pros. Et, selon le retard que prendront les choses, il pourrait même se retrouver sur le marché du travail. Il accomplit un mandat de quatre ans, comme le président des États-Unis. Et lorsqu'un challenger reprend la Maison-Blanche, un terme est mis au mandat de tous les procureurs fédéraux.

Dès que la conférence de presse est terminée et que les présentateurs de CNN entament leurs bavardages, je zappe, sans rien trouver d'intéressant. Armé de la télécommande, j'ai la maîtrise totale de la télévision. Je m'adapte à ma liberté avec une aisance remarquable. Je peux dormir jusqu'à ce que je me réveille. Je peux choisir ce que je porte, même si les choix sont limités, jusqu'à présent. Et, surtout, je n'ai plus de compagnon de cellule, personne d'autre à supporter dans un cube de trois mètres sur quatre. J'ai mesuré la chambre du motel à deux reprises – approximativement cinq mètres de large par neuf mètres de long, en comptant la salle de bains. Un château.

En milieu de matinée, nous sommes sur la route, en direction du sud par l'Interstate 79. Trois heures plus tard, nous arrivons à l'aéroport de Charleston, en Virginie Occidentale, où nous disons adieu à l'agent Chris Hanski. Il me souhaite bonne chance, et je le remercie. Pat Surhoff et moi embarquons à bord du vol navette pour Charlotte, en Caroline du Nord. Je n'ai pas de papiers, mais les services des U.S. marshals et la compagnie aérienne s'entendent – ils ont un code bien à eux. Je me contente de suivre Pat, et je dois admettre que je suis tout excité d'embarquer à bord de ce petit appareil.

L'aéroport de Charlotte est un vaste terminal, un volume ouvert et moderne, et je reste deux heures debout sur une mezzanine à regarder les voyageurs aller et venir. Je suis l'un d'eux, un homme libre, et je vais bientôt avoir la possibilité de me diriger vers le comptoir d'enregistrement et d'acheter un billet pour la destination de mon choix.

À 18 h 10, nous embarquons pour un vol sans escale vers Denver. L'échange codé entre la compagnie et les marshals a mené à un surclassement, et je suis assis à côté de Pat Surhoff, en première, avec les compliments du contribuable. Je bois une bière, lui un soda au gingembre. Le dîner se compose d'un poulet rôti dans son jus. J'imagine que la plupart des autres passagers ne l'avalent que pour avoir quelque chose à se mettre dans le ventre ; pour moi, c'est un vrai dîner fin. Je prends aussi un verre de pinot noir, ma première gorgée de vin depuis des années.

Victor Westlake et son entourage quittèrent la conférence de presse et se rendirent quatre rues plus loin, en voiture, au cabinet juridique de Jimmy Lee Arnold, en centre-ville. Ils se présentèrent à la réceptionniste. Elle les conduisit au bout d'un étroit couloir vers une vaste salle de réunion, et leur proposa un café. Ils la remercièrent et refusèrent.

Jimmy Lee Arnold était l'un des piliers du barreau des pénalistes de Roanoke, un vétéran qui avait connu vingt années de guerre contre la drogue et le vice. Il avait représenté Jakeel Staley, le neveu de Quinn Rucker, quatre ans plus tôt. Comme tant de francs-tireurs solitaires qui œuvrent en marge de la pègre, Jimmy Lee était un personnage. De longs cheveux gris, des bottes de cowboy, des bagues aux doigts, des lunettes de lecture à monture rouge perchées sur le nez. Il avait beau être soupçonneux envers le FBI, il les accueillit dans son domaine. Ce n'étaient pas les premiers agents qui lui rendaient visite ; il y en avait eu beaucoup d'autres, au cours des ans.

— Alors, vous avez un acte d'accusation, déclara-t-il dès que l'on eut fait les présentations.

Victor Westlake lui résuma les grandes lignes du dossier contre Quinn Rucker.

— Vous avez représenté son neveu Jakeel Staley, il y a de ça quelques années, n'est-ce pas ?

— C'est exact, confirma Jimmy Lee Arnold. Mais je n'ai jamais rencontré Quinn Rucker.

— Je suppose que la famille, ou le gang, vous a engagé pour représenter le neveu.

— Quelque chose dans ce goût-là. C'était une prise de contact à titre privé, pas une assignation de la cour.

— Avec quels membres de la famille avez-vous traité ?

Arnold plongea la main dans la poche de sa veste et en sortit un petit magnétophone.

— Juste à titre de sécurité, précisa-t-il en enfonçant une touche. Nous verserons ceci au dossier. Vous êtes trois, je suis seul. Je veux m'assurer qu'il n'y ait pas de malentendu concernant mes propos. Cela vous pose un problème ?

— Non, répondit Westlake.

— À la bonne heure. Vous venez de me demander avec quels membres de la famille j'ai traité quand j'ai été engagé pour représenter Jakeel Staley, exact ?

— Exact.

— Bien. Je ne suis pas sûr de pouvoir répondre à cette question. Le devoir de confidentialité envers les clients et ainsi de suite. Pourquoi ne m'expliquez-vous pas en quoi cela vous intéresse ?

— Bien sûr. Quinn Rucker est passé aux aveux. Il a avoué qu'il avait tué le juge Fawcett parce que celui-ci avait manqué à sa parole après avoir touché un pot-de-vin. D'après lui, le gang avait versé cinq cent mille dollars en espèces à Fawcett pour obtenir une décision favorable dans une requête en annulation de la fouille qui avait permis de mettre la main sur une fourgonnette remplie de cocaïne.

Westlake se tut un instant et observa attentivement Jimmy Lee Arnold. L'avocat ne laissa rien transparaître. Finalement, il haussa les épaules.

— Et alors ?

165

— Avez-vous eu connaissance de ce pot-de-vin, monsieur Arnold ?

— Si j'avais été au courant, ce serait un crime, n'est-ce pas ? Vous me croyez assez stupide pour admettre un crime ? J'en prends ombrage.

— Oh, ne vous vexez pas, monsieur Arnold. Je ne vous accuse de rien.

— Quinn Rucker m'a-t-il impliqué dans le versement de ce pot-de-vin ?

— Jusqu'à présent, il est resté dans le vague. Il a seulement dit qu'un avocat avait servi d'intermédiaire.

— Je suis sûr que ce gang de voyous avait accès à tout un tas d'avocats.

— Et comment ! Cela vous a-t-il surpris que le juge Fawcett rejette la requête en annulation ?

Jimmy Lee Arnold sourit et leva les yeux au ciel.

— Rien ne me surprend plus. Si on se fonde sur la Constitution, c'était une fouille non conforme, et la pièce à conviction, ces cent cinquante kilos de cocaïne pure, aurait dû être écartée. Il fallait du courage pour le faire, ce qu'on ne voit plus trop, de nos jours, surtout dans les grosses saisies de drogue. Qu'il appartienne à la justice d'État ou à la justice fédérale, il faut que le juge ait des couilles pour écarter une preuve aussi écrasante. Non, cela ne m'a pas surpris.

— Combien de temps avez-vous plaidé en salle d'audience devant le juge Fawcett ?

— Depuis le jour de sa nomination, il y a vingt ans. Je le connaissais bien.

— Croyez-vous qu'il aurait accepté un pot-de-vin ?

— Une somme en espèces en échange d'une décision favorable ?

— Et d'une sentence allégée.

Jimmy Lee Arnold croisa les jambes – une botte en peau d'autruche en équilibre sur le genou – et posa les mains sur son ventre.

— J'ai vu des juges prendre des décisions scandaleuses, généralement par stupidité ou par paresse. Non, monsieur Westlake, je ne crois pas que le juge Fawcett, ni aucun autre

166

juge, qu'il soit d'État ou fédéral, en Virginie, toucherait un pot-de-vin, en liquide ou sous une autre forme. J'ai dit que rien ne me surprend, mais j'avais tort. Un tel pot-de-vin me choquerait.

— Diriez-vous que le juge Fawcett avait une réputation de grande intégrité ?

— Non, je ne dirais pas cela. Les premières années où il a siégé au banc des juges, il était correct, ensuite il a changé et est devenu un vrai dur. Mes clients ont tous été accusés de crimes, pourtant ce n'étaient pas tous des criminels. Fawcett ne l'entendait pas de cette oreille. Il était bien trop content d'envoyer un type au trou pour vingt ans. Il s'est toujours rangé du côté de l'accusation et des flics. Pour moi, ça, ce n'est pas de l'intégrité.

— Mais il n'a pas touché d'argent ?

— Pas à ma connaissance.

— C'est là notre dilemme, monsieur Arnold. Si Quinn Rucker dit la vérité, alors comment a-t-il réussi à verser cet argent à Fawcett ? Cette petite frappe du district de Columbia n'avait jamais rencontré Fawcett précédemment. Il y a donc eu un intermédiaire quelque part. Je ne prétends pas que c'est vous, et rien ne laisse entendre que vous seriez impliqué dans cette histoire. Néanmoins, vous connaissez le système. Comment ces cinq cent mille dollars ont-ils pu changer de mains ?

Arnold secoua la tête.

— Si le système implique qu'il y ait de la corruption, j'ignore comment ça fonctionne, vu ? Vos insinuations me déplaisent. Vous n'avez pas sonné à la bonne porte.

— Une fois encore, je ne vous implique dans rien et je ne vous accuse de rien.

— Pourtant, ça y ressemble drôlement.

Jimmy Lee Arnold se leva lentement et tendit la main pour reprendre son enregistreur.

— L'entretien est terminé.

— C'est inutile, monsieur Arnold.

L'avocat glissa le magnétophone dans sa poche.

— C'était un vrai plaisir, dit-il en tirant sur la porte d'un coup, avant de disparaître dans le couloir.

Juste en face de Church Street, Dee Ray Rucker entrait dans un autre cabinet juridique, alors que Victor Westlake et ses agents quittaient celui de Jimmy Lee Arnold.

Quinn avait été arrêté le mercredi soir précédent et il avait passé les dix premières heures de sa captivité en salle d'interrogatoire. Après avoir avoué, face à la caméra, il avait finalement été conduit dans la prison de Norfolk City et placé en isolement cellulaire. Il avait dormi douze heures d'affilée. Il ne fut pas autorisé à utiliser le téléphone avant le samedi matin, et il lui fallut presque toute la journée pour joindre un membre de la famille qui veuille bien lui parler. Tôt le samedi soir, Quinn Rucker fut conduit de Norfolk à Roanoke ; un trajet de quatre heures et demie.

Une fois que Dee Ray comprit que son frère aîné était en prison pour avoir tué un juge fédéral, il se démena pour trouver un avocat qui accepterait de se charger du dossier. Plusieurs d'entre eux, dans le district de Columbia et en Virginie, refusèrent. Le dimanche en fin d'après-midi, un autre personnage de Roanoke, un certain Dusty Shiver, accepta de représenter Rucker au stade de l'instruction préliminaire, mais il se réserva le droit de se retirer si un procès s'avérait imminent. Pour des raisons évidentes, le barreau local était plus qu'inquiet à l'idée de représenter un homme accusé d'avoir éliminé une pièce maîtresse de l'appareil judiciaire.

Dusty Shiver avait autrefois exercé le droit avec Jimmy Lee Arnold, et ils étaient taillés dans le même moule. Dans le domaine juridique, la plupart des partenariats, petits ou grands, éclatent, en général pour des questions d'argent. Jimmy Lee Arnold s'était fait souffler certains de ses honoraires, il en avait attribué la responsabilité à ses associés, et il était parti s'installer de l'autre côté de la rue.

Dusty Shiver réussit à passer une heure avec Quinn à la prison, tôt le lundi matin, avant l'annonce de l'inculpation. Il fut surpris d'apprendre que son client avait déjà avoué. Quinn affirma catégoriquement qu'on l'avait forcé, piégé, pressuré, menacé, et que ses aveux étaient bidon. Il protesta de son innocence. Après avoir quitté la prison, Dusty Shiver s'arrêta au bureau du procureur et se fit remettre une copie de l'acte d'accusation. Il le parcourait quand sa secrétaire l'appela pour l'informer que M. Dee Ray Rucker était arrivé.

Des deux, c'était Dusty, avec ses longs cheveux gris, son jean délavé et sa veste en cuir rouge, qui ressemblait à un trafiquant ; Dee Ray, en costume Zegna, avait l'air d'un avocat. Ils se saluèrent, tous les deux sur leurs gardes, dans le bureau encombré du juriste. La première question concerna la provision ; Dee Ray sortit de son attaché-case Prada cinquante mille dollars en espèces, que Dusty Shiver compta et rangea dans un tiroir.

— Savez-vous qu'il a déjà avoué ? demanda l'avocat en mettant l'argent en lieu sûr.

— Il a quoi ? s'écria Dee Ray, interloqué.

— Oui, il a avoué. Il confirme avoir signé une déposition écrite admettant les meurtres. Il existerait aussi une vidéo. S'il vous plaît, dites-moi qu'il est trop malin pour avoir fait cela.

— Il est trop malin pour avoir fait ça. On ne parle jamais aux flics, jamais. Jamais Quinn n'avouerait de sa propre initiative, même s'il était coupable à mort. Ce n'est pas notre mode de fonctionnement. Si un flic se pointe, on commence d'abord par appeler les avocats.

— Il affirme que l'interrogatoire a duré toute la nuit. D'après lui, il a renoncé à ses droits et a réclamé un avocat à plusieurs reprises. Les deux agents du FBI ont continué de lui rentrer dans le lard. Ils l'ont déstabilisé, ils l'ont embrouillé, et il s'est mis à halluciner. Il n'a plus réussi à la boucler. Ils lui ont raconté qu'il serait sous le coup de deux chefs d'accusation pour meurtre qualifié et que la famille entière serait inculpée, parce que les meurtres s'inscrivaient dans l'activité du gang. Ils lui ont menti et ils lui ont expliqué qu'ils pourraient l'aider s'il coopérait, que la famille du juge Fawcett était opposée à la peine de mort, et tout le baratin. Après deux heures de ce traitement, ils ont réussi à le faire craquer et il leur a livré ce qu'ils voulaient. Il soutient qu'il ne se rappelle pas tout ce qui a pu se passer ; il était trop fatigué. Quand il s'est réveillé, il a fouillé dans sa mémoire, et tout avait l'air d'être un cauchemar. Il lui a fallu plusieurs heures avant de comprendre ce qu'il avait fait, et encore maintenant il ne parvient pas à se souvenir de tout.

Dee Ray écoutait, trop stupéfait pour réagir. Dusty Shiver continua :

— Il se rappelle que les agents du FBI lui ont affirmé détenir un rapport balistique qui associait l'une de ses armes à la scène de crime. Apparemment, il existerait une empreinte de ses rangers qui l'incriminerait. En plus, des témoins le situeraient dans la région le jour des meurtres. Là encore, cela reste partiel et assez vague.

— Quand pourrez-vous les lire, ces aveux ?

— Je vais rencontrer le procureur le plus vite possible, mais rien ne se fera rapidement. Il risque de s'écouler des semaines avant que je voie ses aveux écrits et cette vidéo, ainsi que les autres pièces à conviction qu'ils projettent d'utiliser.

— S'il a réclamé un avocat, pourquoi n'ont-ils pas inter-rompu l'interrogatoire ?

— C'est une excellente question. Les flics jureront que le prévenu a renoncé à ses droits et qu'il n'a pas réclamé d'avocat. C'est sa parole contre la leur. Dans une affaire d'une telle importance, vous pouvez parier que les agents du FBI jureront leurs grands dieux que Quinn Rucker n'a jamais mentionné d'avocat. Tout comme ils jureront qu'ils ne l'ont pas menacé, qu'ils ne lui ont pas menti ou promis de marché. Ils l'ont obtenue, leur confession, et maintenant ils essaient de monter un dossier avec des preuves matérielles. S'ils ne trouvent rien, alors ils n'ont que ces aveux.

— Cela suffit ?

— Oh oui.

— Je n'y crois pas. Quinn n'est pas stupide. Il n'accepterait jamais de se soumettre à un interrogatoire.

— A-t-il déjà tué quelqu'un auparavant ?

— Pas que je sache. Nous avons des gars qui se chargent de ce genre de choses.

— Pourquoi s'est-il évadé de prison ?

— Vous êtes déjà allé en prison ?

170

— Non.

— Moi non plus, mais je connais des tas de types qui y ont purgé leur peine. Tout le monde a envie de se tirer.

— Je suppose, fit Shiver. Vous avez déjà entendu parler d'un certain Malcolm Bannister ?

— Non.

— Quinn affirme qu'ils ont été incarcérés ensemble à Frostburg et que c'est lui l'homme qui est derrière ces accusations. Il soutient que Bannister et lui étaient amis et qu'ils ont longuement parlé du juge Fawcett et de son sale boulot. Il est franchement amer, vis-à-vis de ce Bannister.

— Quand puis-je voir mon frère ?

— Pas avant samedi, jour de visite réglementaire. Je vais retourner à la prison cet après-midi avec une copie de l'acte d'accusation. Je peux transmettre tous les messages que vous voudrez.

— Dites-lui de la boucler.

— Je crains que pour cela, il ne soit trop tard.

20.

Les détails sont vagues et ne risquent guère de se clarifier. Pat Surhoff veut bien m'indiquer que la clinique fait partie de l'hôpital de l'U.S. Army de Fort Carson, mais il serait difficile de le nier. Prudent, il me précise que la clinique est spécialisée dans la MRA – la « modification radicale de l'apparence » – et que plusieurs agences gouvernementales ont recours à ses services. Leurs chirurgiens plastiques comptent parmi les meilleurs ; ils ont travaillé sur quantité de visages qui, faute d'une modification radicale, auraient risqué l'oblitération pure et simple. Je le cuisine, juste pour le voir se trémousser, mais il ne me divulgue pas grand-chose d'autre. Après mon opération, je resterai ici en convalescence deux mois, avant de partir ailleurs.

Mon premier rendez-vous a lieu avec je ne sais quelle psychothérapeute qui veut s'assurer que je suis prêt à traverser pareille expérience : ce changement brutal, de nom et également de tête. Elle est agréable et attentionnée, et je la convaincs aisément de mon impatience d'avancer.

Le deuxième rendez-vous se déroule avec deux médecins, deux hommes, et une infirmière. La femme est indispensable, eu égard à la dimension féminine de ce changement d'apparence. Je ne suis pas bien long à me rendre compte qu'ils sont tous les trois très bons dans ce qu'ils font. Au moyen d'un logiciel sophistiqué, ils sont à même de reproduire mon visage actuel et d'y appliquer à peu près n'importe quel changement. Les yeux sont un élément crucial, me répètent-ils

172

plus d'une fois. Changez les yeux, et vous avez tout changé. Amincir un peu le nez. Ne pas toucher aux lèvres. Un peu de botox dans les plis des joues devrait suffire. Il faut absolument raser la tête. Pendant presque deux heures, nous affinons et nous retouchons le nouveau visage de Max Baldwin.

Entre les mains de chirurgiens moins expérimentés, ce pourrait être une expérience abominable. Ces vingt-cinq dernières années – toute ma vie d'adulte –, j'ai eu fondamentalement la même allure, le même visage, modelé par la génétique, patiné par les ans, et, heureusement, indemne de toute blessure ou cicatrice. C'est un visage agréable, aux traits affirmés, qui m'a bien servi ; m'en défaire subitement n'est pas une mince affaire. Mes nouveaux amis estiment que les modifications radicales sont inutiles – on se contentera de quelques améliorations. Un petit lifting par ici, une petite plastie par là, retendre un peu, et voilà, la nouvelle version sera tout aussi belle, et bien plus sûre. Je leur rappelle que je suis plus inquiet pour ma sécurité que pour mon apparence, ce qu'ils admettent volontiers. Ils ont déjà entendu ce discours. Sur combien d'informateurs, de mouchards et d'espions ont-ils exercé leurs talents ? Des centaines, à en juger par leur travail d'équipe.

Pendant que mon nouveau look prend forme sur le grand écran de l'ordinateur, nous discutons des accessoires ; et dès que l'on place une paire de lunettes à monture ronde en écaille sur le visage de Max, ils semblent tous les trois emballés.

— C'est parfait ! s'exclame l'infirmière, tout émoustillée.

Je dois admettre que notre Max a l'air plus élégant et plus branché. Nous dédions une demi-heure entière à jouer avec diverses formes de moustaches, avant d'abandonner l'idée. Sur la barbe, nous nous opposons à deux voix contre deux, avant de décider d'attendre et de voir. Afin de nous faire une meilleure idée de la chose, je promets de ne pas me raser pendant une semaine.

En raison de la gravité du sujet qui nous occupe, ma petite équipe n'est pas pressée. Nous consacrons la matinée entière à redessiner Max et, quand tout le monde est content, ils impriment un rendu en haute définition de mon nouvel aspect. Je l'emporte dans ma chambre et je le punaise au mur. Une infirmière l'étudie du regard et m'avoue que ça lui plaît assez. Elle me plaît plutôt, elle aussi, mais elle est mariée et guère disposée à flirter. Si seulement elle savait.

Je passe l'après-midi à lire et à me promener dans les zones en accès libre de la base. Ça me rappelle quand je tuais le temps à Frostburg – un endroit lointain, désormais, une distance tant physique que mentale. Je reviens toujours à ma chambre, à ce visage sur le mur : une tête lisse, un nez légèrement pointu, un menton légèrement saillant, des joues amaigries, pas de rides, et les yeux de quelqu'un d'entièrement nouveau. La bouffissure de l'âge mûr a disparu. Les paupières ne sont plus aussi tombantes. Et, surtout, Max me dévisage à travers des verres de lunettes, une monture ronde de créateur ; il l'air drôlement tendance.

Je suppose que c'est aussi simple que cela, que ces médecins sont capables de me procurer un visage qui soit la fidèle réplique de celui de ce Max, là, au mur. Et même s'ils ne font que s'en rapprocher, je m'estimerai déjà heureux. Personne ne reconnaîtra leur nouvelle création, et c'est tout ce qui compte. Je suis trop impliqué pour juger si c'était mieux avant ou si ce sera mieux après, mais la vérité, c'est que ça ne sera pas un mal. La sécurité compte bel et bien davantage que l'apparence.

À 7 heures le lendemain matin, ils me préparent et m'acheminent sur un lit à roulettes dans une petite salle d'opération. L'anesthésiste entame la procédure, et je sombre dans le brouillard, tel un bienheureux.

L'opération dure cinq heures ; d'après les chirurgiens, c'est une complète réussite. Ils n'ont pourtant aucun moyen de le savoir, puisque mon visage est emmailloté comme celui d'une momie. Il faudra des semaines avant que le gonflement des tissus se résorbe complètement et que les nouveaux traits prennent forme.

174

Quatre jours après son inculpation, Quinn Rucker comparut une première fois devant la cour. Pour l'occasion, on lui laissa la même combinaison orange qu'il portait depuis son arrivée à la prison municipale de Roanoke. Il était menotté, les poignets attachés à la ceinture, et les chevilles entravées de chaînes. Il portait un gilet pare-balles sanglé aux épaules et autour du torse, et pas moins d'une dizaine de gardes armés, d'agents et d'adjoints judiciaires l'avaient escorté hors de la prison vers un 4 × 4 Chevrolet à l'épreuve des balles. Aucune menace de mort n'avait été proférée à son encontre et on le conduirait au tribunal fédéral en empruntant un itinéraire secret, cependant les autorités n'entendaient courir aucun risque.

À l'intérieur de la salle d'audience, journalistes et spectateurs occupèrent les bancs bien avant l'horaire prévu pour la comparution de Rucker, à 10 heures. Son arrestation et son inculpation constituaient des nouvelles importantes, et aucune fusillade, aucune rupture d'un couple de célébrités ne vint lui voler la vedette. Devant la salle d'audience, on lui retira ses entraves et son gilet pare-balles, et il y pénétra désenchaîné. Étant la seule personne présente en combinaison orange de détenu et pratiquement le seul Noir de la salle, il avait évidemment des allures de coupable. Il prit place à une table en compagnie de Dusty Shiver et de l'un de ses associés. De l'autre côté de l'allée centrale, Stanley Mumphrey et sa brigade d'adjoints manipulaient des dossiers en prenant des airs importants, comme s'ils se préparaient à argumenter devant la Cour suprême.

Par respect pour leur collègue disparu, les onze autres juges du district sud s'étaient récusés dans cette affaire. Cette première comparution aurait lieu devant Ken Konover, magistrat fédéral. Konover ouvrit la séance et appela l'ordre du jour. Il débita quelques propos préliminaires, sans s'attarder, puis demanda si le prévenu avait eu connaissance de l'acte d'accusation.

— Il en a eu connaissance, confirma Dusty Shiver, et nous ne souhaitons pas en recevoir de lecture formelle.

— Je vous remercie, répondit Konover.

Dee Ray Rucker était assis au premier rang, derrière la table de la défense, habillé à la dernière mode, comme toujours, et visiblement inquiet.

— Le prévenu veut-il d'ores et déjà exposer sa position eu égard aux charges qui pèsent contre lui ?

Réagissant aussitôt, Dusty Shiver se leva, eut un signe de tête vers son client, qui l'imita, mal à l'aise, avant de répondre :

— Oui, monsieur le président. Non coupable.

— Très bien, nous enregistrons donc votre déclaration de non-culpabilité.

Dusty et Quinn se rassirent.

— J'ai ici une demande de remise en liberté sous caution, monsieur Shiver, fit Konover. Voulez-vous être entendu à ce sujet ?

Le ton qu'il adopta ne laissait aucun doute : rien de ce que Dusty Shiver pourrait avancer ne convaincrait la cour d'accorder au prévenu une remise en liberté moyennant une caution raisonnable. Sentant venir l'inévitable, et préférant éviter de se placer dans une position gênante, l'avocat refusa.

— Non, Votre Honneur, la requête est assez éloquente en soi.

— Monsieur Mumphrey ?

Le procureur se leva et se rendit au pupitre. Il s'éclaircit la gorge.

— Votre Honneur, le prévenu a été inculpé du meurtre d'un juge fédéral. La position du ministère public est fermement arrêtée : il doit être maintenu en détention, sans libération sous caution.

— Je suis d'accord, acquiesça aussitôt Konover. Rien d'autre, monsieur Mumphrey ?

— Non, monsieur le président, pas pour le moment.

— Monsieur Shiver ?

— Non, votre Honneur.

— Le prévenu sera donc renvoyé en détention, sous la garde des U.S. marshals.

Konover frappa de son maillet, se leva et quitta le banc des juges. Cette première comparution avait duré moins de dix minutes.

176

Dee Ray Rucker était à Roanoke depuis trois jours et il était fatigué de l'endroit. Il fit pression sur Dusty Shiver, qui fit pression sur un ami, en prison, et une rapide entrevue fut organisée avec l'accusé. Comme les visites avec la famille étaient limitées au week-end, celle-ci aurait lieu à titre officieux, dans une salle qui servait à soumettre les conducteurs en état d'ivresse à des tests d'alcoolémie. Le contenu de cette visite ne serait consigné dans aucun registre. Les frères ne suspectaient pas qu'ils étaient écoutés. Le FBI enregistra leur conversation, notamment cette partie :

QUINN : Je suis ici à cause de Malcolm Bannister, Dee, tu comprends ce que je veux dire, là ?

DEE RAY : J'ai pigé, j'ai pigé, et on s'occupera de ça plus tard. Pour le moment il faut que tu me racontes ce qui s'est passé.

QUINN : Il s'est rien passé. Je n'ai tué personne. Ils m'ont piégé pour me tirer des aveux, comme j'ai dit. Je veux qu'on se charge de Bannister.

DEE RAY : Il est en prison, exact ?

QUINN : Je ne pense pas. Connaissant Bannister, il s'est sans doute servi de l'article 35 pour sortir de taule.

DEE RAY : L'article 35 ?

QUINN : Ici, tout le monde connaît l'article 35. Aucune importance, pour le moment. Il est sorti et il faut me le trouver.

Un long temps de silence.

DEE RAY : Ça va demander beaucoup de temps et beaucoup d'argent.

QUINN : Écoute, petit frère, ne me parle pas du temps. Les fédés ont rien contre moi. Je veux dire rien de rien. Ça signifie pas qu'ils peuvent pas me coincer. Si cette histoire va devant un tribunal, dans un an ou même plus, Bannister risque d'être leur témoin principal. Tu saisis ce que je te raconte, là ?

DEE RAY : Et qu'est-ce qu'il va leur déclarer ?

QUINN : Il leur déclarera ce qu'il faut, il s'en fout. Il est sorti, mon vieux, il a conclu un marché. Il leur dira qu'on a discuté du juge Fawcett en prison. Voilà ce qu'il leur dira.

DEE RAY : Et tu as causé du juge avec lui ?

Un autre long silence.

QUINN : Ouais, on n'a pas arrêté. On a su qu'il gardait du liquide.

Un silence.

QUINN : Faut que tu chopes Bannister, Dee Ray. OK ?
DEE RAY : OK. Laisse-moi causer avec Tall Man.

21.

Trois semaines de convalescence postopératoire, et je ne tiens plus en place. On m'a retiré mes bandages et les agrafes ont disparu, mais le dégonflement des tissus prend une éternité. Je m'examine dans le miroir cent fois par jour, j'attends que les choses s'améliorent, j'attends que Max émerge des hématomes et des boursouflures. Mon équipe chirurgicale s'arrête chaque fois au passage pour m'expliquer à quel point j'ai bonne mine ; j'en ai marre, de ces gens. Je suis incapable de mâcher, de manger, de marcher plus de cinq minutes, et donc je passe la quasi-totalité de mon temps en fauteuil roulant. Mes mouvements doivent rester lents et contrôlés, sans quoi je pourrais déchirer ce beau travail d'artiste qui a façonné le visage de Max Reed Baldwin. Je compte les jours et j'ai souvent l'impression d'être de retour en prison. Les semaines s'écoulent, le gonflement et les hématomes s'estompent lentement.

Est-il possible d'être amoureux d'une femme que vous n'avez jamais réellement touchée ? Je me suis laissé convaincre que la réponse est oui. Elle s'appelle Vanessa Young, et je l'ai rencontrée à Frostburg, dans la salle des visites, par un froid samedi d'hiver. Je ne devrais pas dire que je l'ai rencontrée là-bas, plutôt que je l'y ai vue pour la première fois. Elle était venue rendre visite à son frère, un type que j'appréciais. Nous ne nous sommes rencontrés que plus tard, mais sans pouvoir nous toucher. Je lui ai écrit des lettres et elle a répondu à quelques-unes d'entre elles, malheureusement il devenait de plus en plus évident, du moins à mes yeux, que mon obsession pour Vanessa n'était pas précisément payée de retour.

Je n'ose même pas songer aux heures que j'ai investies à fantasmer sur cette femme.

Au cours de ces deux dernières années, nos vies ont changé de façon spectaculaire, et j'oserais davantage entrer en contact avec elle, désormais. Mon meilleur ami, le tout dernier en date, Pat Surhoff, m'a informé que, tant que j'étais à Fort Carson, je ne pouvais ni écrire ni recevoir de lettres, mais je lui en écris quand même une. J'y travaille pendant plusieurs jours, je la peaufine, je la corrige, ça me tue. Je mets mon âme à nu devant Vanessa, et je la supplie pratiquement d'accepter de me voir.

Je trouverai un moyen de poster cette missive. Plus tard.

Surhoff est revenu me chercher. Nous quittons Fort Carson en hâte, et nous roulons vers Denver, où nous embarquons à bord d'un vol sans escale pour Atlanta. Je porte une casquette de base-ball, de grandes lunettes de soleil, et je n'attire aucun regard de curiosité. Je râle au sujet de nos places : nous sommes installés l'un à côté de l'autre, en classe économique, et non en première. Pat m'explique que le Congrès taille un peu dans tous les budgets. Après un déjeuner plantureux à base de raisins secs et de Coca, nous en venons aux choses sérieuses. Il ouvre un charmant petit dossier contenant toutes sortes de cadeaux : un arrêt d'un tribunal de Virginie entérinant la modification de mon nom en Max Reed Baldwin ; une nouvelle carte de Sécurité sociale émise au nom du même garçon ; un certificat de naissance prouvant que je suis né à Memphis, de parents dont je n'ai jamais entendu parler ; et un permis de conduire de l'État de Floride, avec une photo factice réalisée à partir du rendu numérique que les médecins et moi avions élaboré avant l'intervention chirurgicale. Elle a l'air si réelle que, même moi, je serais incapable d'affirmer qu'il s'agit d'un faux. Pat m'informe que j'en recevrai un autre d'ici un mois, quand mon visage aura enfin pris sa forme définitive. Même chose pour le passeport. Nous remplissons des formulaires de demande de cartes Visa et American Express. Sur sa suggestion, je me suis exercé à me créer une écriture manuscrite différente – un véritable chapelet de pattes de mouche pas pire que l'ancienne. Max signe un bail de six mois pour un deux pièces à Neptune Beach, à quelques kilomètres de Jacksonville, et ouvre un compte à la Suncoast Bank. Pat m'indique qu'il existe une agence à trois rues de mon immeuble. L'argent de ma récompense, les cent cinquante mille dollars, sera viré sur ce compte dès que celui-ci sera activé. Ensuite, je pourrai en faire ce que bon me semblera. Puisque je vais atterrir avec une telle somme en liquide, les autorités considèrent que je n'ai plus trop besoin d'elles. Je ne peux pas franchement récriminer à ce sujet. Pat me précise que le fisc m'exonérera de tout impôt relatif à cette somme et me communique le nom d'un comptable qui connaît à la fois le Code des impôts et le code qu'applique le service des U.S. marshals. Il me tend une enveloppe contenant trois mille dollars en liquide et me dit que cela devrait me suffire à faire la jonction. Nous parlons des avantages et des inconvénients d'un leasing par rapport à un achat ; il m'explique que le leasing est plus souple et m'aidera à obtenir une bonne note de solvabilité.

Il me remet un résumé de deux pages de la vie de Max Baldwin, et me le lit comme une notice nécrologique. Parents, frères et sœurs, éducation, historique professionnel. J'apprends que j'ai vécu presque toute mon existence à Seattle, que j'ai divorcé deux fois et que je suis sans enfants. Je viens m'installer en Floride parce que c'est la destination la plus lointaine possible de mon épouse numéro deux. Il est important pour moi de mémoriser cette fiction et de m'en tenir à ce scénario. J'ai une carrière (rien que des postes au sein des services fédéraux) et une note de solvabilité.

Sur la question de l'emploi, deux choix s'offrent à moi. Le premier est celui de directeur des achats de la gare maritime de Mayport, à quelques kilomètres au nord de Neptune Beach – salaire initial de quarante-huit mille dollars et deux mois de formation requis. Le second est un poste de responsable de clientèle pour l'Administration des Vétérans – également à quarante-huit mille dollars annuels. Il vaut mieux que je reste fonctionnaire fédéral, du moins les premières années. Cependant, et c'est la dixième fois que Pat insiste là-dessus, ma vie m'appartient, à présent, et j'ai le droit de faire ce que je veux. Les seules restrictions sont celles qui me sont dictées par mon passé.

Juste au moment où je commence à me sentir un peu noyé, il plonge la main dans sa serviette et il en sort mes joujoux. Le premier, un iPad, avec les compliments du gouvernement, est déjà enregistré au nom de Max. En tant que bibliothécaire, Malcolm avait accès aux ordinateurs (mais pas à Internet), et j'ai travaillé dur pour préserver mes talents informatiques. Pourtant ce machin me laisse baba. Nous consacrons une heure à une session de tutoriel intensif. Une fois qu'il m'a bien épuisé, il me sort un iPhone. C'est le sien, pas le mien, parce que je vais devoir choisir un opérateur et m'acheter le mien, mais il me fait une démonstration, et j'en reste comme deux ronds de flan. Le vol s'achève avant que nous ayons terminé.

À l'aéroport d'Atlanta, je repère un magasin d'informatique et je tue une heure à explorer leurs gadgets. La technologie sera la clef de ma survie, et je suis bien décidé à découvrir les tout derniers appareils du marché. Avant notre départ d'Atlanta, je poste ma lettre à Vanessa. Sans inscrire d'adresse de retour.

Nous atterrissons à Jacksonville dans la nuit, nous louons une voiture et nous roulons une demi-heure jusqu'aux plages situées à l'est. Atlantic Beach, Neptune Beach, Jacksonville Beach, il est impossible de dire où finit l'une et où commence la suivante. C'est un coin sympa avec des centaines de villas coquettes, certaines occupées par leurs propriétaires, d'autres en location saisonnière, et divers petits hôtels et immeubles d'habitation modernes face à l'océan. Les raisins secs du déjeuner sont loin et nous mourons de faim. Nous repérons un restaurant de fruits de mer dans une avenue piétonne, à une rue de la mer, où nous dévorons huîtres et crevettes. Au bar, il n'y a que des jeunes, un tas de jolies filles aux jambes bronzées, et je ne peux m'empêcher de les regarder. Jusqu'à présent, tout ce petit monde est composé de Blancs, et je me demande si je ne vais pas me faire remarquer. La conurbation de Jacksonville compte un million d'habitants et dix-huit pour cent sont des Noirs, donc Pat ne pense pas que mon origine ethnique sera un problème. Je tente de lui expliquer ce que cela signifie d'être noir dans un monde de Blancs, mais je me rends compte, une fois encore, qu'il est impossible d'aborder pleinement certains sujets devant un dîner – si tant est qu'ils puissent jamais l'être.

Je change donc de sujet et je lui pose des questions sur le Programme de protection des témoins. Pat est basé en Virginie, et il sera bientôt de retour chez lui. Un autre marshal deviendra mon contact, mon agent traitant. Il, ou elle, ne tentera nullement de me surveiller, tout en restant toujours à proximité en cas d'ennuis. En règle générale, un agent traitant a la charge de plusieurs personnes. S'il existe le moindre signe de difficulté, on me déplacera aussitôt à une autre adresse, mais, Pat me l'assure, cela se produit rarement.

Que faudrait-il pour que les malfaisants me retrouvent ? Pat m'avoue qu'il n'en sait rien parce que cela n'est jamais arrivé. J'insiste :

— Vous avez sûrement dû déplacer des témoins protégés.

— Je n'ai jamais été concerné par une de ces relocalisations, mais, oui, c'est arrivé. À ma connaissance, et je traite des informateurs depuis maintenant dix ans, aucun d'eux n'a jamais été la cible de menaces graves. Mais j'ai su que deux, peut-être trois d'entre eux, avaient fini par se convaincre qu'on les avait retrouvés. Ils tenaient à bouger, donc nous avons rappliqué et ils se sont de nouveau évanouis dans la nature.

Pour des raisons évidentes, ni la bibliothèque de droit ni la bibliothèque générale de Frostburg ne proposaient d'ouvrages sur la protection des témoins ; mes connaissances en la matière sont donc limitées. Pourtant je sais que le programme n'a pas toujours fonctionné à la perfection.

— Alors aucun problème d'aucune sorte ? J'ai du mal à le croire.

— Je n'ai pas prétendu que ce programme était parfait. Il court une histoire formidable, vieille de trente ans, à propos d'un personnage légendaire en ce domaine. C'était un informateur important, lié à la Mafia, et il s'est mis à balancer une famille, ce qui a permis de faire tomber plusieurs parrains, l'un des plus beaux coups de filet du FBI. Le grand chelem. Après ça, ce type avait une cible peinte dans le dos, on aurait pu le dégommer les yeux bandés. On lui a créé un pare-feu épais comme ça, on l'a pour ainsi dire enterré bien profond, et quelques années se sont écoulées. Il était inspecteur des postes, dans une ville de cinquante mille habitants, la couverture idéale. Mais c'était un escroc dans l'âme, d'accord ? Un voyou de naissance, et il lui était impossible de rester dans la légalité. Il a ouvert une affaire de revente de véhicules d'occasion, puis une autre. Ensuite il s'est mis dans le secteur des prêteurs sur gage, et il s'est lancé dans le recel de biens volés. Et, finalement, il a trouvé le moyen de glisser un pied dans le marché de la marijuana. Nous, nous savions qui il était, mais pas le FBI. Quand il a été inculpé, il a appelé son agent traitant, qui est venu payer sa caution et le sortir de prison. L'agent traitant a piqué sa crise, comme tout le monde d'un bout à l'autre de l'échelle, y compris le directeur du FBI. Il y a eu une vraie cavalcade pour le sortir de prison et l'acheminer vers un nouveau lieu. Des carrières ont été menacées, des accords ont été passés, il a fallu plaider auprès des juges, etc. À la fin, les charges contre lui ont été levées, mais c'était moins une. Conclusion : ne vous relancez pas dans le blanchiment, d'accord !

Il se figure que c'est drôle. Je lui jette, sans sourire :

— Je ne me suis jamais lancé dans le blanchiment.

— Désolé.

Nous terminons nos desserts et je me dirige vers mon nouveau domicile. Il se situe au septième étage, au milieu d'un ensemble de quatre tours alignées le long de la plage, avec des courts de tennis et des piscines disséminés à leurs pieds. Pat m'explique que la plupart des appartements sont des locations saisonnières, mais qu'il y a quelques résidents permanents. Je suis ici pour six mois ; ensuite, la décision dépend de moi. C'est un deux-pièces meublé, avec une cuisine américaine, un joli canapé, de jolies chaises, rien de luxueux, rien de miteux non plus. Après le départ de Pat, je sors sur mon petit balcon et je contemple la lune au-dessus de l'océan. Je respire l'air iodé et j'écoute les vagues qui viennent doucement mourir sur le rivage.

La liberté, c'est l'euphorie. C'est indescriptible.

J'ai oublié de fermer les rideaux, et je me réveille par un soleil aveuglant. C'est ma première vraie matinée d'homme libre, affranchi de toute surveillance, et je suis impatient de sentir le sable entre mes orteils. Il y a quelques oiseaux matinaux, sur la plage, où je me précipite, le visage partiellement dissimulé par ma casquette et mes lunettes de soleil. Personne ne me remarque ; tout le monde s'en moque. Ceux qui flânent sans but sur une plage sont perdus dans leur propre monde, et je commence à me perdre dans le mien. Je n'ai pas de famille, pas d'emploi, pas de responsabilités et pas de passé. Max entame sa toute nouvelle vie.

Pat Surhoff vient me chercher vers midi, et nous déjeunons de sandwiches. Ensuite, il m'emmène en voiture à la gare maritime de Mayport, où j'ai rendez-vous avec un médecin qui connaît le code. Les suites de l'opération évoluent joliment, sans complications. Dans deux semaines, je reviendrai pour un autre examen.

Après cela, nous allons à l'agence de la Suncoast Bank, près de mon immeuble, et, pendant que nous nous en approchons, Pat me prépare à ce qui va suivre. Il ne m'accompagnera pas à l'intérieur, car il est important que j'ouvre ce compte moi-même. Personne, à la banque, n'est informé du code ; cela doit se dérouler strictement dans les règles. Pour l'heure, Max Baldwin est en semi-retraite, il ne travaille pas et il envisage de s'installer dans la région. Il veut ouvrir un compte chèque ordinaire, sans services superflus, et cætera, et effectuer un premier dépôt en espèces de mille dollars. Une fois le compte ouvert, Max reviendra à la banque et se fera communiquer les instructions pour effectuer des virements.

À l'intérieur de l'agence, on me dirige vers la charmante Gretchen Hiler, une blonde décolorée, la quarantaine, qui s'est beaucoup trop exposée au soleil. Elle a un petit bureau dans un box minuscule et ne porte pas d'alliance. Elle n'a aucun moyen de savoir qu'elle est la première femme avec laquelle je me retrouve vraiment en tête à tête depuis plus de cinq ans. J'ai beau essayer, je ne peux m'empêcher d'avoir des pensées indécentes. Qui sont peut-être des pensées bien naturelles, après tout. Gretchen est un vrai moulin à paroles, et, à cette minute, moi aussi. Nous remplissons les papiers en vitesse, et je lui communique fièrement mon adresse, ma véritable adresse. Je dépose mille dollars en espèces. Elle va chercher un chéquier temporaire et me promet le reste au courrier. Quand tout ce petit travail est terminé, nous continuons de causer. Elle me remet sa carte de visite et elle est disposée à m'aider en toutes choses. Je lui promets de l'appeler dès que j'aurai un téléphone portable – la banque a besoin d'un numéro. C'est tout juste si je ne l'invite pas à dîner, d'abord et avant tout parce que je suis convaincu qu'elle pourrait accepter ; sagement, je m'abstiens. Nous aurons amplement le temps pour tout cela plus tard, quand je serai plus à mon aise et quand mon visage sera plus facile à regarder – enfin, espérons-le.

Quand j'ai demandé Dionne en mariage, j'avais vingt-quatre ans, et, à compter de ce moment, je ne lui ai jamais été infidèle. Il s'en est fallu de peu, une seule fois, avec l'épouse d'une de mes relations, avant que nous comprenions tous deux que cela tournerait mal. En tant qu'avocat dans une petite ville, j'ai traité quantité de divorces, et j'ai toujours été sidéré de voir de quelle manière épouvantable des hommes pouvaient fiche leur vie et leur famille en l'air simplement parce qu'ils étaient incapables de résister à la tentation. Un coup vite fait, puis une passade, puis une liaison plus sérieuse et, assez rapidement, ils se retrouvaient devant un tribunal, à se faire arracher les yeux, à se voir privés de leurs enfants et de leur argent. La vérité, c'était que j'adorais

186

ma femme et que j'avais tout le sexe qu'il me fallait à la maison. L'autre vérité, c'était que je ne m'étais jamais fantasmé en homme à femmes.

Avant Dionne, j'avais eu des petites amies et j'avais apprécié ma période célibataire, mais je n'avais jamais couché à droite et à gauche à l'aveuglette. Aujourd'hui, à quarante-trois ans et célibataire, j'ai l'intuition que, dans les parages, il y a pas mal de femmes de mon âge en quête d'un compagnon. Mais, même si cela me tente, je dois calculer le moindre de mes mouvements.

En sortant de la banque, j'ai un sentiment d'accomplissement. Je viens de mener à bien la première mission de mon existence secrète. Pat attendait dans la voiture. Je monte dedans.

— Alors ? me demande-t-il.

— Pas de problème.

— Qu'est-ce qui vous a pris tant de temps ?

— L'attachée de clientèle est une fille mignonne et elle s'est jetée sur moi.

— C'est un problème que vous avez toujours eu ?

— Je ne dirais pas ça, mais, oui, les femmes sont attirées par moi. J'ai toujours dû les repousser au bout d'une grande perche.

— Continuez sur cette lignée. Les femmes, c'est précisément ce qui a entraîné la chute de plus d'un type.

— Alors, comme ça, vous êtes un expert en femmes ?

— Pas du tout. Où allons-nous, maintenant ?

— Faire des courses. Je voudrais des vêtements corrects.

Nous trouvons un magasin pour hommes et je dépense huit cents dollars à étoffer ma garde-robe. Une fois encore, Pat m'attend dans la voiture. Nous sommes tombés d'accord : deux hommes dans la quarantaine, l'un blanc et l'autre noir, faisant les boutiques ensemble, cela pourrait nous attirer un ou deux regards de réprobation. Mon but est d'attirer le moins possible de regards réprobateurs.

Ensuite, Pat me dépose dans une agence de Florida Cellular, où j'ouvre un compte et m'achète un iPhone. Avec l'appareil en poche, je me sens enfin comme un vrai Américain : connecté.

Nous consacrons les deux journées suivantes à d'autres courses et à donner consistance à Max. Je remplis mon premier chèque à une agence de leasing de véhicules et j'en repars au volant d'une Audi A4 décapotable d'occasion, qui est à moi pour les douze prochains mois, à quatre cents dollars la mensualité, assurée tous risques. Maintenant que je suis mobile, et que nous nous tapons mutuellement sur les nerfs, Pat et moi, il me parle de son départ. Je suis prêt à être indépendant, et il est prêt à rentrer chez lui.

Je retourne rendre visite à Gretchen pour vérifier les procédures de virement et lui expliquer qu'une somme d'argent substantielle est en route. Pat Surhoff règle les choses avec ses supérieurs, et l'argent de la récompense transite d'un compte enfoui je ne sais où vers mon compte à la Suncoast. Je suppose que tous les protagonistes impliqués dans ce virement appliquent toutes les précautions d'usage.

Je n'ai aucun moyen de savoir si ce virement est sous surveillance.

22.

La requête en annulation d'aveux introduite par Dusty Shiver n'avait rien d'inattendu. Elle était longue, bien rédigée, solidement argumentée, et s'adossait à une déposition sous serment signée de la main de Quinn Rucker dans laquelle il rétractait entièrement ses aveux. Trois jours après le dépôt de cette requête, Victor Westlake et deux de ses agents rencontraient Stanley Mumphrey et deux de ses adjoints. Leur but était d'examiner cette requête point par point et de préparer des réponses. Ni Mumphrey ni personne d'autre à son bureau n'avait connaissance des tactiques d'interrogatoire employées par les agents Pankovits et Delocke. Ils ignoraient également que Westlake et quatre de ses hommes avaient suivi ce marathon de dix heures grâce à la vidéo en circuit fermé, et qu'ils en détenaient une cassette. À aucun moment cette information ne serait communiquée au procureur fédéral, de sorte qu'elle demeurerait ignorée de la défense, du juge et de qui que ce soit d'autre.

Stanley ayant été informé dans les moindres détails par ses lieutenants, ce fut lui qui conduisit la réunion. Il prit donc la parole.

— La première question, et la plus importante, concerne l'allégation selon laquelle le prévenu aurait réclamé un avocat.

Westlake fit un signe de tête à un agent, qui étala des documents.

— Nous avons ici trois dépositions sous serment de Pankovits et Delocke, nos deux agents chargés de l'interrogatoire, dans lesquelles ils répondent à ces allégations, précisa Westlake. Comme vous le constaterez, ils déclarent que le prévenu a bien mentionné un avocat à deux reprises, mais sans spécifiquement en exiger un. Il n'a jamais interrompu cet interrogatoire. Il souhaitait parler.

Stanley et ses hommes passèrent les dépositions écrites en revue. Au bout de quelques minutes, Stanley reprit la parole :

— Bien, point numéro deux : le prévenu prétend avoir été menacé à plusieurs reprises de la peine de mort par ces deux agents. Si c'est vrai, voilà qui serait tout à fait inapproprié et qui suffirait sans doute à invalider les aveux.

Westlake se chargea de lui répondre en secouant la tête.

— Regardez au bas de la page sept, pour les deux dépositions. L'agent déclare, sous serment, qu'ils n'ont proféré aucune menace d'aucune sorte. Ce sont deux enquêteurs très chevronnés, Stan, et ils connaissent les règles mieux que personne.

Stanley et ses hommes passèrent à la page sept et lurent le texte. Parfait. Quelles que soient les affirmations de Quinn dans sa déposition, deux agents du FBI étaient tout à fait disposés à déclarer ce qui s'était réellement passé.

— Ça me paraît coller, approuva Stanley Mumphrey. Troisième point : les agents ont promis au prévenu qu'il ne serait pas traduit en justice pour meurtre avec préméditation.

— Page neuf, commenta Westlake. Nos agents savent qu'ils n'ont aucune autorisation de conclure un accord. Seul le procureur fédéral y est habilité. Franchement, de telles allégations sont grotesques. Rucker est un criminel professionnel. Il doit savoir que seuls les procureurs concluent des accords, pas la police.

— Je vous suis, admit rapidement Mumphrey. L'allégation suivante concerne les agents du FBI, qui auraient menacé de lancer des poursuites contre d'autres membres de la famille de Rucker.

— Est-ce qu'ils ne racontent pas toujours tous les mêmes salades, Stan ? Ils passent aux aveux librement et volontairement, puis ils n'ont rien de plus pressé que de réduire leur déclaration en confettis et de prétendre qu'on les a menacés. On a déjà vu ça quantité de fois.

Bien sûr, Stan avait déjà vu ça – enfin, en réalité, non, jamais.

Westlake continua :

— Néanmoins, je dois reconnaître que ce ne serait pas une si mauvaise idée de ramasser tous les Rucker du pays et de leur planter la seringue létale dans le bras.

Les hommes de Westlake s'esclaffèrent. Les hommes de Mumphrey les imitèrent. On s'amusait comme des fous.

— Qu'en est-il des allégations selon lesquelles les enquê-teurs auraient maltraité le suspect en le poussant à bout, au-delà de l'épuisement ?

— Voici la vérité, Stan, répondit Westlake. Les agents ont plusieurs fois demandé à Rucker s'il avait envie de s'arrêter et de reprendre un peu plus tard. Il leur a répondu que non, parce qu'il n'avait pas envie de passer la nuit dans la prison du comté. On a vérifié : la prison était bourrée à craquer, carrément surpeuplée. Ils en ont informé Rucker, qui n'avait aucune envie d'aller là-bas.

Pour Stanley Mumphrey, c'était parfaitement logique.

— Entendu. Reste à traiter les trois points suivants, quoique je ne pense pas que nous ayons l'intention de nous y étendre dans notre réponse. Considérons cette accusation portée contre les agents du FBI, qui auraient menti au sujet d'un rapport balistique liant le meurtre à une arme de poing, un Smith & Wesson saisi chez le prévenu. Malheureusement, comme nous le savons désormais, la balistique exclut cette arme.

— Mentir est autorisé, surtout lors d'un interrogatoire aux enjeux élevés comme celui-ci, Stanley, observa Westlake en adoptant le ton plein de sagesse d'un vieux professeur.

— Bien compris. Mais, juste pour satisfaire ma curiosité : vos agents ont-ils réellement menti à ce propos ?

— Bien sûr que non. Non, absolument pas. Page douze de leurs dépositions.

— C'est bien ce que je pensais. Passons à l'allégation sui-vante : vos agents auraient aussi menti en ce qui concerne l'existence, sur la scène de crime, d'une empreinte de ranger correspondant à une paire retrouvée chez le prévenu ?

— Faux, Stan. Il s'agit là de l'invention d'un avocat sans scrupule et de son client – qui est coupable.

— Disposez-vous de cette empreinte de ranger ?

Westlake lança un coup d'œil à l'un de ses agents, comme s'il avait existé quelque part une empreinte qu'il aurait trouvé le moyen d'oublier. L'agent secoua la tête.

— Non, reconnut Westlake. Il n'y a pas d'empreinte de ranger.

— Ensuite, nous avons là une affirmation selon laquelle vos agents auraient menti au sujet de deux témoins oculaires. Le premier aurait censément vu le prévenu dans la ville de Ripplemead, à peu près au moment des meurtres. Y a-t-il du vrai là-dedans ?

Westlake déplaça le poids de son corps d'une fesse sur l'autre et ne put se retenir de sourire avec un peu de condescendance.

— Écoutez, Stan, je ne suis pas certain que vous mesuriez précisément tout ce que cela requiert, de faire craquer un suspect qui est coupable. D'accord, il y a des stratagèmes, et...

— Je saisis.

— Vous devez faire naître la peur en lui, lui faire croire que vous disposez de bien plus de preuves que vous n'en détenez réellement.

— Je n'ai vu aucun rapport mentionnant pareil témoin.

— Et vous n'en verrez pas. Ce rapport n'existe pas.

— Victor, nous sommes dans le même camp. J'ai juste besoin de savoir la vérité afin de pouvoir répondre à cette requête en annulation, vous comprenez ?

— Je comprends.

— Le second témoin, celui du magasin près du bungalow, il n'existe pas non plus, exact ?

— Exact.

— Vos agents ont-ils eu recours à d'autres stratagèmes dont je n'ai pas eu connaissance ?

— Non, lui répliqua Westlake, mais aucune des personnes présentes dans la pièce ne le crut.

— Donc, résumons notre dossier contre Quinn Rucker : nous n'avons aucun témoin oculaire, pas de balistique, pas d'empreinte de chaussure, pas d'empreintes digitales, aucune preuve matérielle d'aucune sorte. Je ne me trompe pas ?

Westlake opina lentement en silence.

— Notre prévenu se trouvait dans la région de Roanoke après les meurtres, mais il n'existe aucune preuve de sa présence là-bas avant. Juste ?

De nouveau, un hochement de tête.

— Notre accusé a été capturé avec plus d'argent liquide qu'un citoyen ordinaire n'en a sur lui en temps normal, et même notablement plus, dirais-je.

Westlake acquiesça.

— De son propre aveu, M. Rucker est un passeur de drogue, membre d'une famille notoirement connue dans le trafic de stupéfiants. Cette somme en liquide est donc parfaitement explicable.

Stanley Mumphrey écarta son bloc-notes et se massa les tempes.

— Messieurs, nous avons des aveux et rien d'autre. Si nous devions renoncer à ces aveux, alors M. Rucker serait un homme libre et il n'y aurait plus de procès.

— Vous ne pouvez pas renoncer à ces aveux, Stan, intervint Westlake. C'est impensable.

— Je n'ai pas l'intention d'y renoncer. Malheureusement, je vois d'ici le juge se former une assez sombre opinion de cet interrogatoire. C'est sa longueur qui me gêne. Dix heures... toute une nuit ! Un suspect manifestement fatigué, criminel endurci, qui réclame sans doute un avocat. Deux enquêteurs chevronnés qui connaissent toutes les ficelles. Cela risque d'être serré.

Westlake écouta avec un sourire puis, après un long silence, répondit enfin.

— N'oublions pas notre témoin clef, Stan. Malcolm Bannister témoignera que Quinn Rucker lui a parlé à plusieurs reprises du meurtre du juge Fawcett. Il voulait se venger, et il tenait à récupérer son argent.

— C'est juste. Et son témoignage, ajouté à ces aveux, nous mènera à une condamnation. Cependant, à lui seul, son témoignage ne suffit pas.

— Vous ne m'avez pas l'air confiant, Stan.

— Tout au contraire. Il s'agit du meurtre d'un juge fédéral. Je n'ose imaginer un autre juge fédéral manifestant la moindre sympathie envers Quinn Rucker. Nous avons ces aveux, et nous avons Malcolm Bannister. Nous obtiendrons une condamnation.

— Voilà qui est parlé.

— Au fait, où en est-on, avec notre M. Bannister ?

— En lieu sûr, en immersion profonde, avec les U.S. marshals.

— Où est-il ?

— Désolé, Stan, il y a certaines choses que nous ne pouvons évoquer. Mais ne vous inquiétez pas. Dès qu'on aura besoin de lui, il sera là.

23.

Diana Tyler va succéder à Pat Surhoff. Je les retrouve pour le déjeuner, après une longue matinée à l'hôpital où j'ai subi des examens, au terme desquels on m'a prié de revenir dans un mois. Mme Tyler est grande, jolie femme, la cinquantaine, le cheveu court, maquillage discret, blazer bleu marine, et pas d'alliance. Elle est assez avenante et, devant nos assiettes de salade, elle me sert son petit laïus. Elle vit « dans la région » et travaille auprès de quelques autres individus dans ma situation. Elle est accessible vingt-quatre heures sur vingt-quatre, sept jours sur sept, et elle souhaite avoir avec moi au moins un entretien téléphonique par semaine. Elle comprend ce que j'endure et m'affirme qu'il est naturel de continuer de me méfier. Avec le temps, toutefois, ces peurs se dissiperont, et ma vie redeviendra tout à fait normale. Si je quitte la ville – elle me rappelle, elle aussi, que j'en ai le droit, chaque fois que j'en aurai envie –, elle aimerait en être informée, à l'avance et en détail. Jusqu'à ma déposition contre Quinn Rucker, ils entendent me marquer à la culotte ; ils insistent pour me dépeindre le tableau d'un avenir sûr et agréable, celui que je connaîtrai un jour, quand tous les obstacles initiaux auront été levés.

Ils mentionnent les deux entretiens d'embauche, et je les prends à contre-pied en leur expliquant que je ne suis pas disposé à m'investir dans un emploi. Avec de l'argent en banque et une liberté sans contrainte, je ne suis tout simplement pas prêt à débuter une nouvelle carrière. J'ai envie de voyager un peu, de faire de longs trajets en voiture, et peut-être de visiter l'Europe. Voyager, c'est très bien, ils sont d'accord, cependant ma couverture fonctionnera mieux si j'exerce un vrai métier. Nous décidons d'en reparler plus tard. Cela nous amène à une autre conversation, où il est question d'un passeport et d'un permis de conduire à jour. D'ici une semaine, mon visage devrait être prêt à être photographié, et Diana promet de s'occuper des démarches nécessaires.

Devant un café, je confie à Pat une lettre destinée à mon père. L'adresse de retour est celle de l'établissement pénitentiaire de Fort Wayne, dans l'Indiana. Quelqu'un la postera à Henry Bannister, à Winchester, en Virginie. Dans cette missive, j'explique au vieil Henry que j'ai merdé, à Frostburg, et qu'on m'a réexpédié dans une prison standard. Je suis en isolement cellulaire et je ne peux recevoir de visites avant au moins trois mois. Je lui demande d'en informer ma sœur, Ruby, en Californie, et mon frère, Marcus, à Washington. Je lui recommande de ne pas s'inquiéter, je vais bien et j'ai un plan pour arranger mon retour à Frostburg.

Pat Surhoff et moi nous disons au revoir. Je le remercie de ses bons offices et de son professionnalisme, et il me souhaite bonne chance. Il m'assure que ma nouvelle vie sera enrichissante et sûre. Je ne suis pas certain d'y croire, et je n'arrêterai pas de surveiller mes arrières. Je soupçonne fortement le FBI d'avoir l'intention de me tenir sous contrôle, un certain temps du moins, jusqu'au jour où Quinn Rucker aura été condamné et mis sous les verrous.

La vérité, c'est que je ne peux me permettre de me fier à personne, même pas à Pat Surhoff, à Diana Tyler, au service des U.S. marshals et au FBI. Il subsiste pas mal de zones d'ombre, dans tout cela, sans parler des mauvais garçons. Si le gouvernement veut garder un œil sur moi, je n'y peux pas grand-chose. Les autorités peuvent obtenir d'un juge qu'il délivre des ordonnances permettant de fouiner dans mon compte en banque, d'écouter mes conversations téléphoniques, de suivre les transactions sur ma carte de crédit et de scruter toute mon activité sur Internet. Je m'attends à tout cela. Le défi, pour le proche avenir, consiste à les tromper sans qu'ils s'en rendent compte. Accepter l'un de ces deux postes ne ferait que leur offrir une occasion de plus de m'espionner.

Dans l'après-midi, j'ouvre un autre compte à l'Atlantic Trust et j'y transfère cinquante mille dollars depuis mon compte Suncoast. Ensuite, je fais de même vers une troisième banque, la Jacksonville Savings. D'ici un jour ou deux, une fois que les virements auront été encaissés, je commencerai à retirer du liquide.

En me baladant dans le quartier au volant de ma petite Audi, je passe autant de temps à guetter dans le rétroviseur qu'à observer la route. C'est déjà une habitude. Quand je marche sur la plage, je scrute tous les visages que je croise. Quand j'entre dans un magasin, je repère aussitôt un endroit où me dérober aux regards et je surveille la porte que je viens de franchir. Je ne vais jamais déjeuner ou dîner deux fois dans le même restaurant, et je choisis toujours une table avec vue sur le parking. Je ne me sers du téléphone portable que pour les affaires de routine, et je pars du principe que quelqu'un m'écoute.

Je paie un ordinateur portable en espèces, je crée trois comptes Gmail, et je navigue sur Internet dans des cybercafés, en utilisant leurs serveurs. Je commence à me servir de cartes de débit prépayées que j'achète dans une pharmacie de la chaîne Walgreens. J'installe discrètement deux caméras dans mon appartement, juste au cas où quelqu'un débarquerait en mon absence.

La paranoïa, c'est la clef, en l'occurrence. Je me convaincs que quelqu'un est tout le temps en train de me surveiller et de m'écouter, et, les jours passant, je m'enfonce de plus en plus profondément dans mon petit monde de faux-semblants. J'appelle Diana tous les deux jours pour lui communiquer les dernières nouvelles de mon existence de plus en plus banale, et rien chez elle ne laisse entrevoir qu'elle suspecterait quelque chose. Quoique, si c'était le cas, elle s'en garderait bien.

L'avocat s'appelle Murray Higgins, et son petit encart dans l'annuaire annonce qu'il est à peu près spécialisé en tout : divorce, immobilier, faillite, affaires criminelles, et ainsi de suite – à peu près le même train-train de base que le nôtre chez Copeland, Reed & Bannister. Ses bureaux ne se situent pas loin de mon appartement, et un premier coup d'œil laisse entrevoir le genre de cabinet tranquille, en bord de mer, d'un type qui arrive à 9 heures et qui, à 15 heures, se retrouve sur un parcours de golf. Dès notre premier rendez-vous, Murray Higgins me raconte l'histoire de sa vie. Il a très bien réussi au sein d'un gros cabinet juridique, à Tampa, mais à cinquante ans, en surmenage chronique, il a essayé de prendre sa retraite. Il s'est installé à Atlantic Beach, il a divorcé, il s'ennuyait et il a décidé de relancer sa modeste enseigne. À présent, il a la soixantaine, il est heureux avec son petit cabinet, où il travaille quelques heures par-ci par-là et choisit ses clients avec soin.

Nous épluchons ma biographie ; pour l'essentiel, je m'en tiens au scénario : deux anciennes épouses à Seattle et ainsi de suite. J'y ajoute ma petite note personnelle en me présentant comme un scénariste débutant qui peaufine son premier script. Grâce à un ou deux coups de chance, ce script a fait l'objet d'une option de la part d'une petite société de production qui crée des documentaires. Pour diverses raisons professionnelles, j'ai besoin d'établir une modeste activité de façade en Floride.

Moyennant deux mille cinq cents dollars, il peut me monter quelques contre-feux. Il va me créer une LLC – une société à responsabilité limitée – domiciliée en Floride, avec M. R. Baldwin pour seul propriétaire. La LLC formera ensuite une entreprise dans l'État du Delaware, avec Murray Higgins pour seul fondateur et moi pour seul propriétaire. L'adresse enregistrée sera celle de son bureau, et mon nom n'apparaîtra sur aucun des documents d'entreprise.

— Je pratique cela tout le temps, souligne-t-il. La Floride attire beaucoup de gens qui essaient de redémarrer à partir de zéro.

Si tu le dis, Murray.

Je pourrais m'en charger moi-même, en ligne, mais il est plus sûr de transiter par un avocat. La confidentialité, c'est important. Je peux payer Higgins pour qu'il s'occupe de choses que ceux qui me filent ne suspecteront jamais et dont ils ne remonteront jamais la trace.

Grâce aux conseils d'expert de Murray Higgins, Skelter Films voit le jour.

Deux mois et demi après l'arrestation de Quinn Rucker, et deux semaines après mon installation dans mon appartement en front de mer, au café, un matin, Diana m'apprend que les fédéraux aimeraient me voir. Il y a plusieurs raisons à cela, la plus importante étant leur souhait de me tenir informé de leur affaire et de parler du procès. Ils veulent préparer ma déposition. Je suis certain qu'ils veulent aussi examiner de près Max Baldwin qui, d'ailleurs, est plutôt mieux réussi que Malcolm Bannister.

Le gonflement s'est résorbé. Le nez et le menton sont un peu plus nettement dessinés. Les yeux font beaucoup plus jeunes, et les lunettes rondes me donnent l'allure branchée et cérébrale à souhait d'un réalisateur de documentaires. Je me rase une fois par semaine, et je conserve donc toujours un début de barbe, avec juste une petite touche grisonnante. Mon cuir chevelu tout lisse réclame le rasoir deux fois par semaine. J'ai les joues moins rebondies, surtout parce que j'ai peu mangé durant ma convalescence et ai perdu du poids. Je prévois de rester comme ça. Au total, je n'ai plus du tout l'air de celui que j'étais, et si c'est souvent perturbant, c'est aussi réconfortant.

Ils suggèrent que je retourne à Roanoke, rencontrer Stanley Mumphrey et sa bande, mais je refuse catégoriquement. Diana m'assure que le FBI et le bureau du procureur ne savent pas où je me cache, et je feins de la croire. Je n'ai pas envie de les rencontrer en Floride.

Après quelques tractations, nous convenons de nous retrouver dans un hôtel de Charleston, en Caroline du Sud. Diana réserve nos billets, et nous nous envolons pour Jacksonville, à bord du même vol, mais à distance respectable l'un de l'autre.

Dès l'instant où nous entrons dans le hall de l'hôtel, je sais que je suis surveillé et probablement photographié. Le FBI est impatient de voir à quoi je ressemble. Je surprends deux ou trois coups d'œil furtifs, sans m'y attarder. Après avoir avalé un sandwich dans ma chambre, je retrouve Diana dans le couloir, et nous nous rendons dans une suite, deux étages au-dessus de nous. La porte est gardée par deux balèzes en costume noir qui ont l'air prêts à ouvrir le feu à la plus infime provocation. En tant qu'U.S. marshal, Diana ne joue aucun rôle dans l'instruction, c'est pourquoi elle reste à l'extérieur, avec les deux dobermans, pendant que j'entre rejoindre la bande.

Stanley Mumphrey a amené trois de ses adjoints ; au milieu d'un déluge de présentations, leurs noms m'échappent. Mon copain l'agent Chris Hanski est de retour, sans aucun doute pour me mater un bon coup, dans le style « avant-après ». Il a un acolyte, dont j'oublie le nom instantanément. Nous nous serrons tous tant bien que mal autour d'une petite table de réunion. Au milieu de la pile des papiers, je remarque deux photos d'identité de Malcolm Bannister – ces types étaient en train de l'examiner. Maintenant, ils ont Max devant eux, et ils sont médusés. La transformation les impressionne.

Hanski étant le seul à m'avoir vu avant cette mutation, il se lance le premier.

— Je dois dire, Max, que vous avez l'air plus jeune et plus en forme. Plus beau, je ne sais pas trop, mais au total le changement est plutôt réussi.

C'est proféré sur un ton jovial et c'est censé briser la glace.

— Je suis très touché, dis-je avec un sourire faux.

Stanley Mumphrey tient en main une des photos.

— Pas la moindre ressemblance, Max. Personne ne soupçonnerait que Malcolm et vous êtes le même individu. C'est remarquable.

On fait tous partie de la même équipe, maintenant, donc on bavarde comme de vieux amis. Cependant tout ça ne repose sur aucun fondement, et la conversation s'enlise. Je demande :

— Il y a une date, pour le procès ?

L'humeur change tout de suite.

— Oui, fait Stanley. Le 10 octobre, à Roanoke.

— Ce n'est que dans quatre mois. C'est assez rapide, non ?

— Nous sommes assez efficaces, dans le district sud, me réplique Mumphrey d'un ton supérieur. Entre l'inculpation et le procès, la moyenne est de huit mois. Sur cette affaire, il y a un peu de pression.

— Qui est le juge ?

— Sam Stillwater, détaché du district nord. Tous les collègues de Fawcett au district sud se sont récusés.

— Parlez-moi du procès.

Mumphrey se rembrunit, comme le reste de la bande.

— Cela risque d'être assez bref, Max : pas beaucoup de témoins, pas beaucoup de preuves. Nous avons pu établir que Rucker était dans les parages à ce moment-là. Nous prouverons qu'il avait beaucoup d'argent liquide sur lui quand nous l'avons arrêté. Nous aborderons les poursuites contre son neveu, sa condamnation par le juge Fawcett, la prise en compte d'un élément de vengeance, peut-être.

Là, Stanley marque un temps d'arrêt, et je ne résiste pas à jouer les petits malins en lançant une pique :

— Tout cela est plutôt accablant.

— Sans aucun doute. Ensuite, nous avons ses aveux, que la défense a remis en cause. Nous avons une audience la semaine prochaine devant le juge Stillwater. Nous comptons gagner et pouvoir maintenir ces aveux. À part ça, Max, le témoin clef, cela risque fort d'être vous.

— Je vous ai tout dit. Mon témoignage, vous le connaissez.

— En effet, en effet, mais nous souhaiterions y revenir. Maintenant que nous avons comblé quelques failles, nous voudrions régler cela au cordeau.

— Bien sûr. Comment se porte mon copain Quinn ?

— Pas fort, ces temps-ci. Il n'apprécie ni l'isolement cellulaire, ni la cuisine, ni les gardiens, ni le règlement. Il se prétend innocent – comme c'est surprenant. Je pense que la belle vie du country-club fédéral lui manque.

— À moi aussi.

Une réflexion qui m'attire un ou deux légers rires.

— Son avocat a convaincu le juge que Quinn avait besoin d'une expertise psychiatrique. Le médecin a confirmé qu'il pourrait supporter un procès, mais il lui faut des antidépresseurs. Il est d'humeur très renfermée et il passe souvent des journées entières sans adresser la parole à quiconque.

— Ça ressemble assez au Quinn que j'ai connu. Il m'a mentionné ?

— Oh, oui ! Il ne vous porte pas dans son cœur. Il vous soupçonne d'être notre informateur et de vouloir témoigner au procès.

— Quand devez-vous soumettre votre liste de témoins ?

— Soixante jours avant le procès.

— Avez-vous prévenu l'avocat de Quinn que j'allais témoigner ?

— Non. Nous ne divulguons rien, à moins d'y être forcés.

— C'est bien ce que je me rappelle.

Ces types oublient que j'ai été la cible d'une procédure fédérale, avec des agents du FBI passant mon existence au crible et un bureau du procureur me menaçant de m'incarcérer, ainsi que mes associés, tous les deux innocents. Ils se figurent qu'on est potes, à présent, une seule grande et joyeuse équipe, s'acheminant main dans la main vers un autre verdict, en toute justice. Si seulement je le pouvais, je les poignarderais dans le dos et je leur pourrirais leur dossier.

Eux – ceux du gouvernement fédéral –, ils m'ont privé de cinq années de ma vie, ainsi que de mon fils, de ma femme et de ma carrière. Comment osent-ils siéger ici comme si nous étions des associés de confiance ?

Nous en arrivons finalement à ma déposition sous serment, à laquelle nous consacrons deux heures. Ce sujet a déjà été abordé et je trouve cela fastidieux. Le principal adjoint de Mumphrey a préparé un fil conducteur, une série de questions-réponses, que je suis censé étudier. Je dois admettre que c'est bien fait : rien n'a été omis.

J'essaie de me représenter le décor un peu irréel de ma déposition sous serment. On me conduira en salle d'audience revêtu d'un masque. Je m'assiérai derrière un panneau ou une espèce de cloison qui empêchera les avocats, le prévenu et les spectateurs de voir mon visage, une fois que l'on m'aura retiré le masque. Je regarderai les jurés. Les avocats, derrière cette cloison, me lanceront des questions, et je répondrai, mais ma voix sera déformée. Quinn, sa famille et leurs gros durs seront là, guettant le moindre indice permettant de m'identifier. Ils sauront que c'est moi, évidemment, mais ils ne verront jamais mon visage.

En dépit des certitudes, je doute que cette scène ait jamais lieu.

24.

Diana m'appelle pour m'informer qu'elle est en possession de mon nouveau permis de conduire de Floride et de mon nouveau passeport. Nous nous retrouvons pour un café chez un marchand de gaufres, et elle me tend le tout. Je lui fournis un itinéraire – plein d'omissions.

— Vous vous offrez un petit voyage ? me dit-elle en examinant mon plan.

— Oui, je suis impatient d'étrenner mon nouveau passeport. Ce soir, et pour mes trois premières nuits, je serai à Miami, South Beach. Je prends la route dès que ma tasse de café sera vide. De là-bas, je m'envole pour la Jamaïque une petite semaine, ensuite Antigua et peut-être Trinidad. Je vous appellerai à chaque étape. Je laisserai ma voiture à l'aéroport de Miami, comme ça vous pourrez indiquer au FBI précisément où elle se trouve. Et, tant que vous y êtes, demandez-leur, s'il vous plaît, de me laisser tranquille, le temps de ces quelques sauts de puce dans les Caraïbes.

— De vous laisser tranquille ? s'étonne-t-elle, feignant l'ignorance.

— Vous m'avez bien entendu. On arrête de jouer, là, Diana. Je ne suis sans doute pas le témoin le plus étroitement protégé de tout le pays, mais je figure sûrement dans les trois premiers. Quelqu'un me surveille en permanence. Il y a un type, appelons-le Coupe-en-Brosse, que j'ai croisé cinq fois ces deux dernières semaines. Il n'est pas très doué, alors, s'il vous plaît, transmettez le message aux fédéraux quand vous leur remettrez votre rapport. Dans le mètre quatre-vingt trois, autour de quatre-vingts kilos, Ray-ban, bouc de poils blonds, coupe en brosse, donc, et roule en Mini Cooper. Quel manque de professionnalisme ! Je suis vraiment, vraiment surpris.

Elle l'est aussi. Elle ne lève pas les yeux de mon itinéraire et ne sait pas quoi répondre. Cueillie en flagrant délit.

Je paie le café et je prends l'Interstate 95 droit vers le sud, sur près de six cents kilomètres. Il fait chaud et humide, la circulation est lente et chargée, et je savoure chaque kilomètre. Je m'arrête fréquemment pour reprendre de l'essence, m'étirer les jambes et surveiller tout ce qui bouge derrière moi. Comme le FBI sait où je vais, ils ne vont pas se donner la peine de me filer. En plus, je suppose que j'ai un traceur GPS habilement dissimulé quelque part dans mon véhicule.

Sept heures plus tard, je m'arrête devant le Blue Moon Hotel, l'un des nombreux hôtels de charme situés au cœur du quartier Art déco de South Beach. Je sors ma valise et un petit sac du coffre, je remets les clefs au voiturier et je pénètre dans un décor de *Deux Flics à Miami*. Les ventilateurs tournent lentement au plafond, au-dessus de clients qui boivent en bavardant dans des fauteuils en osier.

— Vous venez d'arriver, monsieur ? me demande une jolie jeune fille.

— Oui. Max Baldwin.

Je ne sais trop pourquoi, c'est pour moi un moment de fierté. Moi, le grand Max, je saute à pieds joints dans la liberté, et, pour l'heure, cela va même au-delà de mes capacités d'absorption. Un paquet d'argent liquide, des papiers tout neufs et parfaitement en règle, une décapotable qui me conduira n'importe où – c'est presque insoutenable. Je reviens à la vie d'un coup lorsqu'une grande brune traverse la réception d'un pas nonchalant. Elle porte un haut qui ne dissimule quasiment rien et une jupe diaphane qui en cache encore moins.

Je tends ma Visa. Je pourrais me servir de mon argent liquide ou d'une carte prépayée, mais comme les fédéraux savent où je descends, il ne sert à rien de les tromper. Je suis sûr que leur bureau de Miami a été informé de ma présence, et il a sans doute une paire d'yeux pas trop loin d'ici. Si j'étais vraiment paranoïaque, je pourrais croire que le FBI a déjà planqué un ou deux micros dans ma chambre. Quand j'y entre, je ne décèle ni micros ni espions. Je prends une douche en vitesse et je me change – short et sandales. Je vais au bar repérer d'éventuels jolis petits lots. Je prends mon repas seul au snack de l'hôtel, où je croise le regard d'une femme, la quarantaine, qui dîne avec ce qui semble être l'une de ses amies. Plus tard, de retour au bar, je la revois et nous nous présentons. Eva, de Porto Rico. L'orchestre commence à jouer et nous buvons un verre. Eva veut danser, et, bien que cela fasse des années, j'écume la piste en y mettant toute mon énergie.

Vers minuit, Eva et moi réussissons à regagner ma chambre, où nous nous déshabillons aussitôt pour sauter dans le lit. Je prie presque pour que le FBI ait planté des micros capables de capter les sons les plus feutrés. Si c'est le cas, on leur en a mis plein les oreilles, Eva et moi.

Je sors en vitesse du taxi, stationné le long d'un trottoir de la VIIIᵉ Avenue, dans le centre de Miami. Il est 9 h 30, il fait déjà chaud, et, au bout de quelques minutes de marche rapide, ma chemise me colle dans le dos. Je ne crois pas être suivi, pourtant je m'active quand même. L'immeuble est un cube massif de cinq étages, si vilain qu'on n'imagine pas comment quelqu'un a pu payer un architecte pour le dessiner. Enfin, je doute que les occupants soient des sociétés de très haut de gamme. L'une d'elles s'appelle Corporate Registry Services, ou CRS, un nom si banal et si inoffensif que personne ne pourrait en déduire de quoi elle s'occupe. D'ailleurs, peu de gens auraient envie de le savoir.

CRS a beau être parfaitement en règle, elle attire quantité de clients qui ne le sont pas. C'est une adresse, une boîte aux lettres, une façade, un accueil téléphonique, autant de services auxquels une entreprise aura recours afin de s'acheter une certaine authenticité. Comme je n'ai pas prévenu, je tue une heure à attendre un chargé de clientèle. Il s'appelle Lloyd et il finit par me conduire dans un petit bureau étouffant, où il m'invite à m'asseoir devant la décharge qui lui tient lieu de table de travail. Nous causons un moment pendant qu'il parcourt le questionnaire que j'ai rempli.

— Qu'est-ce que c'est, Skelter Films ? me demande-t-il quand il a fini.

— Une maison de production de documentaires.

— Qui en est le propriétaire ?

— Moi. Société déposée dans le Delaware.

— Combien de films avez-vous produits ?

— Aucun. Je commence.

— Quelles sont les chances pour que Skelter Films soit encore en activité dans deux ans ?

— Minces.

Ce style de réponses louches, il en entend tous les jours, et ça ne le dérange pas.

— Ça ressemble à une couverture.

— Ce n'est pas faux.

— Nous réclamons une déposition écrite dans laquelle vous affirmez sous serment que votre société ne sera impliquée dans aucune activité criminelle.

— Je jure que ce ne sera pas le cas.

Il a déjà entendu cela aussi.

— D'accord, voici comment nous allons opérer. Nous fournissons à Skelter une adresse postale, ici, dans ce bâtiment. Quand nous recevons du courrier, nous vous le faisons suivre où vous nous l'indiquerez. Nous vous fournissons un numéro de téléphone, et tous les appels seront traités par une opératrice qui débitera toutes les réponses que vous voudrez. « Skelter Films, bonjour, comment puis-je traiter votre appel ? » Ça ou autre chose. Vous avez des associés ?

— Non.

— Pas d'employés, fictifs ou non ?

— J'aurai quelques noms à vous communiquer, tous fictifs.

— Pas de problème. Si le correspondant demande un de ces fantômes, notre jeune fille répondra tout ce que vous voudrez qu'elle réponde. « Désolée, il tourne en extérieur », enfin, n'importe quoi. Votre fiction, vous nous l'écrivez, et nous, on vous la livre. Dès que nous recevons un appel, nous vous prévenons. Et côté site Internet ?

Là-dessus, je ne suis pas trop sûr.

— Rien pour le moment. Quel serait l'intérêt ?

Lloyd change de position et s'appuie des deux coudes sur la table.

— Bon, supposons que Skelter soit une société en bonne et due forme, qui produit beaucoup de documentaires. Si c'est le cas, il lui faudra un site, pour toutes les raisons habituelles – marketing, information, amour-propre. D'un autre côté, imaginons que Skelter soit une société véritable, mais pas une vraie société de production de films. Skelter vise peut-être seulement à donner cette impression, pour des raisons qui lui appartiennent. Un site Internet, c'est un excellent moyen de renforcer votre image, de truquer la réalité, en un sens. Rien d'illégal, notez. Nous avons les moyens de vous créer un site avec des images de stock et des biographies de votre équipe, de vos films, de vos récompenses, des projets en cours, tout ce que vous voudrez.

— Combien ?

— Dix mille.

Je ne suis pas sûr d'avoir l'envie ou le besoin de dépenser cette somme, en tout cas pas à ce stade.

— Laissez-moi y réfléchir, dis-je, et Lloyd hausse les épaules. Combien pour vos services d'immatriculation de base ?

— Adresse, téléphone, fax, et tout ce qui va avec, c'est cinq cents dollars par mois, avec six mois payés d'avance.

— Vous acceptez les espèces ?

Lloyd sourit.

— Oh, oui. Nous préférons, même.

Sans surprise. Je lui verse la somme, je signe un contrat, je signe le formulaire de déclaration sous serment où je promets d'exercer des activités légales, et je quitte son bureau. CRS se vante d'avoir neuf cents clients satisfaits, et, en traversant leur réception, je ne peux m'empêcher de penser que je viens de rejoindre une espèce de monde interlope rempli de sociétés écrans, d'escrocs sans visage et de fraudeurs fiscaux basés à l'étranger. Et alors ?

Après deux autres nuits, Eva a envie que je l'accompagne à Porto Rico. Je lui promets d'y réfléchir, puis je me glisse hors du Blue Moon et je me dirige vers l'aéroport international de Miami, où je me gare au parking longue durée avant d'emprunter la navette vers les terminaux. Je sors ma carte de crédit, mon nouveau passeport, et j'achète un aller simple pour Montego Bay, sur Air Jamaica. L'avion est plein à craquer, moitié Jamaïcains à la peau sombre et moitié touristes à la peau blanche, en route pour le soleil. Avant le décollage, des hôtesses ravissantes nous servent un punch. Le vol dure quarante-cinq minutes. Au sol, l'agent des douanes consacre beaucoup trop de temps à examiner mon passeport, et je me mets à paniquer, quand il finit par me faire signe de passer. Je trouve le bus pour Rum Bay Resort, un hôtel séjour tout compris, destiné exclusivement aux célibataires, le long d'une série de plages topless réputées. Pendant trois jours, je reste couché à l'ombre auprès de la piscine, et je réfléchis au sens de la vie.

De la Jamaïque, je m'envole pour Antigua, au milieu des îles Sous-le-Vent, dans l'est des Antilles. C'est une île très jolie d'un peu plus de deux cent cinquante kilomètres carrés, avec des montagnes, des plages de sable blanc et des dizaines d'hôtels. Elle est aussi connue pour être le paradis fiscal le plus accueillant du monde, et c'est l'une des raisons de ma visite. Si je ne cherchais qu'à faire la fête, je serais resté à la Jamaïque. La capitale, St. John's, est une ville très animée de trente mille habitants, située tout au fond d'une anse abritée dont le port attire les bateaux de croisière. Je loue une chambre dans une petite auberge en bordure de St. John's, avec une vue magnifique sur la mer, les barques et les yachts. Nous sommes en juin, c'est la basse saison et, pour trois cents dollars la nuit, je serai nourri comme un roi, je dormirai jusqu'à midi et je me délecterai à l'idée que personne ne sache qui je suis, d'où je viens ou quel est mon passé.

25.

Le Congélateur a été démantelé un mois plus tôt, et Victor Westlake a été renvoyé à ses missions de routine et à son bureau au quatrième étage du Hoover Building, à Washington. Les meurtres du juge Fawcett et de Naomi Clary ont beau avoir été résolus, quantité de doutes et de questions subsistent. Le problème le plus pressant, c'était naturellement la validité des aveux de Quinn Rucker. Si le juge les rejetait, il resterait peu de preuves au gouvernement pour aller de l'avant. Les meurtres étaient résolus, cependant l'affaire n'était pas close, du moins pas de l'avis de Westlake. Il consacrait encore deux heures par jour à s'en occuper. Il épluchait le rapport quotidien sur les occupations de Max Baldwin : ses déplacements, ses rendez-vous, ses coups de téléphone, son activité Internet, etc. Jusqu'à présent, Max n'avait rien fait qui les surprenne. Ce voyage en Jamaïque et au-delà ne plaisait pas trop à Westlake, mais qu'y pouvait-il ? On surveillait Baldwin d'aussi près que possible. Il étudiait également le rapport quotidien sur les Rucker. Le FBI avait obtenu l'accord de la cour pour organiser des écoutes téléphoniques de Dee Ray, de Sammy (Tall Man), de leur sœur Lucinda et de quatre membres de la famille impliqués dans leur trafic basé à Washington.

Le mercredi 15 juin, Westlake tenait un briefing de son équipe quand on le demanda au téléphone. C'était urgent et, quelques minutes plus tard, il entrait dans une salle de réunion où des techniciens travaillaient en vitesse à brancher une connexion audio. L'un d'eux le prévint :

— L'appel est arrivé sur la ligne portable de Dee Ray, hier soir, à 23 h 19, nous ne savons pas au juste d'où il venait, mais voilà. La première voix est celle de Dee Ray, la seconde, celle d'un certain Sully. Nous n'avons pas encore identifié ce Sully.

— Voici, fit un autre technicien.

DEE RAY : Ouais.

SULLY : Dee Ray, c'est Sully, ici.

DEE RAY : T'as quoi ?

SULLY : On a le mouchard, mec. Bannister.

DEE RAY : Sans déconner, mec.

SULLY : Sans déconner, Dee Ray.

DEE RAY : OK, me raconte pas tout, dis-moi où.

SULLY : Ben, maintenant, il traîne sur les plages, en Floride. Il s'appelle Max Baldwin, il habite dans un petit appart à Neptune Beach, au nord de Jacksonville. Apparemment, il a de l'argent, il se la coule douce, tu vois le genre. La belle vie.

DEE RAY : Il ressemble à quoi ?

SULLY : Pas le même mec. Grosse chirurgie. Mais la même taille, quelques kilos en moins. La même démarche. En plus, on a une empreinte digitale et une correspondance.

DEE RAY : Une empreinte digitale ?

SULLY : Ils sont bons, dans notre boîte. Ils l'ont suivi jusqu'à la plage et ils l'ont vu balancer une bouteille d'eau dans une poubelle. Ils l'ont récupérée, et ils ont eu son empreinte.

DEE RAY : Ça, c'est bon.

SULLY : Comme je disais. Alors, et maintenant ?

DEE RAY : Laisse-moi jusqu'à demain matin. Il ira nulle part, hein ?

SULLY : Non, il est content là où il est.

DEE RAY : Magnifique.

Westlake se laissa lentement tomber sur une chaise, pâle et bouche bée, trop secoué pour parler.

— Trouvez-moi Twill, dit-il enfin.

L'un de ses larbins s'éclipsa et, pendant qu'il patientait, Westlake se frotta les yeux en réfléchissant à sa prochaine décision. Twill, son premier adjoint, arriva à toute vitesse, et ils réécoutèrent la bande. Pour Westlake, ce fut encore plus glaçant cette seconde fois.

— Mais enfin, comment..., grommela Twill.

Westlake reprit le dessus.

— Appelez Bratten au service des U.S. marshals.

— Bratten a été opéré hier. Newcombe le remplace.

— Alors trouvez Newcombe au téléphone. On ne peut pas perdre de temps, là.

Je me suis inscrit dans une salle de sport et je m'y rends une heure tous les jours vers midi, une séance de course de côte sur un tapis de jogging et des séries d'haltères de petit calibre. Si je veux rester autant de temps sur la plage, il faut que j'aie le physique de l'emploi.

Après une bonne suée et une longue douche, je m'habille, quand le téléphone portable sonne sur mon casier, au vestiaire. C'est cette chère Diana, et c'est une heure inhabituelle pour qu'elle m'appelle.

— Il faut qu'on parle, me dit-elle brusquement, le tout premier signe que quelque chose cloche.

— De quoi ?

— Pas maintenant. Il y a deux agents du FBI sur le parking, dans une Jeep Cherokee marron garée à côté de votre véhicule. Ils vous emmènent.

— Et comment savez-vous où je suis à cet instant, au juste, Diana ?

— On en discutera plus tard.

Je m'assois sur une chaise pliante.

— Parlez-moi, Diana. Que se passe-t-il ?

— Max, je suis à dix minutes. Suivez les ordres, montez dans la Jeep, et je vous raconterai tout dès que je vous verrai. Ne parlons pas de ça au téléphone.

— D'accord.

J'achève de me rhabiller et m'efforce de me conduire aussi calmement que d'habitude. Je traverse le club de gym en direction de la sortie, et je souris à un instructeur de yoga à qui je souris depuis maintenant une semaine. Je jette un coup d'œil autour de moi et j'aperçois la Cherokee marron garée à côté de ma voiture. À ce stade, il est assez clair qu'il s'est produit quelque chose d'épouvantable, et c'est la gorge serrée que je sors sous le soleil aveuglant de midi. Le chauffeur saute hors du véhicule et, sans un mot, ouvre une portière à l'arrière. Nous roulons cinq minutes dans un complet silence, avant de nous garer dans l'allée d'un cottage pittoresque avec un écriteau « À louer » sur la pelouse. C'est à une rue de l'océan. Dès que le moteur est coupé, les deux agents bondissent dehors et balaient les alentours du regard, comme si des tireurs embusqués pouvaient être tranquillement perchés là-haut, aux aguets. Le nœud dans mon estomac pèse le poids d'une boule de bowling.

Nous réussissons à entrer sans essuyer de coups de feu, et Diana nous attend.

— Sympa, votre baraque, dis-je.

— C'est une planque, me répond-elle.

— Ah, d'accord. Et pourquoi se cacher dans une planque au milieu d'une journée aussi parfaite ?

Un homme grisonnant sort de la cuisine et me tend la main.

— Max, je suis Dan Raynor, U.S. marshal, directeur régional.

Nous nous serrons la main comme deux vieux amis. Il me sourit, comme si nous allions nous offrir un long déjeuner.

— Un vrai plaisir, dis-je. Que se passe-t-il ?

Ils sont quatre – Raynor, Diana, et les deux agents anonymes du FBI – et, l'espace de quelques secondes, ils ne sont pas trop sûrs de l'ordre protocolaire. On est sur le territoire de qui ? Qui doit rester présent ? Qui reste et qui sort ? Comme je l'ai déjà appris, ces querelles territoriales entre agences ont de quoi dérouter.

Raynor prend la parole.

— Max, j'ai bien peur qu'il y ait une faille. Pour formuler les choses carrément : votre couverture a sauté. Nous n'avons aucune idée de ce qui s'est passé.

Je m'assieds, m'essuie le front et l'interroge :

— Qui sait quoi ?

— Nous ne savons pas grand-chose, mais nous avons du monde qui s'envole de Washington en ce moment même. Ils devraient arriver ici dans une heure à peu près. À l'évidence, le FBI a pêché quelque chose hier soir, grâce à une écoute. Ils se sont causé, dans la famille Rucker, et le FBI a tout entendu.

— Ils savent qui je suis ?

— Ils savent. Et ils savent exactement où vous habitez.

— Nous sommes vraiment désolés, Max, me dit Diana.

Je lui lance un regard furibond, à elle et à sa stupidité, comme si je pouvais l'étrangler.

— Mince, je suis touché ! Et pourquoi vous ne la boucleriez pas ?

— Je suis désolée.

— Vous vous répétez. Alors, je vous en prie, arrêtez là, d'accord ? Ça n'a aucun sens, c'est totalement inutile.

Ma brusquerie la pique au vif, mais, sincèrement, je m'en moque. Mon seul souci, maintenant, c'est ma peau. Les quatre personnes qui me dévisagent, ainsi que leurs supérieurs et que le gouvernement tout entier, sont responsables de cette « faille ».

— Voulez-vous du café ? me demande Diana, penaude.

— Non, je voudrais un peu d'héroïne.

Ils trouvent ça drôle, et, bon, on a tous bien besoin de rire. Le café est servi et une assiette de cookies fait le tour de la table. Nous entamons une longue attente. Aussi irréel que cela paraisse, je commence à réfléchir à là où je vais aller ensuite.

Raynor m'annonce qu'ils récupéreront ma voiture à la nuit tombée. Ils attendent un agent, un Noir du bureau d'Orlando, qui sera ma doublure pour à peu près une journée. En aucun cas je ne serai autorisé à retourner vivre dans mon appartement, et nous nous prenons de bec pour savoir comment récupérer mes maigres effets. Le service des marshals s'occupera du contrat de bail et coupera mes abonnements auprès des divers opérateurs. Raynor pense qu'il va me falloir un véhicule différent, mais, de prime abord, je refuse.

214

Les agents du FBI s'en vont et reviennent avec des sandwiches. Enfin, à 3 h 30 du matin, M. Victor Westlake franchit la porte d'entrée.

— Max, je suis désolé, me déclare-t-il.

Je ne me lève pas, je ne lui offre aucune poignée de main. Le canapé m'est réservé, à moi, et à moi seul. Westlake est accompagné de trois autres artistes en costume noir qui se précipitent à la cuisine prendre des chaises et des tabourets. Une fois que tout le monde s'est présenté et que chacun s'est assis, il commence :

— C'est totalement inhabituel, Max, et je ne sais pas quoi vous dire. Pour l'instant, nous n'avons aucune idée du niveau où s'est produit cette faille, et nous risquons de ne jamais le découvrir.

— Dites-moi juste ce que vous savez.

Il ouvre un dossier et en sort des documents.

— Voici la transcription d'une conversation téléphonique que nous avons interceptée hier soir entre Dee Ray Rucker et un dénommé Sully. Ils étaient tous les deux sur portable. Dee Ray était à Washington. Sully a passé l'appel de quelque part par ici.

Je lis la transcription pendant que les autres retiennent leur souffle. Cela me réclame quelques secondes, puis je la repose sur la table basse.

— Comment s'y sont-ils pris ?

— On y travaille encore. Notre théorie privilégiée est qu'ils ont eu recours à une entreprise privée pour vous pister. Nous vérifions auprès d'une poignée de sociétés spécialisées dans l'espionnage industriel, la surveillance, les personnes disparues, le furetage discret, et le reste. Ce sont d'anciens militaires, d'anciens espions et, j'ai honte de le reconnaître, d'anciens agents du FBI. Ils sont compétents et ils disposent de la technologie. Moyennant les bons honoraires, ils peuvent réunir un paquet d'informations.

— Où ça ? De l'intérieur ?

— Nous ne le savons pas encore, Max.

— Si vous le saviez, vous ne me le révéleriez pas. Si la fuite était due à quelqu'un au sein de l'administration, le FBI, le service des U.S. marshals, le bureau du procureur, le département de la Justice, le Bureau des prisons, ou Dieu sait quoi d'autre, jamais vous ne l'admettriez. Combien de personnes sont branchées sur mon petit secret, monsieur Westlake ? Des dizaines, peut-être davantage. Les Rucker ont-ils vraiment retrouvé ma trace ou ont-ils simplement pisté le FBI qui, lui, me file ?

— Je vous assure qu'il n'y a pas eu de fuite interne.

— Vous venez de m'expliquer que vous n'en savez rien ! À ce stade, vos assurances ne valent rien. La seule certitude, pour le moment, c'est que toutes les personnes impliquées vont se couvrir et pointer le voisin du doigt. Et ça commence pas plus tard que maintenant. Je ne crois pas un mot de ce que vous me racontez, monsieur Westlake. Ni vous ni personne d'autre.

— Il faut vous fier à nous, Max. C'est une situation d'urgence qui peut être mortelle.

— Jusqu'à ce matin, je me suis fié à vous, et regardez où j'en suis. La confiance, c'est fini. Néant.

— Nous devons vous protéger jusqu'au procès, Max. Vous le comprenez. Après le procès, nous n'y aurons plus aucun intérêt. Mais d'ici là, nous devons veiller sur votre sécurité. C'est pour ça que nous avons placé les téléphones sur écoute. Nous avons surveillé les Rucker et nous avons eu de la chance. Nous sommes de votre côté, Max. Bien sûr, il y a eu un raté quelque part, et nous saurons ce qui s'est passé. Mais si vous êtes ici, en un seul morceau, c'est parce que nous accomplissons notre boulot.

— Félicitations, dis-je, et je me rends aux toilettes.

La vraie bataille éclate quand je les informe que je vais sortir du programme de protection des témoins. Dan Raynor me casse les pieds à me rappeler que ma vie va devenir très dangereuse si je ne les autorise pas à me ramasser pour me déposer à deux mille kilomètres d'ici, et une fois encore sous un autre nom. Quel dommage ! Je vais tenter ma chance en me cachant tout seul comme un grand. Westlake me supplie de rester avec eux. Mon témoignage sera crucial, au procès et, sans cela, il pourrait ne pas y avoir de condamnation. Je lui répète plusieurs fois qu'ils ont des aveux, et qu'aucun juge fédéral ne les rejettera. Je lui promets de me présenter à l'audience. Je lui soutiens que je serai plus en sûreté quand je serai le seul à savoir où je me cache : il y a tout simplement déjà trop d'agents impliqués dans ma protection. Raynor me ressasse que le service des U.S. marshals n'a jamais perdu un seul des informateurs placés sous sa protection, soit plus de huit mille, chiffre non définitif, et je lui rappelle sans relâche qu'une victime, il finira bien par y avoir une – et ce ne sera pas moi.

La discussion est souvent très vive, pourtant je n'en démords pas. Ils ne peuvent qu'argumenter : ils n'ont aucune autorité sur moi. Ma sentence a été commuée et je ne suis pas en liberté conditionnelle. J'ai accepté de témoigner, et je prévois de m'y tenir. Mon accord avec le service des U.S. marshals stipule clairement que je peux sortir du Programme fédéral de protection des témoins dès que je le veux.

Finalement, je me lève.

— Je m'en vais. Voulez-vous avoir l'amabilité de me reconduire à ma voiture ?

Personne ne bouge.

— Quels sont vos projets ? me demande Raynor.

— Pourquoi vous ferais-je part de mes projets ?

— Et l'appartement ?

— Je vais le quitter d'ici deux jours. Ensuite, il sera tout à vous.

— Alors vous partez de la région ? insiste Diana.

— Je n'ai pas dit ça. J'ai dit que je quittais l'appartement.

Je regarde Westlake.

— Et cessez de me suivre. Quand vous me surveillez, il y a de fortes chances pour que quelqu'un vous surveille. Lâchez-moi, d'accord ?

— Ce n'est pas vrai, Max.

— Vous ne savez pas ce qui est vrai. Alors cessez de me suivre, un point c'est tout, vu ?

Il n'acquiesce pas – bien sûr que non. Il a les joues écarlates et il est vraiment en rogne : il a l'habitude d'être obéi. Je me rends à la porte, je l'ouvre d'un coup sec.

— Si vous ne me raccompagnez pas, j'y vais à pied.

— Raccompagnez-le, ordonne Westlake.

— Merci, dis-je par-dessus mon épaule, et je sors du cottage.

La dernière chose que j'entends, c'est Raynor :

— Vous commettez une grave erreur, Max !

Je monte à l'arrière du Cherokee, et les deux mêmes agents me reconduisent en silence. Sur le parking, devant la salle de sport, je descends sans un mot. Ils redémarrent, mais je doute qu'il aillent très loin. Je monte dans ma petite Audi, je rabats la capote et je roule le long de la plage, sur l'autoroute A1A. Je refuse de regarder dans le rétroviseur.

Victor Westlake rentra à Washington à bord d'un jet de l'administration fédérale. À son arrivée au FBI, après la tombée de la nuit, on l'informa que le juge Sam Stillwater avait rejeté la requête en annulation des aveux de Quinn Rucker. Sans que ce soit une très grande surprise, c'était quand même un soulagement. Il téléphona à Stanley Mumphrey, à Roanoke, et le félicita. Il n'informa pas le procureur que leur témoin clef était sur le point de se soustraire à leur protection et de disparaître dans la nuit.

26.

Je dors avec un pistolet, un Beretta 9 millimètres, acheté en toute légalité et dûment enregistré dans l'État de Floride. Je n'ai pas tiré avec une arme à feu depuis vingt ans, depuis le temps où j'étais marine, et je n'ai aucune envie de m'y remettre. Il est couché dans une boîte en carton qui me tient lieu de table de nuit. Un autre carton posé sur le sol est rempli des seuls biens dont j'ai besoin – mon ordinateur portable, un iPad, quelques livres, un nécessaire de rasage, un sac Ziploc rempli d'argent liquide, deux chemises contenant mes dossiers personnels, et un téléphone à carte prépayée avec un nombre de minutes illimité et un code de Miami. Une valise bon marché, qui entre dans le petit coffre assez exigu de l'Audi, est remplie de ma garde-robe et prête pour le départ. La plupart de ces objets – le pistolet, le téléphone portable, la valise – ont été achetés récemment, juste au cas où un départ précipité s'imposerait.

Eh bien, ce départ est maintenant proche. Avant l'aube, je charge la voiture et je patiente. Je suis assis sur ma terrasse pour la dernière fois, je bois un café à petites gorgées et je contemple l'océan qui vire au rose, puis à l'orange, alors que le soleil perce à l'horizon. J'ai admiré cette scène de nombreuses fois, pourtant je ne m'en lasse pas. Par une matinée claire, cette sphère parfaite s'élève au-dessus de l'eau et me dit bonjour – encore une belle journée qui se prépare.

Je ne suis pas sûr de savoir où je me dirige ni où j'aboutirai, mais je prévois d'être près d'une plage, afin de pouvoir entamer chaque journée par une telle perfection silencieuse.

À 8 h 30, je sors de l'appartement en laissant derrière moi un réfrigérateur à moitié plein de nourriture et de boissons, un assortiment disparate d'assiettes et d'ustensiles, une jolie cafetière, quelques magazines sur le canapé et un peu de pain et des crackers dans la panière. Pendant quarante-six jours, j'ai vécu ici, mon premier foyer véritable après la prison, et je suis triste de le quitter. Je pensais rester plus longtemps. Je laisse les lumières allumées, je ferme la porte à clef derrière moi, et je me demande combien de cachettes temporaires m'attendent, avant que je puisse cesser ma cavale. Je m'éloigne et ne tarde pas à me perdre dans la circulation chargée des banlieusards, en direction de l'ouest et de Jacksonville. Je sais qu'ils sont là, derrière moi, mais peut-être plus pour longtemps.

Deux heures plus tard, je m'engage dans la périphérie tentaculaire du nord d'Orlando et je m'arrête prendre un petit déjeuner dans une crêperie. Je mange lentement, je lis les journaux et j'observe la foule. Plus loin dans la rue, je descends dans un motel pas cher où je paie en liquide, pour une nuit. La réceptionniste me demande une pièce d'identité avec une photo et je lui explique que j'ai perdu mon portefeuille la veille dans un bar. Cela ne lui plaît pas, mais l'idée du paiement cash, si, alors pourquoi s'embêter ? Elle me remet une clef et je me rends à ma chambre. En consultant l'annuaire et en me servant de mon téléphone, je finis par trouver un atelier de nettoyage de voitures qui peut me dégager un créneau à 3 heures cette après-midi. Pour cent quatre-vingt-dix-neuf dollars, le gamin à l'autre bout du fil me promet que mon Audi sera comme neuve.

Buck's Pro Shine se trouve tout au fond d'une longue piste de lavage de véhicules qui tourne à plein régime. Ma voiture et moi, on nous confie à un jeune de la campagne, un maigrichon nommé Denny, et il prend son travail très au sérieux. Avec un luxe de détails il m'explique sa méthode pour laver

220

et polir, et quand je lui annonce que je vais patienter sur place, il est surpris.

— Ça pourrait prendre deux heures, me prévient-il.

— Je n'ai nulle part où aller.

Il hausse les épaules et place l'Audi sur une rampe de lavage. Je trouve un siège sur un banc protégé par une verrière, et je me plonge dans la lecture d'un Walter Mosley. Une demi-heure plus tard, Dennis termine le lavage extérieur et commencer à passer l'aspirateur. Il ouvre les deux portières, et je m'approche pour lui causer. Je lui explique que je quitte la ville, donc la valise doit rester sur la banquette arrière et il ne faut pas toucher au carton dans le coffre. Il hausse de nouveau les épaules, c'est comme je veux. Moins de travail pour lui. Je fais encore un pas de plus et je lui explique que je traverse un divorce pénible et que j'ai des raisons de croire que les avocats de ma femme surveillent mes moindres faits et gestes. Je soupçonne fortement la présence d'un dispositif de traçage GPS caché quelque part dans la voiture. Si Denny me le trouve, je lui filerai un billet de cent dollars supplémentaire. Au début, il est hésitant, mais je lui promets que c'est mon véhicule et qu'il n'y a rien d'illégal à désactiver un appareil de traçage. Ce sont les avocats véreux de ma femme qui ont enfreint la loi. Finalement, je vois une étincelle s'allumer dans son œil et il se range à mon point de vue.

J'ouvre le capot et, ensemble, nous passons la voiture au peigne fin. Ce faisant, je lui explique qu'il existe des dizaines d'appareillages différents, de toutes les formes et toutes les tailles, mais que la plupart sont fixés grâce à un puissant aimant. Selon le modèle, la pile peut durer des semaines, ou le dispositif peut être raccordé au système électrique du véhicule. Certaines antennes sont extérieures, d'autres sont intégrées.

— Comment savez-vous tout ça ? me demande-t-il, allongé sur le dos, la tête sous le châssis, qu'il ausculte.

— Parce que j'en ai caché un dans la voiture de ma femme.

Il trouve ça marrant.

— Pourquoi vous n'avez pas cherché vous-même ? me lance-t-il.

— Parce que j'étais surveillé.

Nous fouillons une heure, sans rien trouver. Je commence à penser que ma voiture est exempte de mouchard, après tout, quand Denny démonte un petit panneau derrière le bloc du phare avant droit. Il est toujours allongé sur le dos, l'épaule coincée contre le pneu avant. D'un coup sec, il détache un objet et me le tend. Le boîtier étanche est de la taille d'un téléphone portable et moulé dans un plastique dur et noir. Je l'ouvre.

— Banco ! dis-je.

J'ai examiné en ligne une centaine de variantes et je n'ai jamais rien vu de tel, j'en conclus donc qu'il est d'origine officielle. Aucune marque, aucun signe distinctif, ni chiffres ni lettres.

— Joli travail, Denny.

Et je lui tends un billet de cent dollars.

— Je peux terminer le nettoyage, maintenant ?

— Bien sûr.

Je m'éloigne, le laissant à sa besogne. À côté de la station de lavage, il y a un petit centre commercial comprenant une dizaine de magasins bas de gamme. Je m'achète une tasse de décaféiné réchauffé et je m'assieds devant la vitrine en surveillant le parking. Un couple âgé en Cadillac se gare et entre d'un pas traînant dans un self-service chinois. Dès qu'ils sont à l'intérieur, je sors du café et je traverse le parking comme si je me dirigeais vers ma voiture. Derrière la Cadillac, je me baisse en vitesse et je colle le dispositif de traçage sous le fond du réservoir. Les plaques sont immatriculées dans l'Ontario – parfait.

Denny lave les vitres, en transpirant abondamment, plongé dans son travail. Je lui tapote sur l'épaule, ce qui le fait sursauter.

— Écoutez, Denny, c'est du beau travail, vraiment, mais il y a du nouveau. Il faut que je prenne la route.

Je sors une liasse de billets et j'en extrais trois de cent dollars. Il est confus, mais cela m'est égal.

— Comme vous voudrez, m'sieur, marmonne-t-il en contemplant l'argent.

— Faut que je me sauve.

Il retire un chiffon du toit de l'Audi.

— Bonne chance avec le divorce, m'sieur.

— Merci.

À l'ouest d'Orlando, je m'engage sur l'Interstate 75, plein nord en direction d'Ocala, puis je continue par Gainesville, avant d'entrer en Georgie, où je m'arrête à Valdosta pour la nuit.

Au cours des cinq derniers jours, mes déambulations me conduisent très au sud, à La Nouvelle-Orléans, très à l'ouest, à Wichita Falls, au Texas, et très au nord, à Kansas City. J'emprunte des autoroutes, des routes d'État, des routes de campagne et des nationales boisées. Je règle toutes mes dépenses en espèces, donc, à ma connaissance, je ne laisse aucune trace. J'effectue une dizaine de demi-tours, et je finis par me convaincre qu'il n'y a personne derrière moi. Mon périple s'achève à Lynchburg, en Virginie, où j'entre juste après minuit. Une fois encore, je paie une chambre de motel en liquide. Jusqu'à présent, seul un endroit a refusé de m'accueillir sans ma pièce d'identité. Je ne loge pas dans les Marriott ou les Hilton. Je suis fatigué de la route et impatient de me mettre au travail.

Le lendemain matin, je fais la grasse matinée, puis je roule une heure jusqu'à Roanoke, le dernier endroit où quiconque connaissant Max Baldwin s'attendrait à le trouver. Fort de cette certitude, et d'un nouveau visage, je suis convaincu de pouvoir circuler dans le plus complet anonymat au milieu des deux cent mille habitants. Le seul aspect gênant de ma stratégie, c'est ma voiture immatriculée en Floride. J'envisage d'en louer une autre avant de me raviser à cause des papiers. En fin de compte, cela s'avérera payant.

Je roule en ville un moment pour repérer le terrain : le centre, les vieux quartiers et les inévitables banlieues. Malcolm Bannister est venu à Roanoke en plusieurs occasions, notamment à dix-sept ans, quand il était footballeur au lycée. Winchester n'est qu'à trois heures au nord, par l'Interstate 81. Jeune avocat, Malcolm y est descendu à deux reprises pour recueillir des dépositions. La ville de Salem jouxte Roanoke, et Malcolm y a passé un week-end pour le mariage d'un ami. Ce mariage s'est achevé sur un divorce, comme celui de Malcolm ; après son incarcération, Malcolm n'a plus jamais eu de nouvelles de cet ami.

Je connais donc plus ou moins la région. Le premier motel que j'essaie appartient à une chaîne nationale et applique des règles assez strictes en matière d'enregistrement. La vieille ruse du portefeuille perdu ne me réussit plus, et on me refuse une chambre car je ne peux pas présenter de pièce d'identité. Pas de problème – il y a pléthore de motels à petit prix dans les parages. Je m'aventure vers la périphérie sud de Roanoke et je me retrouve dans un quartier moins aisé de Salem, où j'en repère un qui propose sans doute des chambres à l'heure. Ici, les liquidités seront bienvenues. J'opte pour un tarif journalier de quarante dollars et je raconte à la vieille femme de la réception que je séjournerai quelques jours. Elle n'est pas trop aimable, et il me vient à l'idée qu'elle possédait peut-être déjà cet endroit à l'époque glorieuse où l'on refusait les Noirs. Il fait 32 degrés, et je lui demande si la climatisation fonctionne. Des appareils tout neufs, me répond-elle fièrement. Je fais le tour pour aller me garer sur l'arrière, juste en face de ma chambre et loin de la rue. Les draps et les sols sont propres. La salle de bains est impeccable. La toute nouvelle clim, à la fenêtre, ronronne gentiment, et lorsque je décharge ma voiture, la température est redescendue au-dessous de 21 degrés. Je m'étends sur le lit et je me demande combien de prostituées ont débarqué ici en totale illégalité. Je pense à Eva, la Portoricaine, et comme ce serait agréable de la serrer une fois encore contre moi. Puis je songe à Vanessa Young et à ce que ça me fera de la toucher enfin.

À la nuit tombée, je vais manger une salade dans un fast-food. J'ai perdu une petite dizaine de kilos depuis que j'ai quitté Frostburg, et je suis déterminé à continuer sur cette voie, en tout cas pour le moment. En quittant le restaurant,

224

j'aperçois les éclairages du stade et je décide d'aller voir un match. Je roule jusqu'au Memorial Stadium, l'antre des Salem Red Sox, membre de la Classe High-A de Boston ; ils jouent contre les Hillcats de Lynchburg, devant un joli public. Pour six dollars, je me paie une place dans les gradins. Je m'achète une bière à un stand et je m'imprègne des images et des sons du match.

Tout près de moi, il y a un père avec ses deux fils, des joueurs de tee-ball, j'imagine, âgés de pas plus de six ans, en maillot et casquette des Red Sox. Je pense à Bo et à toutes les heures que nous avons consacrées à jouer dans le jardin, pendant que Dionne buvait un thé glacé. Cela me paraît hier, quand nous étions encore tous ensemble, une petite famille avec de grands rêves et un avenir. Bo était si petit et si mignon, et son père était son héros. Dès que Bo a eu cinq ans, j'ai essayé de faire de lui un batteur ambidextre. Puis les fédéraux sont entrés dans mon existence et l'ont ravagée. Un beau gâchis.

À part moi, tout le monde s'en moque. Je suppose que mon père, mon frère et ma sœur aimeraient me voir refaire ma vie, mais ce n'est pas leur priorité. Ils ont à se soucier de leurs propres existences. Une fois que vous êtes en prison, le monde estime que vous le méritez ; toute pitié s'évanouit. Si on sondait mes anciens amis et connaissances, je suis sûr qu'ils répondraient quelque chose de cet ordre : « Pauvre Malcolm, il a couché avec les mauvaises personnes, il a fait quelques impasses, il est devenu un peu rapace. Comme c'est tragique. » Tout le monde est prompt à oublier parce que tout le monde a envie d'oublier. La guerre contre le crime a besoin de victimes ; ce pauvre Malcolm a été fait prisonnier.

Je suis donc là, Max Reed Baldwin, seul, libre mais en cavale, à concocter un moyen de me venger tout en chevauchant dans le soleil couchant.

27.

Pour la sixième journée d'affilée, Victor Westlake buvait son premier café du matin tout en parcourant un bref rapport sur M. Max Baldwin. Leur informateur s'était volatilisé. Le traceur GPS avait finalement été récupéré sur une Cadillac Seville, propriété d'un couple âgé, des Canadiens, alors qu'ils déjeunaient à proximité de Savannah, en Georgie. Ils ne sauraient jamais qu'ils avaient été pistés par le FBI sur près de cinq cents kilomètres grâce aux technologies informatiques. Westlake avait sanctionné les trois agents de terrain assignés à la surveillance de la voiture de Baldwin. Ils l'avaient perdu à Orlando et avaient suivi la Cadillac vers le nord.

Baldwin n'utilisait ni son iPhone, ni ses cartes de crédit, ni son fournisseur d'accès Internet initial. L'autorisation d'espionnage émise par la cour sur ce terrain-là expirerait dans une semaine, et il n'y avait aucune chance qu'elle soit renouvelée. Il n'était ni suspect ni fugitif, et le tribunal répugnait à accorder de telles autorisations d'espionnage en profondeur visant un citoyen respectueux des lois. Son compte à la Suncoast affichait un solde de quatre mille cinq cents dollars. L'argent de la récompense avait pu être pisté tant qu'il était réparti et transféré d'un bout à l'autre de l'État de Floride ; ensuite, le FBI avait perdu sa trace. Baldwin avait viré cet argent si vite que les juristes du Bureau n'avaient pu soutenir le rythme avec leurs demandes de mandats de perquisition. Il avait effectué au moins huit retraits en espèces totalisant soixante-cinq mille dollars et également transféré quarante mille dollars vers un compte au Panamá. Westlake en concluait que le reste de l'argent se trouvait également offshore. Il finissait, bien à contrecœur, par respecter Baldwin et sa capacité à disparaître. Si le FBI était incapable de le retrouver, peut-être était-il en sécurité, après tout.

Si Baldwin parvenait à éviter d'utiliser ses cartes de crédit, son iPhone et son passeport, et de se faire arrêter, il demeurerait incognito longtemps. Les causeries en provenance du clan Rucker avaient cessé, et Westlake restait abasourdi qu'un gang de narcotrafiquants de Washington ait localisé Baldwin près de Jacksonville. Le FBI et le service des marshals enquêtaient de leur côté, mais, jusqu'à présent, pas le moindre indice.

Westlake rangea la note sur une pile de papiers et termina son café.

Je trouve le bureau de Beebe Security dans un immeuble non loin de mon motel. L'encart de l'annuaire vantait leurs vingt années d'expérience, un passé dans les forces de police, le dernier cri de la technologie, et ainsi de suite. La quasi-totalité des annonces de la section « Enquêtes privées » emploie le même langage, et je ne me souviens pas, lorsque je gare ma voiture, de ce qui m'a attiré chez Beebe. Peut-être était-ce le nom. Si la boîte ne me plaît pas, je retiendrai le nom suivant sur la liste.

Rien qu'à voir Frank Beebe marcher dans la rue, j'aurais tout de suite pu dire : « Voilà un détective privé. » Cinquante ans, la poitrine imposante avec une panse qui tire sur ses boutons de chemise, un pantalon en tergal, des bottes de cowboy à bout pointu, une tignasse de cheveux gris, la moustache de rigueur, et l'allure fanfaronne et supérieure d'un homme qui est armé et qui n'a peur de rien. Il ferme la porte de son bureau exigu.

— Que puis-je pour vous, monsieur Baldwin ?

— J'ai besoin de localiser quelqu'un.

— Quel type d'affaire ? demande-t-il en atterrissant sans ménagement dans son fauteuil directorial surdimensionné.

Le mur derrière lui est couvert de grandes photos et de certificats universitaires.

— Ce n'est pas vraiment une affaire. Il faut juste que je trouve ce type.

— Que ferez-vous après l'avoir trouvé ?

— Je lui parlerai. C'est tout. Il n'est pas question de mari adultère ou de débiteur défaillant. Je ne cherche pas d'argent, à me venger, rien de méchant. J'ai juste besoin de rencontrer ce type et d'en savoir plus à son sujet.

— Parfait, parfait.

Frank décapuchonne son stylo, prêt à prendre note.

— Parlez-moi de lui.

— Il s'appelle Nathan Cooley. Je crois qu'il se fait aussi appeler Nate. Trente ans, célibataire, à ce que je sais. Il vient d'une petite ville, Willow Gap.

— Je suis passé par Willow Gap.

— Aux dernières nouvelles, sa mère vit là-bas, mais je ne suis pas sûr que Cooley y soit encore. Il y a de ça quelques années, il s'est fait serrer dans une arnaque, une affaire de méthadone...

— Quelle surprise !

— ... et il a passé quelques années dans une prison fédérale. Son frère aîné a été tué dans une fusillade avec la police.

Frank griffonne à toute vitesse.

— Comment connaissez-vous ce type ?

— Disons que ça remonte à loin.

— Parfait, parfait.

Il sait quand poser des questions et quand laisser tomber.

— Que suis-je censé faire ?

— Écoutez, monsieur Beebe...

— Ce sera Frank.

— D'accord, Frank, je doute qu'il y ait beaucoup de types à la peau noire dans Willow Gap et aux alentours. Ça, plus le fait que je suis de Miami, avec des plaques de Floride sur une petite voiture allemande. Si je me montre et que je me mets à fouiner, à poser des questions, je n'irai probablement pas très loin.

— Vous vous feriez probablement tirer dessus.

— J'aimerais autant l'éviter. Donc, je me figure que vous pourriez effectuer le travail sans éveiller les soupçons. J'ai juste besoin de son adresse et de son numéro de téléphone, si possible. Le reste, ce serait tout bénef.

— Vous avez essayé l'annuaire ?

— Oui, et il y a pas mal de Cooley du côté de Willow Gap. Pas de Nathan. Si je passe quelques coups de fil au pif, je n'irai pas très loin non plus.

— Exact. Rien d'autre ?

— C'est tout. Assez simple.

— D'accord, je facture cent dollars de l'heure, plus les frais. Je vais me rendre à Willow Gap en voiture cette après-midi. C'est à peu près à une heure d'ici, dans la cambrousse.

— C'est ce que j'ai entendu dire.

Le premier jet de ma lettre contient ce qui suit :

Cher monsieur Cooley,

Je m'appelle Reed Baldwin et je suis réalisateur de documentaires, à Miami. Avec mes deux associés, je possède une société de production, Skelter Films. Nous sommes spécialisés dans les documentaires qui traitent des abus de pouvoir du gouvernement fédéral.

Mon projet actuel concerne une série de meurtres de sang-froid perpétrés par des agents de la Drug Enforcement Administration. Ce sujet me tient à cœur parce qu'il y a trois ans mon neveu de dix-sept ans a été abattu par deux agents à Trenton, dans le New Jersey. Il n'était pas armé et n'avait pas de casier judiciaire. Bien sûr, une enquête interne n'a mis en évidence aucun manquement de la part de la DEA. Ma famille a été déboutée de la plainte qu'elle a déposée.

Dans mes recherches pour ce film, je crois avoir découvert un complot qui remonte aux plus hauts échelons de la DEA. Je crois que certains agents sont encouragés à exécuter les dealers, ou d'éventuels dealers. Le but est double : premièrement, de tels meurtres, à l'évidence, font cesser l'activité criminelle ; deuxiè-mement, ils évitent d'interminables procès. La DEA tue les gens au lieu de les arrêter.

À ce jour, j'ai découvert à peu près une dizaine de ces meurtres suspects. J'ai interrogé plusieurs familles, et elles ont toutes le sentiment très net que leurs proches ont été assassinés. Cela m'amène à vous : je connais les faits élémentaires relatifs à la mort de votre frère, Gene, en 2004. Au moins trois agents de la DEA étaient impliqués dans la fusillade, et, comme toujours, ils ont prétendu agir en légitime défense. Je crois que vous étiez sur les lieux au moment des tirs.

Laissez-moi la possibilité de vous rencontrer, de vous inviter à déjeuner et de vous exposer mon projet. Je suis actuellement à Washington, mais je peux laisser ce qui m'occupe ici et me rendre dans le sud-ouest de la Virginie, à votre convenance. Mon numéro de téléphone portable est le 305 806 1921.

Je vous remercie du temps que vous voudrez bien m'accorder.

Sincèrement,

M. Reed Baldwin

La pendule ralentit considérablement à mesure que les heures s'égrènent. Je pars pour une longue route vers le sud, par l'Interstate 81, et je dépasse Blacksburg, site du Georgia Tech, puis Christiansburg, Radford, Marion et Pulaski. C'est un terrain montagneux et une jolie route, mais je ne suis pas là pour faire du tourisme. Il se peut que j'aie besoin de visiter une de ces villes, dans un proche avenir, et donc je repère les aires routières, les motels et les fast-foods proches de l'Interstate. Le trafic des poids lourds est dense, il y a là des automobiles venues de dizaines d'États et personne ne me remarque. À l'occasion, je quitte la quatre-voies et je m'aventure dans la profondeur des collines en traversant de petites bourgades sans m'arrêter. Je découvre Ripplemead, population de cinq cents habitants, le hameau le plus proche du bungalow de bord de lac où le juge Fawcett et Naomi Clary ont été assassinés. Ensuite, je me replie vers Roanoke. Les projecteurs sont allumés ; les Red Sox jouent de nouveau.

Je m'achète un billet et j'avale un hot dog et une bière en guise de dîner.

Frank Beebe m'appelle à 8 heures, le lendemain matin, et, une heure plus tard, je suis à son bureau. Pendant qu'il me sert le café, il m'informe, sur un ton neutre :

— Je l'ai trouvé dans la ville de Radford, une ville universitaire d'environ seize mille habitants. Il est sorti de prison voilà quelques mois, il a vécu chez sa mère pendant un temps avant de déménager. J'ai parlé à la mère, une vieille femme pas commode, et elle m'a indiqué qu'il avait acheté un bar à Radford.

Je suis curieux, alors je lui pose la question.

— Comment l'avez-vous amenée à parler ?

Frank rit en allumant une autre cigarette.

— Ça, Reed, c'est la partie la plus facile. Quand vous êtes dans le métier depuis aussi longtemps que moi, vous savez toujours débiter les conneries qui amènent les gens à vous parler. Je me suis imaginé que sa mère conservait une sainte frousse du système carcéral, alors je lui ai expliqué que j'étais un agent d'une prison fédérale et que j'avais besoin de causer avec son garçon.

— N'y a-t-il pas usurpation de l'identité d'un fonctionnaire ?

— Que nenni, un agent de prison fédéral, cela n'existe pas. Elle n'a pas demandé ma carte d'identité, et, si elle l'avait fait, je lui en aurais fourni une. Je garde tout un paquet de cartes. Je peux me changer en n'importe quel agent fédéral, n'importe quel jour. Vous seriez sidéré de voir combien il est facile de tromper son monde.

— Vous êtes allé à ce bar ?

— J'y suis allé, mais je ne suis pas entré. J'aurais fait tache. Il est juste derrière le campus de l'université de Radford et sa clientèle est beaucoup plus jeune que moi. Il s'appelle le Bombay's et il existe depuis un bout de temps. Selon les dossiers de la ville, il a changé de mains le 10 mai de cette année. Le vendeur était un certain Arthur Stone, et votre garçon, Nathan Cooley, était l'acheteur.

— Où vit-il ?

— Je n'en sais rien. Rien dans les registres du cadastre. Je suspecte qu'il loue. Mince, il se pourrait bien qu'il couche au-dessus du bar. C'est un vieux bâtiment sur deux niveaux. Vous n'allez pas là-bas, non ?

— Non.

— Bien. Vous êtes trop âgé et trop noir. La clientèle est entièrement blanche.

— Merci. Je le rencontrerai ailleurs.

Je verse six cents dollars en liquide à Frank Beebe, et, en repartant, je lui pose une dernière question :

— Dites, Frank, si j'avais besoin d'un passeport, vous auriez une idée ?

— Bien sûr. Il y a à Baltimore un type auquel j'ai déjà fait appel, il traite quasiment tout. Mais les passeports, à l'heure actuelle, c'est délicat, avec la Sécurité intérieure et tout le merdier. S'ils vous attrapent, ça les met vraiment en rogne.

Je lui souris.

— Ce n'est pas pour moi.

Ma voiture chargée, je quitte la ville. Quatre heures plus tard, je suis à McLean, en Virginie, à la recherche d'une boutique de photocopie. J'en trouve une dans un centre commercial assez classe, je paie un droit de raccordement, et je branche mon ordinateur portable sur une imprimante. Au bout de dix minutes de manipulations et de bidouillages, je parviens à faire marcher cette foutue machine et à imprimer la lettre à Nathan Cooley. Elle est sur papier à en-tête de Skelter Films, avec une adresse sur la VIIIe Avenue à Miami, et tout un assortiment de numéros de téléphone et de télécopie. Sur l'enveloppe, j'inscris : « M. Nathan Cooley, Bombay's Bar & Grill, 914 East Main Street, Radford, Virginie 24141 ». À gauche de l'adresse, j'écris, en lettres capitales : « PERSONNEL ET CONFIDENTIEL ».

Quand c'est terminé, je traverse le Potomac et je pénètre dans le centre du district de Columbia, en quête d'un bureau de poste et d'une boîte aux lettres extérieure.

28.

Quinn Rucker tourna le dos aux barreaux, glissa les mains entre eux et joignit les poignets. Le shérif adjoint lui mit les menottes pendant qu'un autre ouvrait la porte de la cellule. Ils l'escortèrent vers une zone de détention exiguë, où trois agents du FBI les attendaient. De là, ils le conduisirent par une porte dérobée jusqu'à un 4 × 4 noir aux vitres teintées, surveillé par d'autres gardes armés. Dix minutes plus tard, ils arrivèrent avec toute leur escorte à la porte arrière de l'immeuble fédéral, où on l'introduisit promptement avant de lui faire gravir deux étages.

Ni Victor Westlake, ni Stanley Mumphrey, ni aucun autre juriste présent dans la salle n'avaient déjà pris part à pareille réunion. Jamais le prévenu n'avait été transféré ici pour une banale conversation. Si la police avait besoin de parler à l'accusé, elle le faisait à la prison. Si sa comparution devant la cour était nécessaire, le juge ou le magistrat convoquait une audience.

Quinn fut conduit dans la petite salle de réunion, où on lui retira les menottes. Il serra la main à son avocat, Dusty Shiver, qui, naturellement, devait être présent, sans savoir au juste quel était l'objet de cette entrevue. Il avait averti les fédéraux que son client n'ouvrirait pas la bouche tant que lui, Dusty, ne l'y aurait pas autorisé.

Quinn était incarcéré depuis quatre mois, et il n'allait pas bien. Pour des raisons connues de ses seuls gardiens, il était confiné en cellule d'isolement. Il entretenait un minimum de contacts avec ses geôliers. La nourriture était épouvantable et il maigrissait. Il prenait des antidépresseurs et dormait quinze heures par jour. Souvent, il refusait de voir les membres de sa famille, ou même Dusty. Une semaine, il exigeait de plaider coupable en échange de la perpétuité ; la semaine suivante, il réclamait un procès. Il avait viré Dusty deux fois, pour le réengager quelques jours plus tard. À l'occasion, il admettait avoir tué le juge Fawcett et son amie, pour invariablement se rétracter et accuser l'administration de droguer ses aliments. Il avait menacé les gardes en leur promettant la mort et celle de leurs enfants, pour aussitôt leur présenter ses excuses éplorées.

Victor Westlake était chargé de piloter la rencontre.

— Venons-en au fait, monsieur Rucker, commença-t-il. Nous savons de source sûre que vous-même et l'un de vos complices au sein de votre association de malfaiteurs désirez supprimer l'un de nos témoins.

Dusty posa la main sur le bras de son client.

— Pas un mot. Ne parlez pas sans mon accord.

Quinn sourit à Westlake, comme si tuer un témoin œuvrant pour le ministère public serait un plaisir rare.

Westlake poursuivit :

— Le but de ce petit entretien est de vous prévenir, monsieur Rucker, que, s'il est fait du mal à l'un de nos témoins, vous vous exposerez à des charges supplémentaires. Et pas seulement vous : nous nous en prendrons à tous les membres de votre famille.

Quinn se fendit d'un grand sourire.

— Alors comme ça, Bannister s'est barré, hein ? laissa-t-il échapper.

— Bouclez-la, Quinn ! lui ordonna Dusty Shiver.

— Je n'ai pas à la boucler. J'ai appris que Bannister a quitté le chaud soleil de la Floride.

— Fermez-la, Quinn ! gronda de nouveau son avocat.

— Vous lui avez filé une nouvelle tête, sans doute un nouveau nom... la totale, quoi, continua Rucker.

Stanley Mumphrey intervint :

— Quinn, si vous faites du mal à l'un de nos témoins, nous engagerons des poursuites contre Dee Ray, Tall Man, plusieurs de vos cousins, tous ceux à qui nous pourrons coller une inculpation. Tout le monde.

— Vous n'avez pas des témoins, riposta Quinn. Vous en avez un et un seul : Bannister.

Shiver leva les mains en l'air et se tassa sur son siège.

— Je vous conseille de la boucler, Quinn.

— J'ai entendu ! J'ai entendu !

Westlake réussit à dévisager le prévenu en conservant un air sévère, mais il était stupéfait. Le but de cette entrevue était d'intimider Quinn Rucker, pas de faire peur au gouvernement des États-Unis. Comment diable avaient-ils réussi à débusquer Bannister en Floride et à savoir qu'il avait filé ? Pour Westlake et ses assistants, ce fut un moment glaçant. S'ils réussissaient à retrouver l'informateur, ils lui tomberaient dessus.

— Toute votre famille pourrait encourir une inculpation de meurtre, insista lourdement Mumphrey en tâchant de se donner des airs intraitables.

Quinn se contenta de sourire. Il cessa de parler et croisa les bras.

Il faut que je voie Vanessa Young. Une rencontre comporte un élément de risque : le simple fait d'être repérés ensemble par les mauvaises personnes soulèverait des questions auxquelles je ne suis pas prêt à répondre. Mais une rencontre est inévitable, et ce depuis plusieurs années.

Je l'avais aperçue, à Frostburg, par une journée de neige où beaucoup de visiteurs n'avaient pu faire la route. Je parlais à mon père, Henry, quand elle était entrée et s'était assise à la table voisine. Elle était là pour rendre visite à son frère. Elle était superbe, le début de la quarantaine, une peau douce et brune, de beaux yeux tristes, de longues jambes et un jean moulant. La totale. Je ne pouvais détacher mes yeux de cette vision.

— Tu veux que je m'en aille ? m'avait finalement proposé Henry.

Bien sûr que non, parce que s'il repartait, mon heure de visite serait terminée. Plus il resterait, plus je pourrais contempler Vanessa. Assez vite, elle avait à son tour posé les yeux sur moi, et nous n'avions pas tardé à échanger des regards lourds de sens. L'attirance était réciproque ; au début tout au moins.

Il y avait néanmoins certains points de friction. Primo, mon incarcération ; deuzio, son mariage, qui, s'avérait-il, avait viré au désastre. Je comptais sur son frère pour m'informer, mais il préférait rester en dehors de tout ça. Nous nous étions envoyé quelques lettres, malgré sa peur de se faire surprendre par son mari. Elle avait essayé de venir plus souvent en visite, afin de nous voir tous les deux, son frère et moi, mais elle avait deux ados qui lui compliquaient l'existence. Après la conclusion de son divorce, elle était sortie avec d'autres hommes, sans que cela fonctionne. Je l'avais suppliée de m'attendre ; malheureusement, sept ans, quand vous en avez quarante et un, c'est long. Lorsque ses gamins avaient quitté le domicile familial, elle s'était installée à Richmond, en Virginie, et notre idylle à longue distance avait perdu de son élan.

À cause de son passé, Vanessa est extrêmement prudente et toujours sur ses gardes. Nous avons au moins cela en commun. En utilisant des boîtes mail cryptées, nous réussissions à convenir d'une heure, d'une date et d'un lieu. Je la préviens que je ne ressemble plus au Malcolm Bannister qu'elle a rencontré en prison. Elle me répond qu'elle va tenter sa chance. Elle est impatiente de découvrir la nouvelle version améliorée.

Quand je me gare devant le restaurant, dans une banlieue de Richmond, je suis atteint d'un méchant trac. Je me sens vraiment comme une loque, parce que je suis enfin sur le point de toucher la femme dont j'ai rêvé depuis presque trois ans. Je sais qu'elle a envie de ce contact charnel, elle aussi, mais le type qui l'attirait tant a complètement changé d'allure. Et si elle n'approuvait pas ? Si elle préférait Malcolm à Max ? Moi, je suis troublé à l'idée de passer du temps avec la seule personne, en dehors des fédéraux, qui sache qui sont ces deux hommes.

J'éponge la transpiration sur mon front et je songe à m'en aller. Puis je sors.

Elle est à une table, je m'approche à petits pas prudents, je manque trébucher... et elle sourit d'un air approbateur. Je l'embrasse délicatement sur la joue, je m'assieds, et, pendant un long moment, nous nous contentons de nous regarder.

— Alors, qu'est-ce que tu en penses ? dis-je enfin.

Elle secoue la tête.

— Assez incroyable. Je ne t'aurais jamais reconnu. Tu as une pièce d'identité ?

Nous rions tous les deux.

— Bien sûr, mais elle est complètement fausse. Désormais je suis Max, plus Malcolm.

— Tu as minci, Max.

— Merci, toi aussi.

J'ai entrevu ses jambes, sous la table ; jupe courte, talons aiguilles super lookés – elle s'est choisi une tenue de combat.

— Lequel des deux préfères-tu ?

— Eh bien, j'imagine que je n'ai plus le choix, maintenant, n'est-ce pas ? Je te trouve mignon, Max. J'aime bien ta nouvelle version, l'ensemble. Les lunettes de créateur, c'était l'idée de qui ?

— Mon coach, le même type qui a suggéré le crâne rasé et la barbe de quatre jours.

— Plus j'en vois, plus ça me plaît.

— Dieu merci ! J'avais les nerfs en pelote.

— Relax, bébé. On est partis pour une longue soirée.

Le serveur vient prendre nos commandes de boissons – un martini pour moi, un Coca light pour elle. Il y a quantité de choses dont je n'ai pas envie de discuter, en l'occurrence ma sortie de prison inopinée et la protection des témoins. Le frère auquel elle rendait visite en prison a été libéré mais il est déjà retourné derrière les barreaux, et nous le laissons en dehors de la conversation. Je la questionne sur ses enfants, une fille qui a vingt ans et qui est en fac, et un fils de dix-huit qui est à la dérive.

Alors que je lui parle, elle m'interrompt :

— Tu t'exprimes même différemment.

— Tant mieux. Je m'entraîne depuis quelques mois à ce nouveau phrasé : élocution beaucoup plus lente et voix plus grave. Ça te semble authentique ?

— Je crois. Oui, ça fonctionne.

Elle me demande où je vis, et je lui explique que je dois encore me trouver un toit. Je bouge, en essayant d'éviter de me faire pister par le FBI et les autres. Je ne suis pas un fugitif, sans être exactement hors de danger. Notre dîner arrive, mais nous le remarquons à peine.

— Tu fais beaucoup plus jeune, relève-t-elle. Je devrais peut-être aller le voir, ton chirurgien esthétique.

— Je t'en prie, ne change rien.

Je lui parle de ce qu'on a transformé chez moi – surtout les yeux, le nez et le menton. Je l'amuse en lui décrivant les réunions avec mon équipe chirurgicale et les efforts déployés pour me concevoir un nouveau visage. Je me suis aussi allégé d'une dizaine de kilos et elle estime que j'aurais besoin d'en reprendre quelques-uns. Maintenant que nous avons moins le trac, nous nous détendons et nous parlons comme un couple de vieux amis. Le serveur nous demande si nos plats nous conviennent, car nous y avons à peine touché. Nous abordons toute une série de sujets, mais, au fond, nous pensons à la même chose.

— Filons d'ici, lui dis-je finalement.

À peine ai-je prononcé ces mots qu'elle tend la main vers son sac. Je paie notre dîner en espèces et nous voilà dehors, sur le parking. Je n'aime pas l'idée d'aller à son appartement, et elle est d'accord. C'est assez petit et meublé de façon sommaire, me précise-t-elle. Nous choisissons un hôtel que j'ai repéré plus loin dans la rue, et je commande une bouteille de champagne. Deux gamins le soir de leur nuit de noces ne pourraient pas y mettre autant d'énergie que Vanessa et moi. Nous avons tant de chemin à faire, tant de choses à rattraper.

29.

Pendant que Vanessa est à son travail, je fais quelques courses dans Richmond. Dans un magasin, je dépense soixante-dix dollars pour m'acheter un téléphone portable d'entrée de gamme, avec cent minutes de communication prépayées, et, dans un autre, je m'achète le même téléphone avec un abonnement à soixante-huit dollars. Je donnerai celui-ci à Vanessa et je conserverai le premier. Je me procure un stock de cartes de débit prépayées. J'ai rendez-vous avec un homme qui possède une boutique d'appareils photo et qui se veut vidéaste, mais ses tarifs sont très élevés. Si j'ai de la chance, et si j'obtiens cette interview avec Cooley, il va me falloir deux personnes – un cameraman et un homme à tout faire. Ce type me répond qu'il travaille avec son équipe entière ou pas du tout.

Vanessa et moi déjeunons d'un sandwich chez un traiteur, non loin de son bureau. Pour le repas de ce soir, nous choisissons un bistro du quartier de Carytown, dans Richmond. Chose remarquable et merveilleuse, notre séance d'après-dîner est en tous points similaire à celle de la nuit précédente, et dans la même chambre d'hôtel. Il pourrait s'agir là d'un début d'habitude. Malheureusement, nos projets pour la troisième nuit sont contrecarrés par l'appel de son fils. Il passe en ville et il a besoin d'un endroit où dormir. Elle suppose qu'il aura aussi besoin d'un peu d'argent.

Nous terminons de dîner quand le téléphone portable vibre dans ma poche. L'identité de l'appelant affiche

« Inconnu », mais tous les appels vers ce téléphone sont « inconnus ». M'attendant à une grande nouvelle, je prie Vanessa de m'excuser, et je m'éloigne de la table. Dans le vestibule du restaurant, je prends l'appel. J'entends une voix vaguement familière.

— Monsieur Reed Baldwin, ici Nathan Cooley. J'ai reçu votre lettre.

Je me répète mentalement de parler avec lenteur et d'une voix grave.

— Oui, monsieur Cooley, merci de me rappeler.

Bien sûr qu'il a reçu ma lettre – sinon, comment aurait-il mon numéro de téléphone ?

— Quand voulez-vous que nous nous parlions ? me demande-t-il.

— À votre convenance. Je suis à Washington, pour l'instant, et nous avons achevé le tournage aujourd'hui. J'ai un peu de temps devant moi, donc là, tout de suite, ce serait parfait. Et pour vous ?

— Je suis coincé ici. Comment est-ce que vous m'avez trouvé ?

— Sur Internet. C'est difficile de se cacher, de nos jours.

— J'imagine. D'ordinaire, je dors tard, puis je travaille au bar de 14 heures à minuit.

— Que diriez-vous d'un déjeuner demain ? Rien que nous deux, sans caméra ni magnéto, rien de tout ça. C'est moi qui invite.

Un silence. J'ai parlé avec un peu trop d'empressement et je retiens mon souffle.

— C'est bon, je pense. Où ?

— On sera sur vos terres, monsieur Cooley. À vous de choisir l'heure et le lieu.

— D'accord, à la sortie Radford de l'Interstate 81, il y a un endroit qui s'appelle Spanky's. Je vous retrouve là-bas demain à midi.

— Entendu.

— Comment vous reconnaîtrai-je ? me demande-t-il, et j'en laisse presque tomber mon téléphone.

240

La question de l'identification est bien plus délicate que je ne l'avais jamais imaginé. Je me suis soumis à une opération qui a radicalement modifié mon visage. Je me rase le crâne un jour sur deux et la barbe une fois par semaine. Je me suis privé pour maigrir de neuf kilos. Je porte des lunettes rondes en écaille rouge, des T-shirts noirs, des blousons sport en faux Armani, et des espadrilles que l'on ne trouve qu'à Miami et à Los Angeles. J'ai un autre nom. J'ai changé de voix et d'élocution.

Et toute cette comédie a été soigneusement montée de toutes pièces non pas pour égarer ceux qui cherchent à me suivre ou à me tuer, mais pour vous dissimuler ma véritable identité, à vous, monsieur Nathan Cooley.

— Je mesure un mètre quatre-vingt-deux, je suis noir, mince, j'ai le crâne lisse et je porterai un chapeau de paille blanc, style panama.

— Vous êtes noir ? lâche-t-il.

— Eh oui. C'est un problème ?

— Non. À demain.

Je retourne à la table, où Vanessa m'attend avec impatience.

— C'est Cooley. On se rencontre demain, lui dis-je à voix basse.

Elle sourit.

— Vas-y, tente le coup, me conseille-t-elle.

Nous finissons de dîner et nous disons au revoir à contre-cœur. À l'extérieur du restaurant, nous nous embrassons et nous conduisons comme deux adolescents. Sur toute la route de Roanoke, je pense à elle.

J'arrive un quart d'heure en avance et je me gare afin de pouvoir surveiller les véhicules quand ils s'engagent sur le parking du Spanky's. La première chose que j'apercevrai, ce sera sa voiture, ou son 4×4 – le genre d'élément qui en dit long. Il y a six mois, il était en prison, où il a purgé un peu plus de cinq années de détention. Il n'a pas de père, sa mère est alcoolique, et il a quitté le lycée en seconde, donc le choix de son véhicule sera instructif. En discutant avec lui, je prévois de noter dans ma tête tout ce que je pourrai repérer – vêtements, bijoux, montre, téléphone portable.

Avec l'affluence de l'heure du déjeuner, il y a déjà plus de passage. À midi et trois minutes arrive un pick-up Chevrolet Silverado gris clair métallisé flambant neuf. Nathan Cooley est au volant. Il se gare à l'autre bout du parking et se dirige vers l'entrée en jetant un coup d'œil autour de lui, l'air tendu.

Cela fait quatre ans que je ne l'ai plus revu. Il n'a pas tellement changé : même poids, mêmes cheveux blonds hirsutes, bien qu'à une période, en prison, il se soit rasé la tête. Il vérifie deux fois les plaques de Floride sur mon véhicule, puis il entre. Je respire à fond, je me plante mon panama sur le crâne, et je me dirige vers la porte. Je me répète : « Reste calme, espèce d'idiot », alors que j'ai les intestins noués. Il va me falloir une main ferme et des nerfs d'acier.

Nous nous retrouvons à l'intérieur du vestibule et nous échangeons quelques plaisanteries. Je retire mon chapeau et nous suivons l'hôtesse vers un box dans le fond. Nous sommes assis à table, face à face, et nous causons de la météo. Les premiers instants, je suis un peu désarçonné par ma propre ruse. Nathan s'adresse à un inconnu, alors que, moi, je m'adresse à un gamin que j'ai très bien connu. Il n'a pas du tout l'air soupçonneux : il ne scrute ni mes yeux ni mon nez ; pas de coups d'œil de travers, pas de haussement de sourcils, pas de regards distants quand il entend le timbre de ma voix. Et, heureusement, pas de « vous me rappelez un peu un type que j'ai connu ». Rien... jusqu'à présent.

J'annonce à la serveuse que j'ai vraiment envie d'une bière, une grande pression. Nathan hésite avant de commander la même chose. Le succès de cette mission risquée pourrait bien dépendre de l'alcool. Nathan a fréquenté l'alcool depuis son plus jeune âge et a été accro à la méthadone. Pendant ses cinq années en prison, il est resté clean et n'a pas touché à une goutte d'alcool. Maintenant qu'il est dehors, je suppose qu'il a renoué avec ses vieilles habitudes. Le fait qu'il possède son propre bar en est un bon indice.

Pour un cul-terreux à qui personne n'a jamais appris à s'habiller, il a une tenue correcte. Jean délavé, chemisette de golf Coors Light qu'un commercial lui a laissée en cadeau d'affaires, et des rangers. Ni bijoux ni montre, juste un immonde tatouage de prisonnier à l'intérieur de l'avant-bras gauche. Bref, Nathan n'étale pas son argent.

La bière arrive et nous trinquons.

— Parlez-moi de ce film, commence-t-il.

Respectant mes habitudes, je hoche la tête, je marque un temps de silence, je me répète de parler lentement, avec clarté, de la voix la plus grave possible.

— Je réalise des documentaires depuis dix ans maintenant, et c'est le projet le plus passionnant que j'aie jamais vu.

— Attendez, monsieur Baldwin, un documentaire, qu'est-ce que c'est, au juste ? Je regarde des films et tout, mais des documentaires, je ne crois pas trop en avoir vu.

— En général, ce sont des films courts, des productions indépendantes des grands studios que vous ne verrez pas dans les grandes salles de cinéma. Ce ne sont pas des films commerciaux. Ils parlent de personnes réelles, de problèmes réels, de questions réelles, sans stars et le reste. C'est du vrai bon matériel. Les meilleurs remportent des récompenses dans des festivals et attirent un peu l'attention, mais ils ne rapporteront jamais beaucoup d'argent. Ma compagnie se spécialise dans les films qui traitent des abus de pouvoir, surtout ceux commis par le gouvernement fédéral, mais aussi par des grandes entreprises.

Je bois une gorgée de ma bière, me répète de ralentir le débit.

— La plupart de ces documentaires durent une heure. Celui-ci pourrait aller jusqu'à quatre-vingt-dix minutes, mais nous déciderons de cela plus tard.

La serveuse est de retour. Je commande un sandwich au poulet et Nathan un panier d'ailes de volaille grillées. Je lui demande :

— Comment êtes-vous devenu propriétaire d'un bar ?

Il avale une gorgée, sourit, me répond :

— Un ami. Le type qui possédait cet établissement était en train de couler, pas à cause du bar, mais à cause d'autres affaires qu'il avait. Rattrapé par la récession, je pense. Donc il essayait de se débarrasser du Bombay's. Il cherchait un type assez bête pour reprendre l'activité et régler les dettes, et moi, j'ai pensé : zut, pourquoi pas ? J'ai que trente ans, pas de métier, pas de perspectives, pourquoi ne pas tenter ma chance ? Enfin, bon, jusqu'à présent, de l'argent, j'en gagne. C'est assez marrant. J'ai des tas d'étudiantes qui viennent traîner là.

— Vous n'êtes pas marié ?

— Non. J'ignore ce que vous savez sur moi, monsieur Baldwin, mais je viens de finir de purger une peine de cinq années de prison. Grâce au gouvernement fédéral, des fiancées, j'en ai pas eu beaucoup, récemment. Je suis de nouveau dans le coup depuis pas longtemps. Vous voyez ce que je veux dire ?

— Bien sûr. Cette peine de prison est survenue à la suite de cet incident où votre frère a été tué, exact ?

— Vous savez tout. J'ai plaidé coupable et je m'en suis tiré avec cinq ans. Mon cousin est encore en prison, au Big Sandy, dans le Kentucky, un sale endroit. La plupart de mes cousins sont soit sous les verrous, soit morts. C'est une des raisons qui m'ont poussé à m'installer à Radford, monsieur Baldwin, pour me sortir du commerce de la drogue.

— Je vois. Je vous en prie, appelez-moi Reed. Monsieur Baldwin, c'est bon pour mon père.

— OK. Et moi, c'est Nathan, ou Nate.

Nous trinquons de nouveau, comme si nous étions subitement beaucoup plus proches. En prison, nous l'appelions Nattie.

— Parlez-moi de votre compagnie de films, reprend-il.

Je m'y attendais, mais cela reste quand même un terrain miné. Je bois une gorgée, que j'avale lentement.

— Skelter est une toute nouvelle société située à Miami, rien que deux associés et moi, plus le personnel. Pendant des années, j'ai travaillé pour une plus grosse société, à Los

Angeles, une structure qui s'appelait Cove Creek Films, vous en avez peut-être entendu parler.

Il n'en a pas entendu parler. Il se contente de lancer un regard sur le derrière d'une jeune serveuse aux courbes généreuses.

— Quoi qu'il en soit, dans cette activité, Cove Creek a remporté des tonnes de récompenses et gagné des sommes assez honorables, puis, l'an dernier, la société a éclaté. Une grosse bagarre autour de la maîtrise de la création et du choix des projets à venir. Nous sommes encore en plein dans un litige assez sanglant qui m'a l'air de vouloir se prolonger des années. Je suis sous le coup d'une injonction d'une cour fédérale de Los Angeles qui m'interdit même de parler de Cove Creek ou de cette procédure. Dingue, hein ?

Je suis soulagé de constater que Nathan se désintéresse assez vite de ma société de production et de ses chicanes.

— Pourquoi vous êtes basé à Miami ?

— J'y ai travaillé il y a quelques années sur un film consacré à des fournisseurs bidon de l'armée et je suis tombé amoureux de cet endroit. Je vis à South Beach. Vous n'y êtes jamais allé ?

— Non.

Excepté les déplacements organisés par les U.S. marshals, Nathan ne s'est jamais aventuré à plus de trois cents kilomètres de Willow Gap.

— C'est un endroit branché. Plages magnifiques, filles superbes, vie nocturne déchaînée. J'ai divorcé il y a quatre ans, et je profite à nouveau de ma vie de célibataire. J'y passe à peu près la moitié de l'année. L'autre moitié, je suis sur la route, en train de filmer.

— Comment vous filmez un documentaire ? me demande-t-il avant de s'envoyer une gorgée de bière.

— C'est très différent d'un long métrage. En général, il n'y a que moi, avec un cameraman, peut-être un ou deux techniciens. La partie importante, c'est l'histoire, pas le décor ou le visage de l'acteur.

— Et vous voulez me filmer, moi ?

— Absolument. Vous, votre mère peut-être, et pourquoi pas aussi des membres de votre famille ? Je veux me rendre là où votre frère a été tué. Ce que je recherche, ici, Nathan, c'est la vérité. Je suis sur quelque chose, une affaire qui pourrait se révéler énorme. Si je peux prouver que la DEA supprime systématiquement des dealers, que ses agents les assassinent de sang-froid, nous devrions être en mesure de coincer ces enfoirés. Mon neveu tournait mal, il s'enfonçait de plus en plus dans le trafic du crack, mais ce n'était pas un dealer pur et dur. Stupide, oui, mais pas dangereux. Il avait dix-sept ans, il n'était pas armé, et il a été abattu de trois balles, à bout portant. Un pistolet volé a été abandonné sur les lieux, et la DEA prétend qu'il lui appartenait. Ce n'est qu'une bande de menteurs.

Le visage de Nathan se contracte lentement de colère, et il paraît avoir envie de cracher. Je continue :

— Le film exposera l'histoire de trois, peut-être quatre, de ces meurtres. Je ne suis pas sûr d'y inclure mon neveu, parce que je suis le cinéaste : sa mort me touche peut-être de trop près. J'ai déjà filmé l'histoire de Jose Alvarez, à Amarillo, au Texas, un ouvrier sans papiers de dix-neuf ans qui a été abattu de quatorze balles par des agents de la DEA. Le problème, c'est que, dans sa famille, personne ne parle l'anglais, et que les gens n'éprouvent pas beaucoup de sympathie envers les immigrés clandestins. J'ai filmé l'histoire de Tyler Marshak, un étudiant de Californie qui revendait de la marijuana. La DEA a déboulé dans sa chambre, à la résidence universitaire, comme une bande de brutes de la Gestapo, et ils l'ont abattu, dans son lit. Vous avez peut-être lu des articles là-dessus ?

Il n'en a lu aucun. Le Nathan Cooley que je connaissais jouait à des jeux vidéo pendant des heures, tous les jours, et ne jetait jamais un coup d'œil à un journal ou à un magazine. Il n'a pas non plus la curiosité de se renseigner sur Skelter Films ou Cove Creek.

— Quoi qu'il en soit, j'ai de superbes images tournées dans cette chambre, l'autopsie et les déclarations de sa famille, seulement, pour le moment, elle est pieds et poings liés par une procédure intentée contre la DEA. Je risque donc de ne pas pouvoir utiliser ces éléments.

Le déjeuner arrive et nous commandons d'autres bières. Nathan désosse ses ailes de poulet à belles dents.

— Pourquoi vous vous intéressez à l'affaire de mon frère ?

— Disons que je suis curieux. Je ne connais pas encore tous les faits. J'aimerais entendre votre version de ce qui est arrivé et revoir le déroulement de cette descente de police, sur les lieux du crime. Mes avocats ont déposé des requêtes dans le cadre du Freedom of Information Act en vue de se procurer les fichiers de la DEA et le dossier judiciaire. Nous allons éplucher ces documents, malheureusement il y a de grands risques pour que la DEA ait tout étouffé. En règle générale, c'est leur manière de procéder. Nous allons reconstituer les faits, méthodiquement. En même temps, nous verrons de quoi vous avez l'air quand on vous filme, vous et votre famille. Tout le monde ne passe pas bien à l'image, Nathan.

— Je doute que ma mère passe bien, me prévient-il.

— Nous verrons.

— Ça, j'en suis pas si sûr. Elle va sans doute refuser. Si vous évoquez quoi que ce soit concernant la mort de Gene, elle s'effondre.

Il se lèche les doigts et pioche une autre aile.

— Parfait. C'est cela que je veux saisir à l'image.

— C'est quoi vos délais, là ? On s'organiserait comment ?

Je croque une bouchée de mon sandwich et je mâche un petit moment tout en réfléchissant.

— Peut-être un an. Je voudrais terminer le tournage d'ici six mois, ensuite, nous devrons procéder au découpage, au montage, peut-être tourner de nouveau certaines séquences. On peut remanier un film à l'infini, et c'est difficile de lâcher prise. En ce qui me concerne, j'aimerais tourner une première série de séquences, peut-être trois ou quatre heures, et envoyer le contenu à mes producteurs et monteurs, à Miami. Qu'ils visionnent le tout, qu'ils vous entendent, se familiarisent un peu avec cette histoire et avec votre aptitude à la raconter. Si nous tombons d'accord, nous continuerons de tourner.

— Et l'intérêt, pour moi ?

— Aucun, à part la vérité et dénoncer les hommes qui ont tué votre frère. Pensez-y, Nathan. Vous n'aimeriez pas les voir inculpés de meurtre et traduits en justice, ces salopards ?

— Si, et pas qu'un peu.

Je me penche vers lui, l'air farouche, le regard incendiaire.

— Alors faites-le, Nathan ! Racontez-moi son histoire ! Vous n'avez rien à perdre et beaucoup à gagner. Parlez-moi du commerce de la drogue, racontez-moi comment il a détruit votre famille, comment Gene s'est fait prendre, pourquoi c'était purement et simplement une manière de vivre et de survivre, dans ces quartiers, parce qu'il n'y avait pas d'autres boulots. Vous n'avez pas à me fournir de noms – je ne veux créer d'ennuis à personne.

Je bois une gorgée et je vide ma seconde bière.

— Où était Gene, la dernière fois que vous l'avez vu ?

— Couché sur le sol, les mains dans le dos, ils le menottaient. Personne n'avait tiré un seul coup de feu. L'affaire était bouclée, la descente était terminée. J'étais menotté, on m'a emmené, et ensuite, j'ai entendu des coups de feu. Ils ont dit que Gene avait bousculé un agent et piqué un sprint dans les bois. Des conneries. Ils l'ont tué de sang-froid.

— Il faut me raconter cette histoire, Nathan. Il faut me ramener sur les lieux et me rejouer la scène. Le monde a besoin de savoir ce que le gouvernement fédéral fabrique dans sa guerre contre la drogue. Parce qu'il ne fait plus de quartier.

Il prend une profonde inspiration, une manière pour lui de surmonter ce moment. Je parle trop, et trop vite, aussi je me concentre quelques minutes sur mon sandwich. La serveuse demande si nous voulons une autre tournée de bières.

— Oui, une pour moi, dis-je.

Nathan m'imite aussitôt. Il finit une aile de poulet, se lèche de nouveau les doigts.

— Ma famille me cause des ennuis. C'est pour ça que j'ai pris mes distances et que je suis venu m'installer à Radford.

Je hausse les épaules, comme si c'était son problème, pas le mien, pourtant je ne suis pas surpris.

— Si vous collaborez avec nous, et si le reste de votre famille refuse, est-ce que ça vous causera davantage de soucis ?

Il éclate de rire.

— Les ennuis, chez les Cooley, c'est la norme. On est connus pour se disputer.

— Procédons comme suit. Signons un accord écrit, un document d'une page, déjà préparé par mes avocats, et dans un langage si simple que vous n'aurez pas besoin d'engager les vôtres, à moins que vous n'aimiez cracher votre fric. Cet accord stipulera que vous, Nathan Cooley, collaborerez pleinement à ce documentaire. En contrepartie, vous serez payé une somme forfaitaire de huit mille dollars, ce qui correspond au minimum requis pour les acteurs dans les projets de ce type. À intervalles réguliers, ou quand vous le souhaiterez, vous pourrez contrôler la progression du tournage, et – cet aspect est essentiel – si ce que vous voyez ne vous plaît pas, vous aurez le droit de vous retirer du projet et je n'aurai plus le droit de me servir de votre image. C'est un accord assez correct, Nathan.

Il hoche la tête en cherchant les failles éventuelles, mais Nathan n'est pas du genre à analyser vite. En plus, l'alcool lui brouille l'esprit. Et je le soupçonne de baver d'envie rien qu'au mot « acteur ».

— Huit mille dollars ? répète-t-il.

— Oui, comme je l'ai précisé, il s'agit de films à petit budget. Personne ne gagnera beaucoup d'argent.

Le point intéressant, en l'occurrence, c'est que j'ai mentionné la question financière avant qu'il l'ait abordée. Je rends l'offre plus alléchante en ajoutant un mot :

— En plus, en bout de course, vous pourrez un petit peu mettre la main au paquet.

La main au paquet... Nathan comprend sans doute autre chose. J'ajoute :

— Cela signifie que vous toucherez quelques dollars de plus si le film fait quelques entrées, mais je ne m'y attends guère. Vous ne vous lancez pas là-dedans pour l'argent, Nathan. Vous vous lancez là-dedans pour votre frère.

Son assiette est encombrée d'os de poulet. La serveuse nous apporte notre troisième tournée de bières et débarrasse les restes. Il est important de le pousser à parler, parce que je n'ai aucune envie qu'il se mette à réfléchir.

— Quel genre de type était-ce, Gene ?

Il hoche la tête, l'air au bord des larmes.

— C'était mon grand frère, vous voyez, quoi. Notre papa a disparu quand on était petits. Il y avait plus que Gene et moi.

Il me confie quelques histoires de leur enfance, des histoires marrantes où il est question de deux gamins qui essaient de survivre. Nous terminons notre troisième bière, nous commandons encore une tournée ; ensuite, promis, j'arrête.

À 10 heures le lendemain matin, Nathan et moi nous retrouvons dans un café de Radford. Il parcourt le contrat, me pose quelques questions et le signe. Je contresigne, en ma qualité de vice-président de Skelter Films, et je lui remets un chèque de huit mille dollars, payable sur un compte de la société à Miami.

— Quand est-ce qu'on commence ? me demande-t-il.

— Eh bien, Nathan, je suis ici et je n'en repars pas. Le plus tôt sera le mieux. Que diriez-vous de demain matin ?

— Bien sûr. Où ?

— J'y ai pensé. Nous sommes dans le sud-ouest de la Virginie, une région très montagneuse. En fait, cette terre, ici, est fortement liée à cette histoire. L'isolement des montagnes et ainsi de suite. Je crois que j'aimerais assez tourner en extérieur, du moins au début. Ensuite, nous pourrons toujours bouger. Vous vivez en ville ou à la campagne ?

— Je loue un logement juste à la sortie de la ville. Depuis mon jardin, j'ai une jolie vue sur les collines.

— Allons y jeter un œil. J'y serai à 10 heures demain matin avec une petite équipe. Nous effectuerons des essais de lumière.

— D'accord. J'ai parlé à ma mère, et elle a répondu :
« Pas question ! »

— Puis-je lui parler ?

— Rien ne vous empêche d'essayer, mais elle est assez
coriace. Elle n'apprécie pas trop l'idée que vous ou quelqu'un d'autre fasse un film sur Gene et notre famille. Elle
pense que vous allez nous présenter comme une bande de
bouseux de la montagne complètement ignorants.

— Lui avez-vous expliqué que vous aviez le droit de suivre
l'évolution du tournage et de son contenu ?

— J'ai essayé. Elle picolait.

— Désolé.

— Je vous revois demain matin.

30.

Nathan habite dans une petite maison en brique rouge, sur une route étroite, quelques kilomètres à l'ouest de Radford. Son plus proche voisin vit dans un mobile-home avec remorque, à peu près à huit cents mètres de là, en direction de la route à quatre voies. Sa pelouse est tondue de près et quelques arbustes sont alignés devant son étroite véranda. À notre arrivée, il est dehors en train de jouer avec son labrador à poil jaune. Nous nous garons dans l'allée, derrière son pick-up flambant neuf.

Mon équipe de cadors se compose de ma nouvelle assistante, Vanessa, que nous appellerons Gwen sur ce projet, et deux indépendants de Roanoke – Slade, le vidéaste, et son assistant, Cody. Slade se présente comme un réalisateur et opère depuis son garage. Il possède les caméras et le matériel, et il a tout à fait le physique de l'emploi – de longs cheveux attachés en catogan, un jean troué aux genoux, deux chaînes en or autour du cou. Cody est plus jeune et tout juste cradingue comme il faut. Leurs honoraires s'élèvent à mille dollars, plus les frais ; notre accord prévoit notamment qu'ils s'en tiennent à leurs fonctions et restent le plus discrets possible. Je leur ai promis de les payer en espèces et je n'ai fait aucune allusion à Skelter Films ou quoi que ce soit de cet ordre. Il peut s'agir d'un documentaire, ou il peut s'agir d'autre chose. Suivez mes consignes, c'est tout, et avec Nathan Cooley, n'entrez pas dans les détails.

Vanessa est arrivée à Radford hier soir ; nous avons logé dans un joli hôtel où nous nous sommes enregistrés sous son nom, en nous servant d'une carte de débit prépayée. Elle a raconté à son patron qu'elle était grippée et que, sur instructions du docteur, elle était confinée chez elle pour quelques jours. Elle ne connaît rien à la réalisation ; moi non plus.

Après les présentations d'usage, dans l'allée, l'air un peu tous empruntés, nous inspectons les lieux. Le jardin de Nathan est un vaste terrain qui monte à flanc de coteau. Une petite troupe de cerfs de Virginie détale par-dessus une clôture dès qu'ils nous aperçoivent. Je demande à Nathan combien de temps cela lui prend de tondre sa pelouse, et il me répond : trois heures. Il me désigne un hangar où est rangée une tondeuse John Deere autoportée d'un modèle sophistiqué ; elle a l'air neuve. Il m'explique qu'il est un gars de la campagne et se plaît surtout dehors, qu'il aime chasser, pêcher et pisser du haut de sa véranda. Souvent, il songe à la vie en prison, avec un millier d'hommes qui survivent entre quatre murs. Non, merci, sans façon ; lui, ce qu'il adore par-dessus tout, ce sont les grands espaces.

Tandis que nous discutons en marchant, Slade et Cody vont et viennent sans but précis en discutant à voix basse, en vérifiant la direction du soleil et en se frottant le menton.

— Par ici, ça me plaît assez, dis-je, prenant la situation en main. J'ai envie d'avoir ces collines dans le cadre.

Slade n'a pas l'air d'accord, pourtant Cody et lui n'en commencent pas moins à décharger le matériel de leur fourgon. L'installation dure une éternité, et je me mets à rouspéter sur l'horaire – une manière d'étaler mon tempérament d'artiste. Gwen a apporté avec elle une petite trousse de maquillage, et Nathan accepte en rechignant un léger raccord de poudre et un peu de blush. Je suis sûr que, pour lui, c'est une première, mais il faut qu'il se sente comme un acteur. Gwen porte une jupe courte et un chemisier à peine boutonné ; son rôle consiste en partie à découvrir si Nathan se laisserait facilement aguicher. Je fais semblant de consulter mes notes, mais j'observe Nathan qui observe Gwen. Il adore qu'elle soit aux petits soins pour lui et qu'elle l'allume.

Quand la caméra, les projecteurs, le son et l'écran de contrôle sont presque prêts, je le prends à part – rien que nous deux, le metteur en scène et la star.

— Bien, Nathan, je veux que vous ayez un air très grave. Pensez à Gene, à ce meurtre perpétré par les agents du gouvernement fédéral. Je veux que vous soyez sombre, pas de sourires, rien d'amusant dans tout cela, d'accord ?

— Pigé.

— Exprimez-vous avec lenteur, presque avec douleur. Je vous pose des questions, vous regardez la caméra et vous parlez, c'est tout. Soyez naturel. Vous êtes beau garçon et je pense que vous êtes photogénique, mais l'important, c'est d'être simplement vous-même.

— Je vais tâcher, me promet-il, à l'évidence impatient de commencer.

— Une dernière chose, et j'aurais déjà dû l'évoquer hier. Si ce film a l'effet espéré en révélant l'opération de dissimulation de la DEA, il pourrait y avoir des représailles, une forme de vengeance. Je ne me fie pas une seconde à ces types de la DEA. C'est une bande de voyous incontrôlables et capables de tout. C'est pourquoi il est important que vous soyez, dirons-nous, hors du circuit.

— Je suis clean, mon vieux, m'assure-t-il.

— Vous ne dealez plus ?

— Bordel, non ! J'ai pas envie de retourner en prison, Reed. C'est pour ça que je me suis installé ici, loin de ma famille. Ils bricolent encore avec la méthadone et ils en vendent, mais moi, non.

— D'accord. Pensez juste à Gene.

Cody lui attache un micro et nous nous mettons en situation. Nous sommes sur un plateau de tournage, installés dans des fauteuils pliants, entourés d'éclairages et de câblages. La caméra tourne, juste au-dessus de mon épaule, et, l'espace d'un instant, je me sens comme un vrai journaliste d'investigation prêt à tout. Je me tourne vers Gwen.

— Tu n'oublies pas tes photos de plateau ? Hé, Gwen !

Mon coup de gueule la fait sursauter, elle attrape un appareil.

— Juste quelques portraits, Nathan, que l'on puisse correctement étalonner la lumière.

Au début, il grimace, puis Gwen déclenche en rafale, et il sourit. Enfin, au bout d'une heure sur place, nous commençons à filmer. Malcolm Bannister était droitier ; je griffonne dans un bloc-notes de la main gauche, juste au cas où Nathan aurait des soupçons, ce qui ne semble pas être le cas.

Pour l'aider un peu à se décontracter, je débute par toutes les informations de base : nom, âge, emplois, études, prison, casier judiciaire, enfants, jamais marié, et ainsi de suite. À deux reprises, je lui conseille de se relâcher, de me répéter un truc, c'est juste une conversation, rien de plus. Son enfance – différents foyers, différentes écoles, la vie avec son grand frère, Gene, pas de père, une relation mouvementée avec sa mère. À ce stade, il me prévient :

— Écoutez, Reed, je vais pas dire du mal de ma mère, d'accord ?

— Bien sûr que non, Nathan. Ce n'était pas du tout mon intention.

Et je change aussitôt de sujet. Nous abordons tout ce qui concerne ses relations avec la méthadone. Non sans hésitation, il finit par s'ouvrir et par me dépeindre le tableau déprimant d'une adolescence brutale, remplie de drogues, d'alcool, de sexe et de violence. Cooley a appris la préparation de la méthadone dès l'âge de quinze ans. Deux de ses cousins sont morts brûlés vifs dans l'explosion d'un labo, installé dans un mobile-home. À seize ans, il a découvert à quoi ressemble l'intérieur d'une cellule. Il a lâché le collège, et son existence s'est encore plus déréglée. Quatre de ses cousins au moins ont purgé des peines d'emprisonnement pour revente ; deux d'entre eux sont toujours sous les verrous. Si pénible qu'ait été la prison, elle l'a tenu à l'écart des drogues et de l'alcool. Durant ses cinq années d'incarcération, il n'a rien consommé, et il est maintenant déterminé à ne plus toucher à la méthadone. La bière, c'est une autre histoire.

À midi, nous observons une pause. Le soleil est très haut au-dessus de nos têtes, et Slade s'inquiète de la forte luminosité.

Cody et lui furètent un peu, afin de repérer un autre emplacement. J'interroge Nathan :

— Combien de temps avez-vous à nous consacrer, aujourd'hui ?

— Le patron, c'est moi, me réplique-t-il d'un ton suffisant. Je peux vous consacrer ce que je veux.

— Parfait. Alors, encore deux heures ?

— Pourquoi pas ? Comment je me débrouille ?

— Génial. Il vous a fallu quelques minutes pour vous mettre dans le bain, mais maintenant vous avez beaucoup d'aisance, beaucoup de sincérité.

— Vous êtes un conteur né, ajoute Gwen.

Ça, il aime. Elle recommence la petite séance de maquillage : un peu de transpiration essuyée sur le front, un petit coup de pinceau, quelques retouches, un soupçon de flirt, quelques gestes suggestifs. Toutes ces attentions, il adore.

Nous apportons des sandwiches et des sodas, et nous mangeons à l'ombre d'un chêne à côté du hangar. Cet endroit plaît assez à Slade, et nous décidons de nous y déplacer pour la suite du tournage. Gwen chuchote un mot à Nathan : elle doit passer aux toilettes. Cela le met mal à l'aise, mais au point où il en est il a du mal à quitter des yeux les jambes de Gwen. Je m'éloigne et je fais semblant de discuter au téléphone avec des gens importants, à Los Angeles.

Gwen disparaît à l'intérieur, par la porte de derrière. Elle me signalera plus tard que, sur les deux chambres que compte la maison, une seule est meublée ; le coin salon ne comporte qu'un canapé, un fauteuil et une immense télévision haute définition ; la salle de bains aurait besoin d'être récurée à fond ; l'évier de la cuisine est rempli de vaisselle sale et le frigo de bières, de viande froide et de charcuterie. Il y a aussi un grenier, auquel on accède par un escalier escamotable. Les sols sont recouverts d'une moquette de piètre qualité. Il y a trois portes d'entrée – devant, derrière, et le garage –, toutes les trois sécurisées par de robustes pênes dormants ; un ajout récent, visiblement. Elle n'a repéré aucun système d'alarme – pas de claviers, pas de capteurs aux fenêtres et aux portes. Dans le placard de la chambre de Nathan, elle a découvert deux carabines de chasse et deux fusils ; dans celui de la chambre d'amis, juste une paire de bottes de chasse crottées.

Tant qu'elle reste à l'intérieur, je continue ma conversation téléphonique factice ; Nathan, lui, ne quitte pas l'arrière de la maison des yeux, derrière ses grandes lunettes de soleil. Ça le rend nerveux, de la savoir seule là-dedans. Slade et Cody refont leurs câblages. Au retour de Gwen, Nathan se détend et s'excuse pour sa maison en désordre. Elle le recoiffe en roucoulant. Une fois que tout est en place, nous nous lançons dans la séance de l'après-midi.

Nathan évoque un accident de moto lorsqu'il avait quatorze ans – un épisode que je dissèque pendant une demi-heure. Nous nous attardons sur son parcours professionnel un peu chaotique : ses patrons, ses collègues, ses tâches, ses rémunérations, ses licenciements. Ensuite, retour au commerce de la drogue, avec des détails sur le mode de préparation de la méthadone, sur ceux qui le lui ont appris, sur les ingrédients de base, et ainsi de suite. Des idylles, des petites amies ? Il prétend avoir engrossé une jeune cousine quand il avait vingt ans, mais il n'a aucune idée de ce qui est arrivé à la mère ou à l'enfant. Il a eu une relation suivie avec une fille avant d'aller en prison, puis elle l'a oublié. À en juger par la manière dont il regarde Gwen, il est évident qu'il est en manque.

Il a trente ans et, à part la mort de son frère et une peine de prison, sa vie n'a rien de remarquable. Au bout de trois heures à fouiller et à sonder, j'en ai extrait tout ce qu'elle présente d'intéressant. Il me signale qu'il doit retourner travailler.

— Il faut qu'on se rende à l'endroit où Gene a été tué, lui dis-je, alors que Slade coupe la caméra et que tout le monde souffle.

— C'est à l'entrée de Bluefield, à une heure d'ici environ, me répond-il.

— Bluefield, en Virginie-Occidentale ?

— C'est exact.

— Et pourquoi étiez-vous là-bas ?

— On s'occupait d'une livraison, mais l'acheteur était un informateur.

— Il faut que je voie ça, Nathan. J'ai besoin de tout parcourir, de reproduire la scène, la violence du moment, le lieu où Gene a été abattu, assassiné. C'était de nuit, exact ?

— Ouais, bien après minuit.

Gwen lui tamponne le visage avec une lingette pour lui ôter son maquillage.

— Vous passez vraiment bien, à l'image, lui souffle-t-elle, et il sourit.

J'insiste :

— Quand pouvons-nous aller là-bas ?

Il hausse les épaules.

— N'importe quand. Demain, si vous voulez.

Parfait. Nous nous mettons d'accord pour nous retrouver chez lui à 9 heures afin de partir en convoi à travers les montagnes, en direction de la Virginie-Occidentale, jusqu'au site isolé de la mine abandonnée où les frères Cooley sont tombés dans un piège.

La journée a été bonne, avec Nathan. Lui et moi, d'acteur à réalisateur, on s'entend bien, et, par moments, Gwen et lui, on les aurait crus prêts à se déshabiller et à s'empoigner. En fin d'après-midi, elle et moi rejoignons le Bombay's, dans Main Street, à Radford, à côté du campus universitaire. Nous prenons une table près de la cible aux fléchettes. Il est bien trop tôt pour la faune de la fac, malgré quelques jeunes gens agités et bruyants qui profitent au bar des rabais de début de soirée. Je demande à la serveuse de signaler à Nathan Cooley que nous sommes venus prendre un verre, et, dans la seconde, il surgit, tout sourire. Nous l'invitons à s'asseoir, ce qu'il fait, et nous commençons à descendre des bières. Gwen boit peu et se limite à quelques gorgées d'un verre de vin blanc, pendant que Nathan et moi nous enfilons quelques demis. Petit à petit, des étudiants se pointent et le volume monte. Je me renseigne sur les spécialités, et Nathan me recommande un sandwich baguette aux huîtres grillées inscrit au tableau noir. Il s'éclipse pour aller crier la commande au chef. Nous dînons et nous restons jusqu'à la tombée de la nuit. Non seulement nous sommes les seuls Noirs, dans ce bar, mais nous sommes aussi les seuls clients âgés de plus de vingt-deux ans. Nathan vient nous voir de temps à autre, mais le bonhomme est occupé.

31.

À 9 heures, le lendemain matin, nous sommes de retour chez lui. Une fois encore il est dans son jardin, en train de jouer avec son chien. Il nous attendait. Je suppose qu'il ne veut pas de nous à l'intérieur de sa maison. J'explique que ma petite Audi a grand besoin d'une révision, et qu'il vaut peut-être mieux nous rendre là-bas dans son pick-up. Une heure aller, une heure retour, cela nous laisse deux heures seuls avec lui, et sans rien pour nous interrompre. Il hausse les épaules – ça lui est égal –, et nous voilà partis, Slade et Cody nous suivant dans leur fourgonnette. Je suis à l'avant et Gwen s'est pliée sur la banquette arrière de la cabine. Elle porte un jean, aujourd'hui ; l'idée, c'est qu'elle se montre aujourd'hui un peu plus distante avec Nathan, histoire de semer le doute chez lui.

Nous nous dirigeons vers les montagnes. J'admire l'intérieur du pick-up en expliquant à Nathan que je suis rarement monté dans ce genre de véhicule. Les sièges sont en cuir, le système de GPS à la pointe, et tout à l'avenant. Nathan est vraiment fier de son pick-up, et il ne cesse de nous faire l'article.

Pour changer de sujet, je reviens à sa mère ; j'affirme avoir très envie de la rencontrer. Il me répond :

— Écoutez, Reed, vous pouvez toujours essayer, mais elle n'apprécie pas trop ce qu'on fabrique, là. Je lui ai encore causé, hier soir. Je lui ai expliqué tout le projet, à quel point c'est important, à quel point vous avez besoin d'elle, mais je n'ai abouti à rien.

— On ne pourrait pas au moins aller lui dire bonjour, enfin, vous voyez ?

Nathan ayant qualifié le projet d'« important », je me tourne vers Gwen avec un sourire.

— Ça m'étonnerait. C'est une femme dure, Reed. Elle boit beaucoup, elle a mauvais caractère. On n'est pas en bons termes, pour le moment.

Tout à mon rôle de journaliste d'investigation exigeant, je décide de creuser un peu les sujets sensibles.

— C'est parce que vous êtes sorti de l'activité familiale ? Parce que vous gagnez de l'argent avec votre bar ?

Gwen, à l'arrière, me rappelle à l'ordre :

— Elle est un peu personnelle, ta question, non ?

Nathan respire à fond et il jette un coup d'œil par la vitre, les mains crispées sur le volant.

— C'est une longue histoire. Maman m'en a toujours voulu, pour la mort de Gene, ce qui est dingue. Lui, c'était le grand frère, le chef du gang, le chef des opérations dans le labo de méthadone, et en plus il était toxico. Moi, non. Moi, je consommais à l'occasion, mais j'ai jamais été accro. Gene, il était pas contrôlable. Cet endroit où on va, là, c'était une livraison dont il se chargeait une fois par semaine. Parfois, je l'accompagnais. La nuit où on s'est fait choper, j'aurais pas dû être là. On avait un type, je dirai pas de noms, qui livrait de la méthadone pour nous dans les quartiers ouest de Bluefield. On ne le savait pas, mais il s'était fait choper, la DEA l'avait retourné, et il leur avait tout raconté, où, quand, comment. On est tombés dans un piège, et je jure que j'ai rien pu tenter pour aider Gene. Comme je vous l'ai expliqué, on s'est rendus et ils nous ont emmenés pour nous coffrer. J'ai entendu des coups de feu, et Gene était mort. Je l'ai expliqué à ma mère une centaine de fois, mais elle refuse d'entendre. Gene était son préféré, et sa mort, c'est entièrement ma faute.

— Terrible.

— Elle vous a rendu visite, en prison ? demande Gwen d'une voix feutrée depuis la banquette arrière.

Un autre long silence.

— Deux fois.

Ensuite, pendant au moins cinq kilomètres il ne prononce plus une parole. Nous sommes sur l'Interstate, à présent, en direction du sud-ouest, et nous écoutons Kenny Chesney. Nathan se racle la gorge, avant de poursuivre :

— Pour vous dire la vérité, j'essaie d'échapper à ma famille. Ma mère, mes cousins, une bande de neveux – des sales parasites, ceux-là. Le bruit a circulé que je possédais un bar et que je me débrouillais pas trop mal, donc sous peu ces rigolos vont commencer à venir mendier. Il va falloir que je m'éloigne encore plus.

Je lui demande, on ne peut plus compatissant :

— Et où irez-vous ?

— Pas loin. J'aime la montagne, la randonnée et la pêche. Je suis un rustaud, un montagnard, moi, Reed, et ça ne changera jamais. Boone, en Caroline du Nord, c'est un endroit sympa. Quelque part comme ça. Un coin où il n'y aura pas de Cooley à l'annuaire.

Et ça le fait rire, un petit gloussement triste. Quelques minutes plus tard, il nous fiche une sacrée trouille.

— Vous savez, j'avais un pote, en taule, vous me le rappelez un peu. Malcolm Bannister, il s'appelait, un grand type, un Noir, de Winchester, en Virginie. Un avocat qui jurait que les fédéraux l'avaient serré sans raison.

J'écoute et je hoche la tête, comme si c'était sans conséquence aucune. Sur la banquette arrière, Gwen est au bord de l'apoplexie.

Enfin, la bouche sèche, je parviens à demander :

— Qu'est-ce qu'il est devenu ?

— Je crois qu'il est encore en prison. Encore deux ans, peut-être. J'ai perdu le contact. C'est quelque chose, quelque chose dans la voix, et sans doute aussi dans les gestes, un truc, j'arrive pas à mettre vraiment le doigt dessus, mais vous me rappelez mon pote Mal.

— Le monde est vaste, Nathan, lui dis-je d'une voix plus grave, l'air absolument pas concerné. Et souvenez-vous, aux yeux des Blancs, on se ressemble tous.

Il rigole. Gwen parvient à rire, elle aussi, carrément mal à l'aise.

Pendant ma convalescence, à Fort Carson, j'ai travaillé avec un spécialiste qui m'a filmé en vidéo et m'a dressé une liste d'habitudes et de gestuelles que je devais modifier. Je me suis entraîné des heures, mais après avoir débarqué en Floride j'ai cessé de m'exercer. Il est difficile de rompre avec des mouvements et des habitudes aussi naturels. Le cerveau figé, je ne sais plus comment réagir.

C'est Gwen qui nous tire de là.

— Nathan, vous évoquiez vos neveux, il y a quelques minutes. Combien de temps ça va se prolonger, à votre avis ? Je veux dire, dans pas mal de familles, on dirait que le commerce de la méthadone se perpétue de génération en génération.

Nathan se rembrunit, réfléchit à la question.

— À mon avis, c'est à peu près sans espoir. Il n'y a pas de boulot, à part les mines de charbon, et la plupart des jeunes ne veulent plus travailler à la mine. En plus, ils commencent à se défoncer quand ils ont quinze ans, et à seize ils sont accros. Les filles, elles, elles tombent enceintes à seize ans. Des gosses qui font des gosses dont personne ne veut. Une fois que vous avez merdé, vous n'arrêtez plus. Je ne vois pas trop d'avenir, par ici, pas pour des gens comme moi.

Je l'écoute sans l'entendre ; j'ai la tête qui tourne, je me demande ce que sait Nathan. Jusqu'où vont ses soupçons ? Qu'est-ce que j'ai fait pour lui mettre la puce à l'oreille ? Ma couverture tient toujours – j'en suis sûr –, mais qu'est-ce qu'il a en tête ?

Bluefield, Virginie-Occidentale, est une ville de onze mille âmes située à la point extrême sud de l'État, non loin de la frontière avec la Virginie. Nous la longeons par la nationale 52 et nous engageons assez vite sur des routes sinueuses, dans une succession de côtes et de descentes spectaculaires. Nathan connaît bien la région, même s'il n'y est plus revenu depuis des années. Nous bifurquons sur une route de comté et nous enfonçons plus profondément dans une vallée. La chaussée asphaltée s'achève et nous serpentons par des chemins de terre et de cailloux jusqu'au bord d'un ruisseau. Des chênes barrent la lumière du soleil. Les herbes nous arrivent aux genoux.

— Nous y voici, annonce Nathan en coupant le contact.

Nous descendons et je prie Slade et Cody de sortir leur matériel. Nous allons utiliser de l'éclairage et je veux aussi la petite caméra à la main. Ils s'activent, attrapent leur équipement.

Nathan marche vers le bord du ruisseau et suit le flot tourbillonnant en souriant.

— Combien de fois êtes-vous venu ici ?

— Pas tant que ça. On avait plusieurs points de déchargement autour de Bluefield, mais celui-ci, c'était le principal. Gene avait effectué des livraisons ici depuis dix ans, mais pas moi. La vérité, c'était que je ne travaillais pas autant dans ce business qu'il aurait voulu. Les ennuis, je les sentais venir. J'ai essayé de me dégotter d'autres boulots, vous savez. J'avais envie de me sortir de là. Gene, lui, il voulait encore plus m'impliquer.

— Où étiez-vous garés ?

Il se retourne et montre du doigt le lieu précis ; je décide de déplacer le pick-up et le fourgon de Slade pour qu'ils restent hors du cadre. Misant sur mes vastes talents de réalisateur, je souhaite filmer une scène d'action avec Nathan qui s'approche des lieux à pied, suivi de près par la caméra. Nous répétons la scène quelques minutes avant de commencer à tourner. Nathan se charge du récit.

Depuis ma place sur le côté, je l'exhorte :

— Plus fort, Nathan. Il faut parler plus fort !

Il marche en expliquant :

— À notre arrivée ici, avec Gene, il était environ 2 heures du matin. On était dans son pick-up, je conduisais. Quand on s'est arrêtés, à peu près par ici, on voyait l'autre véhicule par là-bas, il avait reculé sous ces arbres, là où il devait se trouver.

Il continue de parler en désignant l'endroit en question.

— Tout avait l'air normal. On s'est garés près de l'autre véhicule, et notre homme, on l'appellera Joe, il descend et nous dit bonsoir. On lui dit bonsoir nous aussi et il passe vers l'arrière du pick-up de Gene. Dans une caisse fermée par une serrure, il y a environ quatre kilos cinq cents de méthadone, de la bonne came, que Gene a préparée presque entièrement lui-même, et, sous une feuille de contreplaqué, il y a une petite glacière, avec facile quatre kilos de plus. Le total de la livraison pesait plus de neuf kilos, pour une valeur à la revente proche de deux cent mille dollars. On a sorti le matos du pick-up et on l'a transporté dans le coffre de la voiture de Joe. Et dès qu'on a rabattu le coffre, ç'a été l'enfer. Ils devaient être une dizaine d'agents de la DEA tout autour de nous. Je sais pas d'où ils sont sortis, tous, mais ils ont été rapides. Joe a disparu, on l'a jamais revu. Ils ont traîné Gene près de son pick-up. Il insultait Joe, il hurlait toutes sortes de menaces. Moi, j'étais tellement terrorisé que j'arrivais à peine à respirer. Ils nous tenaient, on était coupables jusqu'à l'os, et je savais que j'allais finir en taule. Ils m'ont menotté, ils ont fouillé mon portefeuille, mes poches, et ensuite ils m'ont conduit plus loin dans le chemin, par là-bas. En m'éloignant, j'ai jeté un coup d'œil par-dessus mon épaule. J'ai eu du mal à apercevoir Gene. Il était à terre, les deux mains dans le dos. Il était enragé, il gueulait encore des injures. Quelques secondes plus tard, j'ai entendu des coups de feu, et ensuite j'ai entendu Gene crier qu'il était touché.

— Coupez !

Je marche en cercles un petit moment avant de décider :

— On la refait.

Après la troisième prise, je suis enfin satisfait et je passe à l'idée suivante : je veux que Nathan se place pile à l'endroit où Gene était couché la dernière fois qu'il l'a vu. Nous y installons une chaise pliante sur laquelle Nathan s'installe. Quand la caméra tourne, je lui demande :

— Maintenant, Nathan, quelle a été votre réaction initiale quand vous avez entendu ces détonations ?

— Je n'arrivais pas à y croire. Ils ont balancé Gene, ils l'ont jeté par terre, et il y avait au moins quatre agents de la DEA debout autour de lui. Il avait déjà les mains dans le dos, il n'était pas encore menotté. Il n'avait pas d'arme. Il y avait un fusil et deux 9 millimètres dans le coffre, mais on ne les avait pas sortis. Je me moque de ce que la DEA a pu raconter par la suite, Gene n'était pas armé.

— Oui, mais quand vous avez entendu les coups de feu ?

— Je me suis arrêté net et j'ai gueulé quelque chose du genre : « Qu'est-ce que c'est ? Qu'est-ce qui se passe ? » J'ai hurlé après Gene, mais les agents m'ont poussé pour que j'avance plus loin dans le chemin. Je ne pouvais pas me retourner pour voir – j'étais trop loin. À un moment, j'ai dit : « Je veux voir mon frère », mais eux, ils ont juste rigolé et ils ont continué de me pousser dans le noir. Finalement, on est arrivés devant une camionnette et ils m'ont forcé à monter à l'intérieur. Ils m'ont conduit à la prison de Bluefield, et pendant tout ce temps j'ai demandé après mon frère. « Qu'est-ce qui s'est passé avec mon frère ? Où est Gene ? Qu'est-ce que vous lui avez fait ? »

— On coupe une minute, dis-je à Slade.

Je me tourne vers Nathan.

— Maintenant, ce serait très bien si vous exprimiez un peu d'émotion. Pensez à ceux qui regardent ce film. Que voulez-vous qu'ils ressentent en écoutant cette histoire épouvantable ? De la colère ? De l'amertume ? De la tristesse ? C'est à vous d'exprimer tous ces sentiments, alors réessayons, mais cette fois avec un peu d'émotion. Vous vous en sentez capable ?

— Je vais essayer.

— Ça tourne, Slade ! Bien, Nathan, comment avez-vous appris la mort de votre frère ?

— Le lendemain matin, dans la prison, un adjoint du shérif est arrivé avec des papiers. Je l'ai questionné au sujet de Gene, et il m'a répondu : « Votre frère, il est mort. Il a tenté d'échapper à la DEA, ils l'ont abattu. » Aussi simple que ça. Aucune compassion, aucune sollicitude, rien.

266

Nathan se tait un instant, la gorge serrée. Ses lèvres se mettent à trembler, il a les yeux humides. Derrière la caméra, je lève le pouce. Il continue.

— Je ne savais pas quoi répondre. J'étais sous le choc. Gene n'a pas tenté de s'enfuir. Gene a été assassiné.

Il essuie une larme du dos de la main.

— Je suis désolé, murmure-t-il.

Là, il souffre vraiment ; ce n'est plus du jeu, c'est de la pure émotion.

— Coupez, dis-je, et nous nous accordons une pause.

Gwen se précipite avec un pinceau et des mouchoirs.

— Magnifique, absolument magnifique ! s'exclame-t-elle.

Nathan se lève et marche vers le ruisseau, perdu dans ses pensées. J'invite Slade à filmer ces images-là aussi.

Nous restons trois heures sur le site, à tourner et retourner des scènes que je crée au vol ; à 13 heures, nous avons faim et nous sommes fatigués. Nous trouvons à Bluefield un fast-food où nous nous gavons de hamburgers et de frites. Sur la route du retour vers Radford, nous gardons le silence tous les trois, jusqu'à ce que je prie Gwen de téléphoner à Tad Carsloff, l'un de mes associés à Miami. Ce nom de Carsloff a été mentionné par la secrétaire, chez CRS, quand Nathan a appelé le numéro de notre bureau sur place, deux jours plus tôt.

Gwen simule une conversation réelle.

— Salut, Tad, c'est Gwen. Oui, super. Et toi ? Oui, bon, on rentre à Radford avec Nathan, là. On a passé la matinée sur le site où son frère a été assassiné, un truc assez fort. Nathan a été fantastique, il a joué le rôle du narrateur. Il n'a pas besoin de script, ça lui vient naturellement.

Je glisse un regard vers Nathan. Il ne peut réprimer un petit sourire satisfait.

Gwen poursuit son dialogue à sens unique.

— Sa mère ? – Un silence. – Pour l'instant, elle n'a pas changé d'avis. Nathan dit qu'elle ne veut rien avoir à faire avec ce film et qu'elle n'approuve pas. Reed voudrait rées-sayer demain. – Un silence. – Il envisage de se rendre dans leur ville natale, filmer l'emplacement de la tombe, parler à de vieux amis, peut-être à des types avec qui il avait travaillé, ce genre de choses. – Encore un silence ; Gwen écoute attentivement... le néant. – Oui, ici, ça ne pourrait pas mieux se passer. Reed est emballé par les deux premières journées, et travailler avec Nathan, c'est vraiment merveilleux. De la matière vraiment forte. Reed te signale qu'il te rappellera plus tard cette après-midi. Ciao.

Nous roulons en silence sur deux ou trois kilomètres, le temps que Nathan achève de digérer tous ces compliments.

— Alors, demain, on va à Willow Gap ? finit-il par demander.

— Oui, mais vous n'êtes pas forcé d'y aller si vous n'avez pas envie. J'imagine qu'après ces deux jours vous en avez assez.

— Alors vous avez terminé avec moi ? en conclut-il tristement.

— Oh non ! Après-demain, je rentre à Miami et je vais passer quelques jours à visionner ce qu'on a tourné. On va entamer le montage, essayer d'élaguer un peu. Ensuite, dans deux semaines, dès que vous serez disponible pour travailler de nouveau avec nous, nous serons de retour pour tourner une autre série de séquences.

— Tu as parlé à Nathan de l'idée de Tad ? demande Gwen.

— Non, pas encore.

— Moi, je trouve que c'est super intelligent.

— C'est quoi ? veut savoir Nathan.

— Tad est le meilleur monteur de la société, et on collabore sur tout. Comme ce film concerne trois ou quatre familles différentes, des meurtres différents, il m'a suggéré de vous réunir tous au même endroit et de simplement laisser tourner les caméras. On vous installe tous dans la même pièce, un cadre très confortable, et on laisse la conversation s'engager. Pas de script, pas d'indications, rien que les faits, si brutaux soient-ils. Comme je vous l'ai expliqué, nous avons effectué des recherches sur une demi-douzaine d'affaires, et elles présentent de remarquables similitudes. Nous retiendrons les trois ou quatre meilleures...

— La vôtre est franchement la meilleure, s'empresse de préciser Gwen.

— Nous vous laisserons comparer vos histoires, vous, les victimes. Tad estime que ça pourrait être très fort.

— Il a raison, renchérit Gwen. J'adorerais voir ça.

— Je suis assez d'accord, dis-je.

— Où est-ce qu'on se retrouverait ? veut savoir Nathan, pratiquement convaincu.

— Nous n'en sommes pas là, mais ce serait sans doute à Miami.

— Vous êtes déjà allé à South Beach, Nathan ? insiste Gwen.

— Non.

— Alors, là, mon vieux ! Pour un célibataire, la trentaine, vous ne voudrez plus jamais repartir. C'est la fête non-stop et les filles sont... Comment tu les décrirais, Reed ?

— Je n'ai rien remarqué, moi, dis-je, fidèle à notre scénario.

— Ça ne m'étonne pas de toi. Elles sont juste ultra belles et ultra sexes.

Je réprimande mon assistante :

— Il n'est pas question de faire la fête ! On pourrait aussi organiser la rencontre dans la région de Washington, ce serait sûrement plus commode pour les familles.

Nathan ne réagit pas, mais je sais qu'il a déjà voté pour South Beach.

Vanessa et moi passons l'après-midi dans une chambre d'hôtel, à Pulaski, en Virginie, à une demi-heure au sud-ouest de Radford. Nous revenons sur mes notes et j'essaie fébrilement de comprendre ce qui a pu alerter Nathan. L'entendre prononcer le nom de Malcolm Bannister était glaçant, et il s'agit de repérer ce qui a pu lui mettre la puce à l'oreille. Quand il réfléchissait, Malcolm se pinçait le nez. Il se tapotait le bout des doigts quand il écoutait. Il inclinait légèrement la tête sur la droite quand il était amusé. Il rentrait le menton quand il était perplexe. Il pointait l'index de sa main droite contre sa tempe quand la conversation l'ennuyait.

— Tiens tes mains tranquilles et loin de ton visage, c'est tout, me conseille Vanessa. Et parle d'une voix plus grave.

— J'avais une voix trop aiguë ?

— Elle a tendance à retrouver sa tonalité normale, quand tu parles beaucoup. Sois plus silencieux. Utilise moins de mots.

Nous débattons de la gravité des soupçons de Cooley. Vanessa est convaincue que Nathan est complètement embarqué et qu'il est impatient de faire un voyage à Miami. Elle est certaine que personne appartenant à mon passé ne pourrait me reconnaître. J'ai tendance à être de son avis, même si je reste stupéfait de cette vérité : Nathan a prononcé mon ancien nom. Parfois je me laisse aller à croire qu'il avait une étincelle dans l'œil, comme pour me dire : « Je sais qui tu es, et je sais pourquoi tu es ici. »

32.

Nathan insiste pour nous accompagner dans sa ville natale de Willow Gap. Le deuxième matin, nous nous acheminons donc à travers les montagnes ; il est au volant et Gwen s'épanche sur les réactions de nos associés à Miami. Elle explique à Nathan que Tad Carsloff et d'autres personnages importants là-bas, au siège, ont visionné toutes les séquences que nous avons tournées hier, et sont plus qu'emballés. Ils adorent tout bonnement Nathan et sont convaincus qu'il constitue à lui seul un élément décisif dans la production de notre documentaire. Surtout, l'un de nos principaux investisseurs est actuellement en visite à Miami et il se trouve qu'il a regardé la vidéo tournée en Virginie. Le type est tellement impressionné par Nathan et l'ensemble des séquences tournées qu'il accepte d'investir deux fois plus de capitaux. Ce type vaut un paquet d'argent et il pense que le documentaire devrait durer au moins quatre-vingt-dix minutes. Cela pourrait conduire à des inculpations au sein de la DEA. Cela pourrait déboucher sur un scandale comme Washington n'en a jamais vu.

Tout en écoutant ces propos, je suis au téléphone, prétendument en conversation avec le siège, mais à l'autre bout du fil il n'y a personne. De temps à autre, je lâche un borborygme et une réflexion profonde, mais pour l'essentiel j'écoute, je rumine et j'adopte une attitude laissant entendre que le processus créatif peut se révéler pesant. Je jette de temps en temps un coup d'œil à Nathan. Notre ami est impliqué à fond.

Au petit déjeuner, Gwen a encore insisté pour que j'en dise le moins possible, que je m'exprime d'une voix grave, avec lenteur, et que je garde les mains loin de mon visage. Je la laisse volontiers mener la conversation, ce qu'elle fait très bien.

Gene Cooley est inhumé derrière une église de campagne abandonnée, dans un petit cimetière envahi de mauvaises herbes qui compte une centaine de sépultures. J'explique à Slade et Cody que je veux plusieurs plans des tombes et des alentours, puis je m'éloigne pour un nouveau coup de fil important. Nathan, totalement acteur, à présent, et l'air un peu faraud, propose de s'agenouiller près de la tombe pendant que la caméra tourne. Gwen adore cette idée. Un peu à l'écart, je hoche la tête, le téléphone portable calé contre le maxillaire, et je chuchote, sans m'adresser à personne. Nathan réussit même à verser encore quelques larmes, et Slade zoome pour un gros plan.

Pour information, Willow Gap abrite cinq cents habitants, mais vous ne les croiserez jamais nulle part. Le centre du bourg est traversé d'une ruelle envahie de végétation, avec quatre bâtiments menaçant ruine et une épicerie jouxtant le bureau de poste. Quelques villageois vont et viennent ; Nathan est nerveux. Il les connaît et il n'a pas envie d'être aperçu avec une équipe de tournage. Il explique que la plupart des habitants, y compris sa famille et ses amis, vivent en dehors du bourg, en retrait d'étroites routes de campagne et au fond des vallées. Ce sont des gens suspicieux de nature, et je comprends maintenant pourquoi il tenait à nous accompagner.

Il n'existe aucune école qu'ils auraient pu fréquenter, Gene et lui ; les enfants de Willow Gap sont scolarisés à une heure de là, et transportés en bus.

— Ça facilitait l'envie de lâcher l'école, explique-t-il – une réflexion qu'il semble plutôt s'adresser à lui-même.

272

Non sans réticence, il nous montre un minuscule pavillon inoccupé de quatre pièces, où Gene et lui ont vécu pendant un an.

— C'était le dernier mois que je me souviens d'avoir vécu avec mon père, dit-il. J'avais à peu près six ans, je crois, et Gene devait en avoir dix.

Je l'invite à s'asseoir sur les marches cassées du perron et à parler face à la caméra de tous les endroits où ils ont vécu, Gene et lui. Pour le moment, il oublie tout le prestige de l'acteur et devient maussade. Je lui pose des questions sur son père, mais il n'a pas envie d'entrer dans cette conversation. Il se met en colère, me passe un savon puis, subitement, il se remet dans son rôle. Quelques minutes plus tard, Gwen, qui maintenant feint d'être de son côté et de se méfier de moi, lui affirme qu'il est parfait.

Nous traînons autour de l'entrée de la bicoque. Je déambule comme si j'étais en pleine transe créatrice. Finalement, je lui demande où habite sa mère. Il pointe le doigt.

— À une dizaine de minutes d'ici, sur cette route, mais on n'ira pas, d'accord ?

J'acquiesce à contrecœur, et je m'éloigne de nouveau pour discuter au téléphone.

Au bout de deux heures passées dans Willow Gap et ses alentours, nous en avons vu assez. Je fais savoir que je ne suis pas trop content de ce que nous avons tourné, et je deviens irritable. Gwen chuchote à Nathan :

— Il s'en remettra.

Tout à coup je demande à Gwen :

— Où était le labo de méthadone de Gene ?

— Il a disparu. Il a sauté peu de temps après sa mort.

Je grommelle, apparemment excédé :

— Ça, c'est super !

Nous finissons par tout charger dans les véhicules et nous quittons le coin. Pour le deuxième jour d'affilée, le déjeuner se compose de hamburgers et de frites, à côté d'une bretelle d'autoroute. Quand nous reprenons la route, je termine un autre coup de fil imaginaire et je range mon téléphone dans ma poche. Je me retourne vers Gwen, manifestement sur le point de lui annoncer de grandes nouvelles.

— Bien, voici où nous en sommes. Tad a eu une très longue discussion avec la famille Alvarez, au Texas, et la famille Marshak, en Californie. Je vous ai mentionné ces deux affaires, Nathan, si vous vous souvenez. Ce garçon, Alvarez, a été abattu de quatorze balles par des agents de la DEA. Le jeune Marshak dormait dans sa chambre en résidence universitaire quand ils sont entrés par effraction et l'ont tué avant qu'il se réveille. Vous vous rappelez ?

Nathan hoche la tête tout en conduisant.

— Ils ont trouvé un cousin de la famille Alvarez qui parle bien l'anglais et qui accepte de nous rencontrer. M. Marshak a intenté des poursuites contre la DEA et ses avocats lui ont conseillé de se taire, mais il est vraiment en pétard et il a envie de se faire entendre publiquement. Ils peuvent être tous les deux à Miami ce week-end, à nos frais, bien sûr. Toutefois, ils ont tous les deux un métier, donc le tournage doit se dérouler un samedi. Deux questions, Nathan. Primo : voulez-vous y aller, voulez-vous faire ça ? Deuzio : pouvez-vous partir dans un délai aussi bref ?

— Tu lui as parlé des fichiers de la DEA ? demande Gwen avant qu'il ne puisse répondre.

— Pas encore. Je viens de découvrir la chose ce matin.

— Qu'est-ce que c'est ? s'écrie Nathan.

— Je crois vous avoir dit que nos avocats avaient effectué les démarches nécessaires pour obtenir des copies des fichiers de la DEA dans certaines affaires, dont celle de Gene. Hier, un juge fédéral, à Washington, a tranché en notre faveur, enfin, plus ou moins. Nous pouvons consulter ces fichiers, mais sans en prendre véritablement possession. Donc la DEA de Washington envoie ces dossiers au bureau de la DEA de Miami, et nous aurons accès au contenu.

— Quand ? veut savoir Gwen.

— Dès lundi.

— Voulez-vous voir le dossier de Gene, Nathan ? fait-elle, prudente, sur un ton protecteur.

Il ne répond pas aussitôt. J'interviens donc :

274

— On ne nous montrera pas tout, mais il y aura pas mal de photos – des images de la scène de crime et des dépositions de tous les agents, probablement une déposition de l'indic qui vous a piégés. Il y aura des rapports balistiques, l'autopsie, des photos de tout cela. Ce pourrait être captivant.

Nathan serre les dents.

— J'aimerais voir ça.

— Vous en êtes, alors ? dis-je.

— C'est quoi, l'inconvénient ?

Sa question appelle une longue réflexion, qui dure quelques minutes. Finalement, je lui réponds :

— L'inconvénient ? Si vous continuez de dealer, la DEA vous tombera dessus de plus belle. Nous avons déjà eu cette discussion.

— Je ne deale plus. Je vous l'ai dit.

— Alors il n'y a pas d'inconvénient. Vous faites cela pour Gene et pour toutes les victimes des meurtres de la DEA. Vous le faites au nom de la justice.

— Et vous allez adorer South Beach, ajoute Gwen.

J'emporte le morceau en lui exposant le déroulement des opérations.

— Nous pouvons partir demain de Roanoke, nous nous envolons directement pour Miami, nous tournons samedi, nous continuons dimanche, nous consultons le dossier de la DEA lundi matin, et vous êtes de retour chez vous le soir.

— Je croyais que Nicky avait le jet à Vancouver, intervient Gwen.

— En effet, mais il sera ici demain après-midi.

— Vous avez un jet ? s'extasie Nathan en me dévisageant, totalement sidéré.

Pour Gwen et moi, sa réaction est amusante. Avec un petit rire, je rectifie.

— Pas le mien, personnellement, mais notre compagnie en loue un. Nous voyageons pas mal et, parfois, c'est le seul moyen d'arriver à tout boucler dans les temps.

— Je ne peux pas partir demain, m'avertit Gwen en consultant son calendrier dans son iPhone. Je serai à Washington. Je descendrai par avion seulement samedi. Je ne veux surtout pas manquer ça, les trois familles dans la même pièce en même temps. Incroyable !

— Et votre bar, Nathan ?

— C'est moi le propriétaire, me rappelle-t-il, un rien suffisant. Et j'ai un assez bon gérant. En plus, ça me plairait de sortir de la ville quelques jours. Le bar, c'est dix, douze heures par jour, six jours par semaine.

— Et votre contrôleur judiciaire ?

— Je suis libre de voyager. Je dois juste le lui notifier, c'est tout.

— C'est tellement excitant ! s'écrie Gwen, et elle en miaule presque de ravissement.

Nathan sourit comme un gamin à Noël. Moi, je suis toujours aussi sérieux et professionnel.

— Écoutez, Nathan, j'ai besoin de régler ça tout de suite. Si on doit y aller, il faut que vous vous décidiez. Je dois rappeler Nicky et réserver le jet, et je dois appeler Tad pour qu'il organise les vols des autres familles. C'est oui ou c'est non ?

— Ouais. Allons-y, répond Nathan sans hésiter.

— Super.

— Quel est l'hôtel qui plairait le plus à Nathan, Reed ?

— Je n'en sais rien. Ils sont tous bien. À vous de décider.

Je tapote sur les touches de mon téléphone et j'entame une nouvelle conversation unilatérale.

— Vous préférez être pile devant la plage, Nathan, ou une rue derrière ?

— Les filles, elles sont où ? demande-t-il, et il se trouve tellement drôle qu'il éclate de rire.

— D'accord, ce sera sur la plage.

Le temps que nous retournions à Radford, Nathan Cooley s'imagine avoir une réservation dans l'un des hôtels les plus chics du monde, sur l'une des plages les plus branchées, et qu'il arrivera là-bas en jet privé, comme de juste pour un acteur de son calibre.

Vanessa file à toute vitesse à Reston, en Virginie, dans la périphérie de Washington, à quatre heures de là. Sa première destination est une officine anonyme qui loue un local dans

276

une galerie marchande en décrépitude. Il s'agit de l'atelier d'un groupe de faussaires talentueux capables de vous créer pratiquement n'importe quel document officiel sur-le-champ. Ils sont spécialisés dans les faux passeports mais, pour le juste prix, ils sont capables de produire des diplômes universitaires, des certificats de naissance, des contrats de mariage, des ordonnances de tribunaux, des cartes grises, des ordres d'expulsion, des permis de conduire, des historiques de solvabilité... il n'y a pas de limite à leur malfaisance. Une partie de leurs activités est illégale, tandis que l'autre ne l'est aucunement. Ils ne se gênent pas pour faire de la publicité sur Internet, à côté d'un nombre étonnant de leurs concurrents, et prétendent choisir soigneusement ceux pour qui ils travaillent.

Je les ai dénichés il y a quelques semaines, après une recherche exhaustive, et, afin de jauger leur fiabilité, j'ai envoyé un chèque de cinq cents dollars tiré sur le compte de Skelter Films pour un faux passeport. Une semaine plus tard, l'objet est arrivé en Floride. Son apparente authenticité m'a estomaqué. Selon le type que j'ai eu au téléphone, un véritable expert, ce faux passeport aurait quatre-vingts pour cent de chances de franchir les contrôles douaniers, dans l'éventualité où j'aurais à quitter le pays, et quatre-vingt-dix pour cent de chances pour que je sois en mesure d'entrer dans n'importe quelle île des Caraïbes. En revanche, les problèmes se présenteraient si j'essayais de revenir aux États-Unis. Je lui ai expliqué que ce ne sera pas le cas, pas avec mon faux passeport. Il m'a précisé que de nos jours, en ces temps de lutte contre le terrorisme, le service des douanes des États-Unis est bien plus concerné par les individus inscrits sur la *no-fly list*, la liste des passagers interdits de vol, que par la nécessité de savoir qui manie des faux papiers.

Comme c'est un travail urgent, Vanessa débourse plus de mille dollars en liquide, et ils se mettent au travail. Son faussaire est une espèce d'allumé, un type sur les nerfs, au nom bizarre, qu'il ne divulgue qu'à contrecœur. Comme ses collègues, il travaille dans un box encombré, son bastion, à l'écart des autres personnes. L'atmosphère est au soupçon, comme si tout le monde là-bas violait la loi et s'attendait plus ou moins à voir débarquer une équipe du SWAT dans la minute. Ils n'aiment pas les rendez-vous inopinés. Ils préfèrent le paravent d'Internet, afin que personne ne soit le témoin de leur activité louche.

Vanessa lui tend la carte mémoire de son appareil photo et, sur un écran de vingt pouces, ils font défiler les clichés d'un Nathan Cooley souriant. Ils en choisissent une pour le passeport et pour le permis de conduire, puis ils passent en revue les éléments indispensables : adresse, date de naissance, et ainsi de suite. Vanessa indique qu'elle veut ces nouveaux papiers au nom de Nathaniel Coley, et non Cooley. « Comme vous voudrez », obtempère le faussaire – cela lui est on ne peut plus égal. Il s'immerge dans le traitement à grande vitesse d'une série d'images. Au bout d'une heure, il a confectionné un passeport américain et un permis de conduire de Virginie capables d'abuser à peu près n'importe qui. La reliure en skaï bleue du permis est suffisamment patinée, et notre Nathan, qui n'a jamais voyagé à l'étranger, a maintenant visité l'Europe et presque toute l'Asie.

Vanessa se hâte de gagner Washington, où elle récupère deux trousses de soins d'urgence, un pistolet et quelques comprimés. À 8 h 30, elle fait demi-tour et se dirige vers le sud et Roanoke.

33.

L'avion est un Challenger 604, l'un des plus beaux jets privés proposés à l'affrètement. Sa cabine accueille confortablement six passagers et permet à ceux qui mesurent moins d'un petit mètre quatre-vingt-dix de se déplacer sans effleurer le plafond de la tête. L'un de ces appareils neuf vaut autour de trente millions de dollars, selon les données et les caractéristiques diffusées en ligne, mais je ne suis pas à l'achat. J'ai seulement besoin d'une utilisation de courte durée, à cinq mille dollars de l'heure. La société se situe à l'extérieur de Raleigh, et la location a été réglée en totalité avec un chèque de Skelter Films d'une banque de Miami. Nous sommes convenus d'un départ à 17 heures, le vendredi, de Roanoke ; il n'y aura que deux passagers – Nathan et moi. Je passe la quasi-totalité de la matinée de vendredi à tenter de convaincre la société de charter que j'enverrai des copies de nos passeports par e-mail dès que je serai en mesure de récupérer le mien. L'histoire que j'invente, c'est que je l'ai égaré et que je vais devoir passer mon appartement au crible.

Pour les voyages à l'extérieur des États-Unis, une société de location d'avions doit communiquer le nom des passagers et la copie de leur passeport plusieurs heures avant le départ. Le service des douanes des États-Unis vérifie ces informations en les confrontant à sa *no-fly list*. Je sais que ni Malcolm Bannister ni Max Reed Baldwin n'y figurent, mais j'ignore ce qui pourra se passer quand les douanes recevront une copie du

faux passeport au nom de Nathaniel Coley. Donc je tergi-
verse, convaincu que moins longtemps les douanes détien-
dront nos passeports, plus j'aurai la chance de passer entre
les mailles de leur éventuel filet. Finalement, j'informe le
service d'affrètement que j'ai retrouvé le mien ; je gagne
encore une heure avant d'en envoyer une copie par e-mail,
ainsi que celui de Nathan, au bureau de Raleigh. Je n'ai
aucune idée de ce que sera la réaction des douanes devant
cette copie de mon passeport. Il est fort possible que mon
nom déclenche l'alerte et que le FBI en soit averti. Si cela se
produit, ce sera, à ma connaissance, la première trace de
mon passage depuis que j'ai quitté la Floride, il y a seize jours.
Je me répète que ce n'est pas important – je ne suis ni un
suspect ni un fugitif ; je suis un homme libre qui peut voyager
sans restrictions, n'est-ce pas ?

Mais pourquoi ce scénario me tracasse-t-il ? Parce que je ne
me fie pas au FBI.

Je conduis Vanessa à l'aéroport régional de Roanoke, où
elle s'envole pour Miami, via Atlanta. Après l'avoir déposée,
je tourne un peu jusqu'à trouver le petit terminal des avions
privés. Ayant quelques heures à tuer, je me gare sur une place
de parking et je dissimule ma petite Audi entre deux pick-
up. J'appelle Nathan à son bar et je lui annonce la mauvaise
nouvelle : notre vol a été retardé. Selon « nos pilotes », on
a repéré une avarie sur un feu de position. Pas très grave,
mais « nos techniciens » y travaillent d'arrache-pied et nous
devrions décoller vers 19 heures.

Le service de location m'a envoyé par e-mail copie de notre
itinéraire, et le Challenger est programmé pour être « reposi-
tionné » à Roanoke à 15 heures. À l'heure dite, il atterrit
et roule jusqu'au terminal. Face à l'aventure qui s'annonce,
je suis à la fois anxieux et survolté. J'attends une demi-heure
avant d'appeler le service de Raleigh pour expliquer que je
vais être retardé, jusqu'à 19 heures approximativement.

Les heures passent et je lutte contre l'ennui. À 18 heures,
j'entre dans le terminal d'un pas nonchalant, je me renseigne, et je fais la connaissance d'un des pilotes, Devin.
Misant sur mon charme, je flatte ce Devin comme si nous

étions de vieux potes. J'explique que mon copassager, Nathan, est le sujet d'un de mes films et que nous partons nous amuser quelques jours au bord de la mer. Je souligne que je ne le connais pas si bien que ça. Devin me demande mon passeport, et je le lui tends. Sans que ce soit flagrant, il compare mon visage à ma photo – et tout va bien. Je demande à jeter un coup d'œil à l'appareil.

Je monte à bord d'un jet privé pour la première fois de mon existence. Dans le cockpit, Will, le copilote, est en train de lire un journal. Je lui serre la main comme le ferait un politicien en campagne et je commente cet incroyable étalage d'écrans, d'interrupteurs, d'instruments, de cadrans, de compteurs et autres. Devin me fait visiter. Derrière le cockpit, il y a la kitchenette, ce que l'on appelle le *galley*, avec micro-ondes, évier avec eau chaude et froide, bar garni, tiroirs remplis de vaisselle en porcelaine et de couverts, et un grand bac à glace où de la bière nous attend. J'ai demandé spécifiquement deux marques, une avec alcool et une sans. Derrière une porte est rangé tout un assortiment de snacks, au cas où nous aurions faim. On ne nous servira pas de dîner car j'ai refusé de m'encombrer d'une hôtesse à bord. Les responsables ont insisté sur le fait que le propriétaire de l'appareil exigeait l'emploi d'une hôtesse, j'ai menacé d'annuler, ils ont cédé. Pour ce voyage vers le sud, Nathan et moi serons donc seuls.

La cabine est meublée de six grands fauteuils en cuir et d'un petit canapé. Le décor est dans les tons de terre pastel, de très bon goût. La moquette est moelleuse et immaculée. Il y a au moins trois écrans de home cinéma et, comme le souligne fièrement Devin, un système de son surround. Nous passons de la cabine aux toilettes, puis à la soute. Je voyage léger et Devin se charge de mon bagage à main. J'hésite, comme si j'avais oublié quelque chose.

— J'ai deux DVD dans mon sac et j'en aurai peut-être besoin. Puis-je y accéder pendant le vol ?

— Bien sûr. Sans problème. La soute aussi est pressurisée, donc vous y avez accès, m'explique Devin.

— Parfait.

Je consacre une demi-heure à inspecter l'avion, puis je commence à consulter ma montre, comme si j'étais irrité par Nathan et son retard. Tandis que nous prenons place dans la cabine, je précise à Devin :

— Ce jeunot vient des montagnes, je ne crois pas qu'il soit déjà monté en avion. Il est un peu mal dégrossi.

— Quel genre de film réalisez-vous ?

— Un documentaire. Sur le commerce de la méthadone dans les Appalaches.

Devin et moi retournons au terminal et continuons de patienter. J'ai oublié quelque chose dans ma voiture et je quitte le bâtiment. Quelques minutes plus tard, le pick-up neuf de Nathan s'engage sur le parking. Il se gare en vitesse, saute de l'habitacle, impatient. Il porte un short en jean, une paire de Nike blanches, sans chaussettes, une casquette de camionneur et, le clou, une chemise hawaïenne à fleurs, rose et orange, avec au moins les deux boutons du haut défaits. Il attrape un sac de sport Adidas à l'arrière de sa voiture et s'avance à grandes enjambées vers le terminal. Je l'intercepte et nous nous serrons la main. Je tiens certains documents sous le bras.

— Désolé du retard, mais l'avion est ici et prêt à décoller.

— Pas de problème.

Il a les yeux liquides et je flaire une haleine de bière éventée. L'aubaine !

Je le conduis à l'intérieur, vers l'accueil, où Devin flirte avec la réceptionniste. Je guide Nathan vers les fenêtres et je lui désigne le Challenger 604.

— C'est le nôtre, lui dis-je fièrement. Au moins pour ce week-end.

Il reste ébahi devant l'avion. Devin s'approche. Je lui glisse en vitesse le faux passeport de Nathan. Il jette un coup d'œil à la photo, puis à Nathan, qui, juste à cet instant, se détourne de la fenêtre. Je le présente à Devin, qui me rend le passeport.

— Bienvenue à bord, me dit-il.

— Nous sommes prêts à y aller ?

— Suivez-moi.

282

Et, alors que nous sortons du terminal, je m'écrie :

— En route pour la plage !

À bord, Devin prend le sac Adidas et le range en soute pendant que Nathan s'affale dans l'un des fauteuils en cuir et admire ce qui l'entoure. Je suis dans le galley en train d'organiser la première tournée de bières – une vraie pour Nathan, une sans alcool pour moi. Quand elles sont servies dans des chopes glacées, on ne voit pas la différence. Devin procède aux démonstrations de sécurité, et je plaisante avec lui, de peur qu'il ne mentionne notre destination. Il n'en est rien, et, quand il se retire dans le cockpit, je m'attache et je souffle enfin un bon coup. Will et lui me font signe du pouce levé puis lancent les moteurs.

— Santé ! dis-je à Nathan.

Nous trinquons et buvons notre première gorgée. Je déplie une table en acajou entre nous deux. Le jet entame son roulage.

— Vous aimez la tequila, Nathan ?

— Ah, ça, oui ! me répond-il, en fêtard déjà déchaîné.

Je me lève d'un bond et j'attrape dans le galley une bouteille de Cuervo Gold et deux petits verres à alcool, que je pose sur la table avec autorité. Nous nous enfilons deux godets, suivis d'une autre bière. Nous n'avons pas encore décollé que je plane déjà. Quand le pictogramme des ceintures de sécurité s'éteint, je nous sers deux autres verres de bière et deux tequila – tequila-bière, tequila-bière. Je meuble les silences de la conversation avec des fadaises concernant le film et l'enthousiasme de nos partenaires financiers. Assez vite, je constate que cela ennuie Nathan ; je lui annonce donc qu'un dîner tardif nous attend, et que l'une des jeunes dames, là-bas, est une amie d'une amie qui pourrait bien être la nana la plus sexy de tout South Beach. Elle a visionné une partie de ce que nous avons tourné, et elle veut rencontrer Nathan.

— Nathan, vous avez quand même apporté un pantalon ?

Je suppose que le sac Adidas est rempli de vêtements d'aussi bon goût que ceux que j'ai sous les yeux.

— Oh oui, j'ai un tas de trucs, me rassure-t-il, la langue de plus en plus pâteuse.

Une fois que nous avons à moitié épuisé le stock de Cuervo Gold, je consulte la carte du vol qui défile à l'écran.

— Juste une heure pour Miami. Buvons un coup.

Nous vidons encore un autre godet de tequila chacun, puis j'avale mon verre de sans plomb. Je pèse treize ou quatorze bons kilos de plus que Nathan, la moitié de mes verres sont sans alcool, or, quand nous survolons Savannah, à onze mille cinq cents mètres d'altitude, ma vision se brouille déjà. Lui, il est vraiment ivre.

Je continue de remplir nos verres. Nathan ne manifeste aucune envie de ralentir. Quand nous passons au-dessus de mon ancienne villégiature de prédilection, Neptune Beach, je prépare la dernière tournée. Dans la chope de bière de Nathan je laisse tomber deux comprimés d'hydrate de chloral de cinq cents milligrammes chacun.

— Achevons ces cadavres, dis-je, et je les plaque sur la table.

Nous vidons nos godets cul sec. Je ralentis le rythme, et Nathan l'emporte haut la main. Trente minutes plus tard, il roupille à poings fermés.

Je surveille notre progression à l'écran. Nous sommes maintenant à plus de douze mille mètres. Miami est en vue, mais nous ne descendons pas. J'extrais Nathan de son siège et je le tire sur le canapé, où je l'allonge avant de prendre son pouls. Je me sers une tasse de café et je regarde Miami s'effacer sous nos ailes.

Peu après, nous laissons aussi Cuba derrière nous, et la Jamaïque émerge en bas de l'écran. Les moteurs baissent légèrement de régime quand nous entamons la descente. Cherchant à tout prix à m'éclaircir les idées, j'avale café sur café. Les vingt minutes suivantes seront cruciales et chaotiques. J'ai un plan, seulement il échappe pour une très grande part à mon contrôle.

Nathan a la respiration lente et chargée. Je le secoue, mais il est inconscient. De la poche droite de son short en jean trop serré, je sors son trousseau de clefs. En plus de celle du pick-up, il en compte six autres. Je suis certain que deux d'entre elles correspondent aux pênes dormants et aux portes de sa maison. Deux autres servent sans doute à ouvrir et à fermer celles du Bombay's. Dans la poche gauche, je trouve une jolie liasse de billets – environ cinq cents dollars – et un paquet de chewing-gums. De la poche arrière gauche je retire son portefeuille, un trois rabats très quelconque fermé par une attache velcro, qui me paraît bien épais. J'en inventorie le contenu, et je comprends pourquoi : notre fêtard l'a bourré de préservatifs, modèle Trojan, bien accessibles contre sa fesse gauche. Il y a aussi dix billets de cent dollars tout craquants, un permis de conduire de Virginie en cours de validité, deux cartes de membre du Bombay's, la carte de visite de son contrôleur judiciaire, et une autre d'un distributeur de bière. Nathan n'a pas de cartes de crédit, sans doute à cause de son récent séjour en prison et de son absence de réel métier. Je laisse l'argent en place, je ne touche pas aux Trojan, et je subtilise tout le reste. Je remplace le permis valide par le faux et je restitue son portefeuille à Nathaniel Coley. Ensuite, je glisse délicatement son faux passeport dans sa poche arrière droite. Il ne bouge pas, ne tressaille pas, ne sent rien.

Je vais aux toilettes et je verrouille la porte de communication derrière moi. J'ouvre la soute, je fais coulisser la fermeture éclair de mon bagage à main et j'en sors deux poches en nylon avec les mots « TROUSSE DE PREMIERS SECOURS » imprimés en majuscules. Je les fourre dans le fond du sac de sport de Nathan, puis je referme le tout. Je me dirige vers le cockpit, j'écarte le rideau noir et, pour attirer l'attention de Devin, je me penche tout près de sa tête. Il retire promptement ses écouteurs.

— Écoutez, lui dis-je, le type a tellement bu qu'il est tombé dans les pommes. Je n'arrive pas à le réveiller et son pouls n'est pas très vaillant. Il se pourrait qu'il nous faille une intervention médicale dès qu'on se sera posés.

Will entend ce que je raconte, même à travers ses écouteurs, et, pendant une fraction de seconde, Devin et lui se regardent fixement. S'ils n'étaient pas en pleine descente, l'un des deux serait sans doute allé en cabine jeter un coup d'œil sur Nathan.

— D'accord, fait finalement Devin.

Je retourne en cabine, où Nathan est allongé, dans une rigidité quasi cadavérique, mais avec un pouls bien perceptible. Cinq minutes plus tard, je retourne dans le cockpit et je les informe qu'il respire bel et bien, pourtant je ne parviens pas à le réveiller.

— Cet idiot a sifflé une bouteille de tequila en moins de deux heures.

Ils secouent tous les deux la tête d'un air consterné.

Nous atterrissons à Montego Bay ; nous roulons et dépassons la rangée des appareils commerciaux alignés le long des portes de l'aérogare principal. Plus au sud, j'aperçois trois autres jets stationnés devant le terminal des vols privés. Près d'eux, des véhicules de secours, avec leurs éclairs de gyrophares rouges, attendent Nathan. Je vais avoir besoin de tout ce bazar pour m'éclipser plus facilement. Je suis tout sauf à jeun, mais la décharge d'adrénaline a fait son effet, et j'ai les idées claires.

Dès que les moteurs sont coupés, Devin se lève d'un bond et ouvre la porte. J'ai ma serviette et mon bagage à main sur mon siège, prêt à saisir la première opportunité, mais j'hésite un peu devant Nathan.

— Attendez l'Immigration, me recommande Devin.

— Bien sûr.

Deux officiers de l'Immigration, deux Jamaïcains au visage fermé, font irruption dans la cabine et me lancent un regard furibond.

— Passeport, s'il vous plaît ! ordonne l'un d'eux, et je le lui tends.

Il l'inspecte.

— Veuillez quitter l'appareil, je vous prie.

Je me précipite au bas des marches, où un autre officier m'ordonne de patienter. Deux auxiliaires médicaux montent à bord ; je suppose qu'ils vont s'occuper de Nathan. Une ambulance recule au pied de l'escalier, et une voiture de police arrive, gyrophares allumés mais sans sirène. Je recule d'un pas, puis d'un autre. Une discussion s'engage sur la meilleure manière de descendre le patient de l'avion, et chacun – les auxiliaires médicaux, les officiers de l'Immigration, la police – semble avoir son avis sur la question. Finalement ils décident de ne pas employer de civière, et ils traînent donc pratiquement Nathan dehors avant de le porter jusqu'en bas des marches. Complètement ramolli et inanimé c'est un véritable poids mort, et, s'il pesait plus que ses soixante-cinq kilos, l'opération se serait achevée en beau gâchis. Alors qu'on l'installe dans l'ambulance, son sac de sport fait son apparition à la porte de l'appareil, et un officier de l'Immigration questionne Devin à ce sujet. Il signale aux autorités que le sac Adidas appartient au passager inconscient ; on le place donc dans l'ambulance avec lui.

— Il faut que j'y aille, maintenant, dis-je à l'officier juste à côté de moi.

Il me désigne une porte du terminal des vols privés. Je l'emprunte au moment où l'on emmène Nathan. Mon passeport reçoit un tampon et on inspecte mon bagage à main et ma serviette aux rayons X. Un officier des douanes me prie d'attendre dans le salon d'accueil. Tandis que je patiente, je vois Devin et Will en conversation plutôt tendue avec les autorités jamaïcaines. Ils ont sans doute des questions épineuses à me poser, et j'aime autant les éviter. Un taxi passe devant les portes en vitesse et s'arrête juste sous l'auvent, face à la porte principale. Une vitre s'abaisse à l'arrière et je vois ma chère Vanessa, qui, avec des gestes frénétiques de la main, m'invite à monter. Comme il n'y a personne alentour, je sors du terminal, je saute dans le taxi, et nous démarrons en trombe.

Elle a réservé une chambre dans un hôtel bas de gamme, à cinq minutes de là. De notre balcon, au troisième étage, nous pouvons voir l'aéroport et les jets atterrir et décoller. Allongés dans notre lit, nous les entendons. Nous sommes épuisés, vidés de toute énergie, pourtant il est hors de question de dormir.

34.

Victor Westlake essayait de s'accorder une grasse matinée, en ce samedi matin, mais après le deuxième coup de téléphone il sortit de son lit, se prépara un café, et envisageait l'éventualité d'une sieste dans le canapé lorsque le troisième appel le fit sursauter, dissipant tout reste de somnolence. Il émanait d'un adjoint, un certain Fox, qui suivait le dossier Bannister/Baldwin. De ce côté-là, rien de notable depuis plus de deux semaines.

— Ça vient des douanes, lui expliqua Fox. Baldwin a quitté Roanoke hier après-midi à bord d'un jet privé et s'est envolé pour la Jamaïque.

— Un jet privé ? répéta Westlake, songeant aux cent cinquante mille dollars de la récompense et se demandant combien de temps ils dureraient, si Baldwin les flambait de la sorte.

— Oui, monsieur, un Challenger 604 affrété par une compagnie dont le siège est à Raleigh.

Westlake réfléchit un moment.

— Qu'est-ce qu'il pouvait bien fabriquer à Roanoke ? Curieux.

— Oui, monsieur.

— Il n'était pas allé en Jamaïque, voilà quelques semaines ? Son premier voyage à l'extérieur des États-Unis ?

— Si, monsieur. Il s'est envolé de Miami pour Montego Bay, il y est resté quelques jours, puis il est allé à Antigua.

288

— Il aime les îles, j'imagine, fit Westlake en tendant la main pour se resservir du café. Il est seul ?

— Non, monsieur. Il voyage avec un dénommé Nathaniel Coley, du moins c'est ce qui est inscrit sur le passeport. Toutefois, il semblerait que Coley voyage avec un faux passeport.

Westlake reposa son café sur le comptoir sans y avoir touché et se mit à faire les cent pas dans la cuisine.

— Ce type s'est présenté devant les douanes avec un faux passeport ?

— Oui, monsieur. Mais n'oubliez pas qu'il s'agissait d'un jet privé et que le passeport n'a pas été véritablement examiné par les douanes. Ils ne détenaient que la copie, envoyée par la société de location, et ils l'ont confrontée à la *no-fly list*. Grosso modo, la procédure de routine.

— Cette routine-là, vous me rappellerez de la réviser.

— Oui, monsieur.

— La question, Fox, c'est de savoir ce que mijote Baldwin, d'accord ? Pourquoi affrète-t-il un jet privé et pourquoi voyage-t-il avec un type qui se sert d'un faux passeport ? Pouvez-vous m'apporter des réponses à ces questions, et vite ?

— Si ce sont les ordres, oui, monsieur. Je n'ai pas à vous rappeler, j'en suis sûr, à quel point les Jamaïcains sont chatouilleux.

— Non, vous n'avez pas à me le rappeler.

Dans la guerre contre la drogue, les batailles ne se livraient pas uniquement entre flics et trafiquants. Les Jamaïcains, comme beaucoup de services de police dans les Caraïbes, s'irritaient depuis longtemps de la politique d'intimidation pratiquée par les officiels américains.

— Je vais me mettre au travail, promit Fox. Mais nous sommes samedi, ici comme là-bas.

— Soyez à mon bureau lundi matin à la première heure, avec des éléments de réponse, vu ?

— Oui, monsieur.

Nathan Cooley se réveilla dans une petite pièce sans fenêtres, plongée dans l'obscurité, excepté la lueur rouge d'un moniteur numérique posé sur une table près de lui. Il était allongé dans ce qui ressemblait à un lit d'hôpital – étroit, muni de rambardes. Il leva les yeux et avisa une poche de transfusion, puis il suivit le tuyau jusqu'en bas, jusqu'au dos de sa main gauche, où il disparaissait sous la gaze blanche. D'accord, je suis dans un hôpital.

Il avait la bouche aussi sèche que du sel et, dès qu'il se mit à réfléchir, cela commença de cogner dans sa tête. Il baissa les yeux et remarqua les Nike blanches, qu'il avait encore aux pieds. Ces gens (et il ne savait pas vraiment qui ça pouvait être) ne s'étaient pas donné la peine de le couvrir ou de le déshabiller pour lui enfiler une blouse de patient. Il referma les yeux et, lentement, la brume de son crâne se dissipa. Il se souvenait des verres de tequila, de la succession de chopes de bières, de la dinguerie de Reed Baldwin, alors qu'ils se pintaient tous les deux. Il se rappelait en avoir bu quelques-unes à son bar, le vendredi après-midi, en attendant de faire le trajet vers l'aéroport, puis de décoller pour Miami. Il avait dû en boire dix, des bières, et dix tequilas. Quel crétin ! Une fois de plus, il était tombé dans le coltard et maintenant, il était sous perfusion. Il avait envie de se lever et de bouger, mais sa tête le lançait et ses yeux pleuraient. Ne bouge pas, se dit-il.

Il y eut un bruit à la porte, et une lumière s'alluma. Une infirmière, grande, à la peau très noire, en tenue blanche impeccable, pénétra dans la chambre, en plein milieu d'une phrase.

— Bien, monsieur Coley, c'est l'heure d'y aller. Il y a des messieurs ici qui vont vous emmener.

C'était de l'anglais, mais avec un accent bizarre.

Il était sur le point de poser la question – « Où suis-je ? » –, quand trois agents en uniforme entrèrent au pas de charge derrière l'infirmière, l'air prêts à le rouer de coups. Les trois hommes étaient noirs – ils avaient la peau très noire.

— C'est quoi, ça, bordel ? réussit-il à s'écrier en se redressant.

L'infirmière lui retira sa perfusion et s'éclipsa en refermant brutalement la porte derrière elle. L'officier le plus âgé s'avança et brandit un insigne.

— Capitaine Fremont, police jamaïcaine, déclara-t-il, exactement comme ils font à la télé.

— Où est-ce que je suis ? s'enquit Nathan.

Fremont sourit, ainsi que les deux officiers dans son dos.

— Vous ne savez pas où vous êtes ?

— Où je suis ?

— Vous êtes à la Jamaïque. Montego Bay. À l'hôpital, pour le moment, mais bientôt vous serez à la prison municipale.

— Comment est-ce que je suis arrivé à la Jamaïque ?

— En jet privé, et un beau.

— Mais je suis censé être à Miami, à South Beach. Il y a erreur, là, vous voyez ? C'est une blague ou quoi ?

— Avons-nous l'air de plaisantins, monsieur Coley ?

Il songea que ces gens avaient une drôle de manière de prononcer son nom de famille.

— Pourquoi avez-vous tenté de pénétrer sur le territoire de la Jamaïque avec un faux passeport, monsieur Coley ?

Il mit la main à sa poche de derrière, et s'aperçut que son portefeuille n'y était pas.

— Où est mon portefeuille ?

— En notre possession, ainsi que tout le reste.

Nathan se massa les tempes et réprima une envie pressante de vomir.

— En Jamaïque ? Qu'est-ce que je fous en Jamaïque ?

— Nous nous posons en partie les mêmes questions, monsieur Coley.

— Passeport ? Quel passeport ? Je n'ai jamais eu de passeport.

— Je vous le montrerai plus tard. Tenter de pénétrer dans notre pays avec un passeport contrefait constitue une violation de la loi jamaïcaine. Toutefois, en l'occurrence, vous avez des problèmes bien plus graves.

— Où est Reed ?

— Je vous demande pardon ?

— Reed Baldwin. Le type qui m'a amené ici. Trouvez Reed et il pourra tout vous expliquer.

— Je n'ai pas eu l'avantage de rencontrer M. Reed Baldwin.

— Eh ben, faut le trouver, compris ? C'est un type, un Noir, comme vous autres. Il pourra tout vous expliquer. On a quitté Roanoke hier vers 7 heures du soir. Je crois qu'on a trop bu. On a décollé pour Miami, pour South Beach, où on était supposés travailler sur son documentaire. Ça concerne mon frère, Gene, vous savez ? En tout cas, il y a une grosse erreur, là. On est supposés être à Miami.

Fremont se retourna lentement et considéra ses deux collègues. Les brefs regards qu'ils échangèrent ne laissaient guère de doute : ils avaient affaire à un abruti, un bavard qui n'avait plus toute sa tête.

— En prison ? Vous avez dit en « prison » ?

— Votre prochaine étape, mon ami.

Nathan s'agrippa le ventre et sa bouche se remplit de bile. Fremont lui tendit aussitôt une corbeille doublée d'un sac poubelle, puis recula d'un pas, pour se tenir à distance. Le torse secoué de hoquets, la respiration entrecoupée, Nathan vomit, puis il lâcha un chapelet d'imprécations. Le tout dura cinq bonnes minutes, pendant lesquelles les trois officiers inspectaient le bout de leurs rangers ou admiraient le plafond. Une fois cette crise terminée, Dieu merci, Nathan se leva et reposa la corbeille par terre. Il prit un mouchoir en papier sur la table, s'essuya la bouche et but un verre d'eau.

— S'il vous plaît, expliquez-moi ce qui se passe, fit-il d'une voix éraillée.

— Vous êtes en état d'arrestation, monsieur Coley, lui déclara Fremont. Infraction douanière, importation de substances réglementées et possession d'une arme à feu. Qu'est-ce qui vous a permis de croire que vous pouviez pénétrer sur le territoire de la Jamaïque avec quatre kilos de cocaïne pure et une arme de poing ?

Nathan faillit s'en décrocher la mâchoire. Il avait la bouche béante, mais ne s'en échappait que son haleine tiède. Il cligna des yeux, plissa le front, le regard implorant, et essaya de nouveau de parler. Rien. Enfin, il réussit à prononcer un mot, faiblement :

— Quoi ?

— Ne jouez pas les imbéciles, monsieur Coley. Où alliez-vous ? En route vers une de nos fameuses stations balnéaires, pour une semaine de sexe et de drogue ? Tout cela était-il destiné à votre consommation personnelle, ou aviez-vous l'intention d'en vendre un peu à d'autres riches Américains ?

— C'est une blague, hein ? Où est Reed ? Fini de rigoler, là. Ha ! ha ! ha ! Maintenant, laissez-moi sortir d'ici.

Fremont détacha de son épais ceinturon une paire de menottes.

— Retournez-vous, monsieur. Les mains dans le dos.

Subitement, Nathan beugla :

— Reed ! Je sais que tu es là dehors ! Arrête de te marrer, enfoiré, et dis à ces rigolos de se casser d'ici !

— Retournez-vous, monsieur, répéta Fremont,

Nathan n'obéit pas. Il hurla encore plus fort :

— Reed ! Je te revaudrai ça. La bonne blague ! Je t'entends rire d'ici !

Les deux autres officiers de police s'avancèrent et le prirent chacun par un bras. Nathan eut la sagesse de comprendre que résister ne le mènerait à rien. Quand les menottes furent en place, ils le conduisirent de la chambre dans le couloir. Il se retourna brusquement, cherchant Reed ou quelqu'un qui pourrait intervenir et mettre un terme à tout cela. Ils passèrent devant plusieurs chambres aux portes ouvertes, des petites chambres avec deux ou trois lits pratiquement collés les uns aux autres. Ils croisèrent des patients comateux sur des lits à roulettes repoussés contre les murs, des infirmières qui annotaient des feuilles de température et des garçons de salle qui regardaient la télévision. Tout le monde était noir, remarqua-t-il. Je suis vraiment à la Jamaïque. Ils descendirent une volée de marches et franchirent une porte donnant sur l'extérieur. Quand il se retrouva dans l'air moite et sous le soleil éclatant, Nathan comprit qu'il était en territoire étranger, et sur une terre inhospitalière.

Un taxi ramena Vanessa à l'aéroport, où elle prit le vol de 9 h 40 pour Atlanta. Il était prévu qu'elle arrive à Roanoke en début de soirée, un peu avant 19 heures. Là, elle se rendrait en voiture à Radford et louerait une chambre dans un motel. Je ne la contacterais pas avant quelques jours.

Je prends un autre taxi en direction du centre de Montego Bay. À l'inverse de Kingston, la capitale, vieille de trois cents ans, Montego Bay est une ville nouvelle qui a développé pléthore de résidences-clubs et d'hôtels, d'immeubles et de villages de boutiques qui se sont étendus vers l'intérieur des terres, à l'opposé de l'océan, pour finalement opérer la jonction avec les quartiers d'habitation. Il n'y a pas d'avenue principale ou de place centrale, pas de palais de justice majestueux au cœur de la ville. Les bâtiments du gouvernement sont disséminés sur un vaste périmètre, comme le sont les immeubles de bureaux. Mon chauffeur finit par repérer le cabinet juridique de M. Rashford Watley. Je paie la course et monte quatre à quatre un étage, jusqu'à un palier où un groupement d'avocats occupe plusieurs petits bureaux indépendants. M. Watley m'a expliqué au téléphone qu'il travaille rarement le samedi, mais, pour moi, il consent une exception. Le texte de son annonce dans l'annuaire met en avant trente années d'expérience auprès de toutes les cours pénales. Quand nous nous serrons la main, je constate qu'il est heureusement surpris de voir que je suis noir, moi aussi. Il était sans doute parti du principe que, en tant que touriste américain, j'étais blanc.

Nous nous installons chacun sur un siège de son modeste bureau et, après quelques bons mots, j'en viens au fait. Plus ou moins. Il suggère que nous coupions court à tout formalisme, et que nous nous appelions par nos prénoms. Ce sera donc Max et Rashford. Je lui expose rapidement mon métier de réalisateur de films, mon projet actuel concernant un certain Nathaniel Coley, et ainsi de suite, puis, assez vite, le sujet dévie. J'explique à Rashford que Nathaniel et moi sommes venus à la Jamaïque pour quelques journées de détente et de plaisir. Il s'est saoulé et a perdu connaissance à bord de l'appareil, ce qui a nécessité une intervention des secours dès notre arrivée. Je n'en ai pas la certitude, mais je pense qu'il a tenté d'introduire frauduleusement de la drogue et qu'il avait une arme avec lui. Au milieu de la

294

confusion, la veille, j'ai réussi à m'éclipser. Je souhaite donc recourir aux services de Rashford pour deux raisons : primo, le plus important, me représenter et me protéger contre d'éventuels ennuis ; deuzio, passer quelques coups de fil et tirer quelques ficelles pour m'informer sur Nathaniel et les charges retenues contre lui. Je voudrais que Rashford rende visite à Nathaniel en prison et lui promette que je tenterai tout mon possible pour m'assurer de sa libération.

Pas de problème, m'affirme l'avocat. Nous nous accordons sur ses honoraires et je le paie en espèces. Il décroche immédiatement son téléphone et s'enquiert auprès de ses contacts au sein des douanes et de la police. Je ne sais pas s'il force le trait pour m'impressionner, mais apparemment il connaît du monde. Au bout d'une heure, je le prie de m'excuser et je sors dans la rue boire un soda. À mon retour à son bureau, il est encore au téléphone, à griffonner sur un bloc-notes.

Je lis un magazine à la réception, sous un ventilateur bruyant, quand Rashford réapparaît et s'assied à la table de sa secrétaire. Le tableau n'est guère réjouissant, et il secoue la tête.

— Votre ami est confronté à de gros tracas, m'annonce-t-il. Tout d'abord, il a tenté d'entrer dans l'île avec un faux passeport.

Sans blague, mon cher Rashford !

— Vous le saviez ? me demande-t-il.

— Bien sûr que non.

Rashford n'a jamais affrété de jet privé et, dès lors, ignore tout de la procédure.

— Il y a bien pire, continue-t-il. M. Coley a essayé d'introduire une arme de poing et quatre kilos de cocaïne sur le territoire.

— Quatre kilos de cocaïne ! répété-je en jouant les âmes choquées du mieux que je peux.

— Ils ont trouvé la poudre dans deux trousses de premiers secours à l'intérieur de son sac de sport, avec un petit pistolet. Quel imbécile !

Je secoue la tête, incrédule.

— Il a évoqué son intention de s'acheter de la drogue une fois sur place, mais ne m'a rien dit de celle qu'il comptait passer en douce.

— Connaissez-vous bien ce monsieur ? s'enquiert Rashford.

— Je l'ai rencontré il y a tout juste une semaine. Nous ne sommes pas exactement amis intimes. Je sais qu'il a des antécédents, certains délits relatifs aux stupéfiants, mais je ne le savais pas idiot à ce point.

— Eh bien, idiot, il l'est. Il va sans doute séjourner ces vingt prochaines années dans l'une de nos riantes prisons.

— Vingt ans ?

— Cinq pour la coke, quinze pour le pistolet.

— C'est scandaleux ! Il faut faire quelque chose, Rashford !

— Les choix sont limités, mais laissez-moi m'en charger.

— Et moi ? Je n'aurai pas d'ennuis, ici ? Je veux dire, ils ont contrôlé mes bagages, aux douanes, et tout s'est déroulé sans accroc. Je ne suis pas complice ou coupable par association, non ?

— Pour l'heure, non, en rien. Néanmoins je suggère que vous repartiez dès que possible.

— Je ne peux pas partir tant que je n'ai pas vu Nathaniel. Il faut que j'aide ce type, vous voyez ?

— Vous ne pouvez pas tenter grand-chose, Max. Ils ont trouvé de la coke et le pistolet dans son sac.

Je me mets à arpenter la petite pièce, plongé dans mes pensées, apparemment malade d'inquiétude. Rashford m'observe un moment. Puis il reprend la parole.

— Ils vont sans doute m'autoriser à voir M. Coley. Je connais les gars de la prison, je les croise tout le temps. Vous avez engagé le bon avocat, Max, mais, encore une fois, j'imagine mal ce qui pourrait être tenté.

— Vous voyez ça souvent, ici, des touristes américains qui se font serrer avec de la drogue ?

Il réfléchit, avant de me répondre.

— Pas de cette manière. Les Américains se font en général prendre à la sortie, pas à l'entrée. Cependant, l'inculpation pour détention de drogue n'est pas l'essentiel. Nous sommes cléments sur la drogue, mais sévères sur les armes. Nous avons des lois très strictes, surtout pour les armes de poing. Qu'est-ce que ce garçon mijotait ?

— Je n'en sais rien.

— Laissez-moi lui rendre visite et établir le contact.

— J'ai besoin de le voir, moi aussi, Rashford. Il faut régler cette histoire. Appuyez-vous sur vos amis à la prison, et convainquez-les.

— Cela peut nécessiter des liquidités.

— Combien ?

Il hausse les épaules.

— Pas beaucoup. Vingt dollars.

— Je les ai.

— Laissez-moi examiner ce que je peux faire.

35.

Les pilotes m'appellent sur mon téléphone portable. Je ne réponds pas. Devin me laisse des messages frénétiques, tous à peu près identiques : la police a saisi l'appareil et les pilotes ont reçu l'ordre de ne pas quitter l'île. Ils sont descendus au Hilton, mais ça ne les amuse guère. Leur bureau à Raleigh leur hurle dessus et tout le monde exige des réponses. Les pilotes sont sous pression pour avoir communiqué un faux passeport. Ils vont sans doute perdre leur emploi. Le propriétaire de l'avion multiplie les menaces, et ainsi de suite.

Je n'ai pas le temps de m'inquiéter pour eux. Je suis convaincu qu'un personnage qui possède un jet à trente millions de dollars saura imaginer le moyen de le récupérer.

À 14 heures, Rashford nous conduit à dix minutes de son bureau, au siège de la police. La prison municipale jouxte le bâtiment. Il se gare sur un parking bondé et, d'un signe de tête, m'indique un édifice tout en longueur, au toit plat, avec d'étroites meurtrières en guise de fenêtres et des barbelés en guise de décorations. Rashford adresse un bonjour enjoué aux gardiens et aux officiers de service.

Il se rend à une porte et chuchote avec un gardien, qu'il connaît, à l'évidence. Je les observe discrètement, sans voir d'argent changer de main. À un bureau d'accueil, nous signons un formulaire, fixé par une pince à un porte-bloc.

— Je leur ai raconté que vous étiez avocat et qu'on travaillait ensemble, me souffle-t-il, pendant que je griffonne l'un de mes noms. Alors comportez-vous en avocat.

Si seulement il savait.

Rashford attend dans une longue salle étroite dont les avocats se servent pour leurs entrevues quand la police n'en a pas l'usage. Il n'y a pas de climatisation et la pièce est un véritable sauna. Au bout de quelques minutes, la porte s'ouvre et on pousse Nathaniel Coley à l'intérieur. Il contemple Rashford d'un œil hagard, puis se tourne vers le gardien, qui s'en va et referme la porte. Nathan s'assied lentement sur un tabouret en métal et considère Rashford d'un air ébahi. L'avocat lui tend une carte de visite.

— Je m'appelle Rashford Watley, avocat. Votre ami Reed Baldwin m'a engagé pour étudier votre situation.

Nathan prend la carte et rapproche son tabouret. L'un de ses yeux est partiellement clos et son maxillaire gauche est enflé. Il a du sang séché au coin des lèvres.

— Où est Reed ? demande-t-il.

— Il est ici. Il est très inquiet et il veut vous voir. Est-ce que ça va, monsieur Coley ? Votre mâchoire est enflée.

Nathan considère ce grand visage rond, et s'efforce d'intégrer les mots qu'il vient d'entendre. C'est de l'anglais, d'accord, mais avec un accent étrange. Il a envie de corriger ce type : « Cooley », pas « Coley ». Enfin, cet avocat essaie peut-être de prononcer « Cooley », sauf qu'en Jamaïque ça sonne différemment.

— Est-ce que ça va, monsieur Coley ? répète Rashford.

— J'ai été pris dans deux bagarres ces deux dernières heures. Les deux fois, j'ai eu le dessous. Faut me sortir d'ici, monsieur...

Il consulte la carte de l'avocat, sans parvenir à se concentrer sur les mots qui y sont imprimés.

— Watley. Monsieur Watley.

— Parfait, monsieur Watley. C'est un gros malentendu. Je ne sais pas ce qui s'est passé, ce qui a déraillé, mais je ne suis coupable de rien. Je n'ai pas utilisé de faux passeport et je suis sûrement pas entré en douce avec de la drogue et une arme. Quelqu'un m'a foutu ces trucs dans mon sac, vous saisissez ? C'est la vérité, et je suis prêt à le jurer sur une pile de bibles. Je consomme pas de drogue, j'en vends pas et, ce qu'il y a de sûr, c'est que j'en fourgue pas. Je veux causer à Reed.

Ces mots-là, il les crache dents serrés tout en se massant la mâchoire.

— Avez-vous la mâchoire brisée ? s'enquiert Ashford.

— Je suis pas médecin.

— Je vais essayer de vous en procurer un, et d'obtenir votre transfert dans une autre cellule.

— Elles sont toutes pareilles – étouffantes de chaleur, bourrées à craquer et crasseuses. Faut faire quelque chose, monsieur Watley. Et vite. Je vais jamais survivre, moi, ici.

— Vous avez déjà séjourné en prison, je crois.

— J'ai juste passé quelques années dans un pénitencier fédéral, rien de ce genre. J'avais trouvé ça un peu dur. Par contre ici, c'est l'enfer. Il y a quinze gars dans ma cellule, tous des Noirs. On a deux couchettes et un trou dans un coin qui sert de pissotière. Pas de clim, rien à bouffer. S'il vous plaît, monsieur Watley, faites quelque chose.

— Des charges très graves sont retenues contre vous, monsieur Coley. Si vous êtes reconnu coupable, vous risquez vingt ans de prison.

Nathan laisse retomber la tête et soupire profondément.

— Je ne tiendrai pas une semaine.

— Je suis convaincu de pouvoir obtenir une réduction de peine, mais c'est tout de même une longue détention qui vous attend. Et pas dans une prison municipale comme celle-ci. Ils vous enverront dans l'une de nos prisons régionales, où les conditions ne sont pas toujours aussi agréables.

— Alors proposez-moi un plan. Il faut expliquer au juge ou à qui vous voulez que tout ça n'est qu'une erreur. Je ne suis pas coupable, d'accord ? Faut s'arranger pour que quelqu'un y croie.

— Je vais tâcher, monsieur Coley. Néanmoins le processus doit suivre son cours et, malheureusement, les procédures sont assez lentes, ici, en Jamaïque. La cour programmera votre première comparution dans quelques jours, puis les chefs d'inculpation vous seront notifiés.

— Et une libération sous caution ? Je peux déposer une caution et sortir d'ici ?

— J'y travaille en ce moment même avec un garant de caution judiciaire, cependant je ne suis pas optimiste. La cour considérerait qu'il y a risque de fuite. De combien d'argent disposez-vous ?

Nathan grogne et secoue la tête.

— Je n'en sais rien. J'avais mille dollars dans mon porte-feuille, et je ne sais pas ce qu'ils sont devenus. Je suis sûr qu'ils ont disparu. J'avais cinq cents dollars dans ma poche aussi, et ils ne sont plus là. Ils m'ont nettoyé à sec. J'ai quelques biens, chez moi, mais rien de liquide. Je ne suis pas un homme riche, monsieur Watley. J'ai trente ans, je suis un ancien taulard qui était en prison il y a encore six mois. Ma famille n'a rien.

— Eh bien, le tribunal va se pencher sur la valeur de cette cocaïne et de ce jet privé, et sera d'un autre avis.

— La cocaïne n'est pas à moi. Je ne l'ai jamais vue, jamais touchée. Elle a été mise là exprès, d'accord, monsieur Watley ? Tout comme l'arme.

— Je vous crois, monsieur Coley, mais la cour se montrera vraisemblablement plus sceptique. De telles explications, les tribunaux en entendent sans arrêt.

Nathan ouvrit lentement la bouche et gratta le sang séché au coin de ses lèvres. À l'évidence, il souffrait, il était sous le choc.

Rashford se leva.

— Restez assis, fit-il. Reed est ici. Si quelqu'un vous pose la question, vous répondrez que c'est un de vos avocats.

Dès que j'entre, le visage tuméfié de Nathan s'éclaire. Je m'assieds sur un tabouret, à moins d'un mètre de lui. Il voudrait hurler, mais il sait que quelqu'un l'écoute.

— Qu'est-ce qui se passe, ici, bordel, Reed ? Parlez-moi !

À ce stade, mon numéro est celui d'un homme effrayé qui n'est pas sûr de savoir de quoi demain sera fait.

— Je ne sais pas, Nathan, dis-je, nerveux. Je ne suis pas en état d'arrestation, mais je ne peux pas quitter l'île. J'ai trouvé Rashford Watley dès la première heure ce matin et nous essayons de vous dépêtrer de tout ça. Tout ce que je me rappelle, c'est qu'on a été saouls très vite. Stupidement. Ça, j'ai saisi. Vous avez tourné de l'œil sur le canapé et moi, c'est tout juste si je suis resté éveillé. À un moment, l'un des pilotes m'a appelé dans le cockpit et m'a expliqué que le trafic aérien autour de Miami était fermé à cause de la météo. Avis de tornade, tempête tropicale, vraiment un sale temps. Miami International était fermé. La dépression remontait vers le nord, donc nous l'avons contournée par le sud. Je ne me rappelle vraiment pas tout ce qui s'est passé. J'ai essayé de vous réveiller mais vous ronfliez.

— Je ne me souviens pas d'être tombé dans les vapes, dit-il en tapotant sa mâchoire endolorie.

— Est-ce qu'un homme ivre se souvient d'avoir tourné de l'œil ? Non, il ne s'en souvient pas. Vous étiez bourré, d'accord ? Vous aviez déjà bu avant le décollage. En tout cas, à un certain moment, on a été trop court en carburant, et on a dû atterrir. Selon les pilotes, nous avons été déroutés ici, à Montego Bay, pour faire le plein de kérosène. Ensuite nous étions censés repartir pour Miami, où le temps s'était dégagé. J'ai bu des litres de café, donc je me rappelle presque tout ce qui s'est passé. À l'atterrissage, le commandant m'a juste dit de rester à bord, que nous en aurions pour une vingtaine de minutes. Ensuite il m'apprend que l'Immigration et les Douanes veulent jeter un coup d'œil. On nous ordonne de descendre de l'appareil, mais vous êtes dans le cirage, incapable de bouger. Vous n'avez presque plus de pouls. Ils appellent une ambulance, et tout part en vrille.

— C'est quoi, ce merdier de faux passeport ?

— Une erreur de ma part. Nous atterrissons tout le temps à Miami International, et souvent ils veulent voir un passeport, même pour les vols intérieurs, surtout les vols privés. Je crois que ça remonte aux années 1980, à l'époque de la guerre contre la drogue, quand les seigneurs de la drogue et leur entourage utilisaient des jets privés. Maintenant, avec la guerre contre le terrorisme, ils aiment bien voir un passeport. Il n'est pas obligatoire d'en avoir un, mais c'est très utile. J'ai un type, à Washington, qui est capable d'en fabriquer un du jour au lendemain pour une centaine de dollars, et je lui ai demandé de me le fabriquer pour vous, juste au cas où nous en aurions besoin. Je n'avais pas idée que cela deviendrait un problème.

Le pauvre Nathan ne sait plus quoi croire. J'ai l'avantage de mois de préparation. Il accuse méchamment le coup et il est totalement désorienté.

— Croyez-moi, Nathan, un faux passeport, c'est le cadet de vos soucis.

— Et la coke, l'arme, elles viennent d'où ?

— La police, dis-je avec aplomb. Ce n'était ni vous ni moi, donc ça limite la liste des suspects. Rashford m'a avoué que ce ne serait pas une première, en Jamaïque. Un jet privé américain arrive avec un duo de types fortunés – sinon ils ne s'éclateraient pas à bord d'un si bel avion. L'un de ces riches gars est tellement saoul qu'il serait incapable de distinguer un éléphant blanc dans un couloir. Coma éthylique. Le type à jeun, ils le font descendre de l'avion, et les pilotes, ils les distraient avec de la paperasse à remplir. Puis, au moment idéal, ils introduisent la drogue : ils la fourrent dans un sac, c'est aussi simple que ça. Quelques heures plus tard, le jet est officiellement saisi par le gouvernement jamaïcain, et le trafiquant placé sous les verrous. Tout ça n'est qu'une question d'argent.

Nathan intègre tout cela en fixant ses pieds nus. Sa chemise hawaïenne rose et orange a des taches de sang. Il a des éraflures aux bras et aux mains.

— Vous pouvez m'apporter un truc à manger, Reed ? Je meurs de faim. Ils m'ont servi à déjeuner, il y a une heure, de la merde, tellement dégueulasse, vous pouvez pas imaginer, et avant que j'aie pu en avaler une bouchée un de mes petits camarades en cellule a décidé qu'il en avait plus besoin que moi.

— Désolé, Nathan. Je vais voir si Rashford peut graisser la patte d'un gardien.

— S'il vous plaît.

— Voulez-vous que j'appelle quelqu'un, chez vous ?

— Qui ? La seule personne à qui je me fie plus ou moins, c'est le type qui gère mon bar, et je pense qu'il me vole. J'ai coupé les liens avec la famille, et de toute manière ils refuseraient de m'aider. Comment ils pourraient ? Ils ne savent pas où ça se trouve, la Jamaïque. Pas sûr que je sache la repérer sur une carte, moi non plus.

— Rashford pense qu'ils risquent de m'inculper pour complicité, donc il se pourrait que je vous rejoigne ici.

Il secoue la tête.

— Vous, vous pourriez survivre parce que vous êtes noir et en bonne forme. Un petit Blanc maigrichon, il n'a aucune chance. Dès que je suis entré en cellule, un grand mec a tout de suite considéré que mes Nike lui plaisaient vraiment. Terminé, les Nike. Ensuite, un autre a voulu m'emprunter de l'argent, et comme j'en ai pas, il m'a forcé à promettre de lui en trouver, et vite. Ça a provoqué la première bagarre, avec au moins trois de ces brutes qui m'ont défoncé la tête. Je me souviens d'avoir entendu un gardien rigoler, dire quelque chose au sujet d'un petit Blanc incapable de se battre. Mon coin de béton se trouve juste à côté de la pissotière, rien qu'un trou, comme une cabane de chiotte. L'odeur vous soulève le cœur, de quoi vous faire gerber. Si je bouge de dix centimètres, je me retrouve sur le coin d'un autre et ça déclenche une bagarre. Il n'y pas de clim et on se croirait dans un four. Quinze hommes serrés les uns contre les autres qui transpirent, qui crèvent de faim et de soif, et personne n'arrive à dormir. Je peux pas imaginer ce que ça va être, la nuit. S'il vous plaît, Reed, sortez-moi de là.

— Je vais essayer, Nathan, mais il y a de fortes chances pour que ces types veuillent me coincer moi aussi.

— Tentez quelque chose, je vous en prie.

— Écoutez, Nathan, tout ça, c'est ma faute, d'accord ? Même si je n'avais aucun moyen de savoir que le vol allait entrer dans une tempête. Ces idiots de pilotes auraient dû nous prévenir de la météo avant le décollage, ils auraient dû atterrir quelque part sur le sol américain, ou embarquer davantage de carburant. Dès notre retour, on les attaquera en justice, d'accord ?

— Comme vous voudrez.

— Nathan, je ferais n'importe quoi pour vous sortir d'ici, mais je suis visé, moi aussi. Il n'y a que l'argent qui peut régler tout ça. C'est de l'extorsion : une bande de flics veut se faire un paquet, et ils connaissent ce genre de jeu par cœur. Bon dieu, les règles, ce sont eux qui les ont écrites. Rashford pense qu'ils vont presser le propriétaire du jet comme un citron et récolter un joli pot-de-vin. Ils vont nous lancer un hameçon et voir ce qu'à nous deux on réussira à ramasser en liquide. Maintenant qu'ils savent que nous avons un avocat, d'après Rashford ils me contacteront assez vite. Ils préfèrent régler leur petite affaire de corruption avant que le dossier ne remonte devant un tribunal. Après ça, vous serez sous le coup d'une inculpation officielle et les juges vont tout fouiller. Vous comprenez ça, Nathan ?

— J'arrive pas à y croire, Reed. Hier, à cette heure-ci, j'étais à mon bar, je prenais une bière avec une gonzesse trop mignonne, je me vantais d'aller à Miami pour le week-end. Et maintenant, regardez-moi : on m'a jeté dans une cellule crasseuse avec une bande de Jamaïcains, et ils attendent tous leur tour de pouvoir me péter la gueule. Vous avez raison, Reed, c'est entièrement votre faute. À vous et votre film ridicule. J'aurais jamais dû vous écouter.

— Je suis désolé, Nathan. Croyez-moi, je suis vraiment désolé.

— Vous pouvez. Faites quelque chose, c'est tout, Reed, et pressez-vous. Moi, ici, je vais plus tenir le coup longtemps.

36.

Rashford me raccompagne en voiture à mon hôtel et, à la dernière minute, m'invite aimablement à dîner. Il me précise que son épouse est excellente cuisinière et qu'ils seraient ravis de recevoir un cinéaste accompli sous leur toit. J'ai beau être tenté, surtout parce que je n'ai rien à faire pendant les dix-huit prochaines heures, je m'esquive en prétextant médiocrement que je me sens mal et que j'ai besoin de sommeil. Je vis dans le mensonge, et la dernière chose dont j'aie envie, c'est une longue conversation autour d'une table sur ma vie, mon œuvre et mon passé. Je suspecte que des individus chevronnés sont sur ma trace, à flairer des indices, et un mot de trop ici ou là pourrait revenir me hanter.

On est en juillet, la saison touristique est terminée, et l'hôtel n'est pas très animé. Il y a une petite piscine avec un bar ombragé, et je passe l'après-midi sous un parasol, à lire un Walter Mosley en sirotant une bière Red Stripe.

Vanessa atterrit à Roanoke à 7 heures samedi soir. Elle est épuisée, mais elle n'a pas droit au repos. Au cours des dernières quarante-huit heures, elle a roulé de Radford à Washington et de Washington à Roanoke, elle a pris un vol de Roanoke à la Jamaïque et retour à Miami, en passant par Charlotte et Atlanta. À part trois heures d'un repos agité dans un lit à Montego Bay, et plusieurs petits sommes en avion, elle n'a pas dormi.

Elle sort du terminal avec son bagage cabine et prend son temps pour aller récupérer sa voiture. Comme toujours, elle surveille tout et tout le monde autour d'elle. Nous ne pensons pas qu'elle soit suivie, cependant à ce stade de notre petit projet, nous ne tenons rien pour acquis. Elle traverse l'autoroute et prend une chambre au Holiday Inn. Elle commande un repas au room service et dîne devant sa fenêtre, dans le soleil couchant. À 10 heures, nous nous parlons brièvement au téléphone, dans un langage codé. Nous en sommes à notre troisième ou quatrième téléphone portable à carte, et il est hautement improbable que qui que ce soit nous écoute, mais, là encore, nous ne voulons courir aucun risque. Je conclus par un simple : « Continue comme convenu. »

Elle retourne à l'aéroport, au terminal de l'aviation générale, et se gare à côté du pick-up de Nathan. Il est tard, samedi soir, et il n'y a aucun trafic aérien privé, aucun mouvement sur le parking désert. Elle enfile une paire de fins gants de cuir et, en se servant des clefs de Nathan, déverrouille sa portière et démarre. C'est le premier trajet de Vanessa au volant d'un tel véhicule et elle ne force pas l'allure. Un peu plus loin sur la route, elle s'arrête sur le parking d'un fast-food pour régler le siège et les rétroviseurs. Ces cinq dernières années, elle a conduit une voiture japonaise, un petit modèle, et le passage à la catégorie supérieure la laisse désemparée et un peu mal à l'aise. La dernière chose qu'on puisse se permettre, c'est de la taule froissée ou des gyrophares bleus. Elle s'engage ensuite sur l'Interstate 81 et se dirige vers le sud, en direction de Radford, en Virginie.

Il est presque minuit quand elle quitte la route d'État et bifurque sur une petite route de campagne, vers la maison de Nathan. Elle passe devant le mobile-home à remorque, domicile du plus proche voisin de Nathan, et roule à vingt à l'heure, pratiquement sans faire de bruit. Au volant de son propre véhicule, elle a emprunté cet itinéraire des dizaines de fois, et elle connaît le terrain. Cette route serpente devant chez Nathan et traverse des pâturages avant de passer devant une autre maison, environ trois kilomètres plus loin dans la campagne. Au-delà, l'asphalte se transforme en gravier, puis en terre. Il n'y a pas de circulation, tant le coin est dépeuplé. Il paraît curieux qu'un célibataire de trente ans ait choisi d'habiter dans un endroit aussi reculé.

Elle se gare dans l'allée et tend l'oreille. Le labrador à poil jaune est dans le jardin, derrière la maison, à l'écart, enfermé dans un vaste chenil clôturé, avec une jolie maisonnette en guise de niche pour le tenir au sec. À part le chien, pas un bruit. Seule une petite lumière jaune, sous la véranda, troue vaguement l'obscurité. Vanessa garde en poche un Glock 9 millimètres, et elle pense savoir s'en servir. Elle contourne la maison, en regardant où elle met les pieds, en guettant le moindre bruit. Le chien aboie plus fort, mais personne ne peut l'entendre, hormis Vanessa. Arrivée à la porte de derrière, elle essaie les clefs. Les trois premières ne correspondent ni à la serrure du bouton de porte ni au pêne dormant ; les numéros quatre et cinq, elles, conviennent. Elle respire un coup, puis pousse le battant. Il n'y a pas de sirène, pas de bips en rafale. Elle avait franchi la même porte, cinq jours plus tôt, pendant la première séance de tournage, et elle avait remarqué l'absence de système d'alarme.

Une fois à l'intérieur, elle retire ses gants de cuir pour enfiler une paire de gants jetables en latex. Elle s'apprête à inspecter chaque centimètre carré de cette maison, et elle ne peut laisser la moindre empreinte. D'un pas rapide, elle allume les lampes, baisse tous les stores et monte l'air conditionné. C'est une maison de location pas chère, occupée par un cul-terreux célibataire qui a passé ces cinq dernières années en prison, au décor et à l'aménagement spartiates. Il y a quelques pièces de mobilier, la télévision surdimensionnée de rigueur, et des draps à certaines fenêtres. Des assiettes pas lavées s'empilent à côté de l'évier, dans la cuisine, et du linge sale s'entasse sur le sol de la salle de bains. La chambre d'ami sert à ranger tout un fatras. Deux souris mortes gisent dans des pièges, le cou brisé.

Vanessa commence par fouiller la chambre de Nathan. Une haute commode – rien. Sous le lit, entre le matelas et le sommier à ressorts – rien. Elle examine le moindre centimètre d'un placard très encombré. La maison a des fondations traditionnelles, en charpente, pas de dalle de béton, et le plancher joue sous chacun de ses pas. Elle frappe du pied dessus, guettant l'emplacement qui sonnerait plus creux, le signe d'une cachette.

Je suspecte Nathan d'avoir dissimulé son butin quelque part dans la maison, mais sans doute pas dans l'une des pièces principales. Néanmoins, nous devons chercher partout. S'il est malin, ce qui n'est pas gagné, il l'aura réparti dans plusieurs cachettes.

Sortant de la première chambre, elle inspecte la seconde, ce qui dégage de la place pour les souris mortes. À minuit et demi, elle éteint les lumières, comme si Nathan allait s'accorder du repos. Elle ausculte pièce après pièce, vérifie tous les recoins, chaque planche, chaque poche. Rien qu'elle ne soulève pas, qu'elle ne vérifie pas. Ce qu'elle cherche pourrait se trouver dans les murs, dans les sols, dans le placoplâtre du faux plafond, pourrait être enterré dans le jardin ou entassé dans un coffre au Bombay's.

Le sous-sol exigu a un plafond de deux mètres dix, pas de climatisation, et des murs en parpaing. Après avoir passé une heure là-dedans, Vanessa est trempée de sueur et trop fatiguée pour continuer. À 2 heures du matin elle s'allonge dans le canapé du coin salon et s'endort, la main sur l'étui du Glock.

Si Rashford répugnait un peu à travailler le samedi, l'idée de travailler un dimanche le rendit presque belliqueux, toutefois je ne lui ai guère laissé le choix. Je l'ai supplié de m'accompagner à la prison et de tirer les mêmes ficelles que la veille. Je lui ai donné un billet de cent dollars afin de faciliter les choses.

Nous arrivons à la prison juste avant 9 heures du matin, et, un quart d'heure plus tard, je suis seul avec Nathan, dans la même pièce qu'hier. Son apparence physique me laisse sous le choc. Ses blessures sont importantes, et je me demande combien de temps les gardiens permettront à ces mauvais traitements de se prolonger. Son visage est un champ de bataille d'entailles, de blessures ouvertes et de sang séché. Sa lèvre supérieure est enflée et saille de façon grotesque sous son nez. Son œil gauche est complètement fermé et le droit est rouge et gonflé. Il lui manque une dent de devant. Le jean coupé et la jolie chemise hawaïenne ont disparu, remplacés par une combinaison blanche maculée de sang séché.

Nous nous penchons l'un vers l'autre, mon visage à quelques centimètres du sien.

— Aidez-moi, réussit-il à dire, au bord des larmes.

— Voici les dernières nouvelles, Nathan. Ces escrocs réclament au propriétaire de l'avion un million de dollars, et il a accepté de payer, donc ces ordures recevront leur argent. Ils ne vont m'inculper de rien, pas jusqu'à ce matin, en tout cas. En ce qui vous concerne, ils exigent un demi-million. J'ai expliqué par l'intermédiaire de Rashford que nous n'avions ni l'un ni l'autre une somme pareille. J'ai précisé que nous étions juste des passagers à bord du jet d'un autre, que nous ne sommes pas riches, et ainsi de suite. Les Jamaïcains ne le croient pas. Voilà où nous en sommes pour l'instant.

Nathan grimace, comme s'il lui était douloureux de respirer. Il a la figure ravagée, et je n'aimerais pas découvrir le reste de son corps. J'imagine le pire, et je ne l'interroge donc pas sur ce qui s'est passé.

Il lâche un grognement :

— Vous pouvez rentrer aux States, Reed ?

La voix est faible, éraillée. Blessée, elle aussi.

— Je pense. Rashford le pense aussi. Mais je ne dispose pas de beaucoup de liquidités, Nathan.

Il se rembrunit et lâche à nouveau un borborygme ; il a l'air d'être sur le point de s'évanouir ou de pleurer.

— Reed, écoutez-moi. J'ai de l'argent, beaucoup d'argent.

Je le regarde droit dans les yeux, enfin, dans l'œil droit, car le gauche est fermé. C'est l'instant décisif pour lequel tout le reste a été inventé. Sans cela, la totalité de cette opération serait un désastre de proportions gargantuesques, un épouvantable pari foireux.

— Combien ?

310

Il reste muet. Il n'a pas envie de poursuivre, mais a-t-il le choix ?

— Assez pour me sortir de là.

— Un demi-million de dollars, Nathan ?

— Ça, et encore plus. Il faut qu'on s'associe, Reed. Rien que vous et moi. Je vais vous dire où est l'argent, vous allez le chercher, vous me sortez d'ici, et on sera partenaires. Mais faut me donner votre parole, Reed. Il faut que je puisse me fier à vous, d'accord ?

Je recule, les deux paumes levées.

— Une minute, Nathan ! Vous voulez que je m'en aille d'ici, que je rentre, que je revienne avec un sac rempli d'argent et que j'achète la police jamaïcaine. Vous êtes sérieux ?

— S'il vous plaît, Reed ! Je n'ai personne d'autre. Je ne peux appeler personne, chez moi. Personne là-bas ne comprendra rien à ce qui se passe ici, sauf vous. Faut le faire, Reed. Je vous en prie. Ma vie en dépend. Je ne peux pas survivre ici. Regardez-moi. S'il vous plaît, Reed. Faites ce que je vous demande, sortez-moi de là, et vous serez un homme riche.

Je recule encore un peu plus, comme s'il était contagieux. Il me supplie :

— Allez, Reed, vous m'avez mis dans ce foutoir, alors maintenant sortez-moi de là.

— Cela pourrait être utile que vous m'expliquiez comment vous avez gagné autant d'argent.

— Je l'ai pas gagné. Je l'ai volé.

Pas une surprise, ça.

— De l'argent de la drogue ?

Mais je connais la réponse.

— Non, non, non. On est partenaires, Reed ?

— Je ne sais pas, Nathan. Je ne suis pas si sûr d'avoir envie de me mettre à soudoyer la police jamaïcaine. Et si je me fais serrer ? Je pourrais finir exactement comme vous.

— Alors ne revenez pas. Envoyez l'argent à Rashford, organisez la livraison. Vous êtes capable d'arranger ça, Reed, vous êtes un type malin.

Je hoche la tête, comme si sa façon de penser me plaisait.

— Où est cet argent, Nathan ?

— On est partenaires, Reed ? Cinquante-cinquante, rien que vous et moi, mec ?

— D'accord, d'accord, mais je ne vais pas risquer la prison pour ça, vous me comprenez ?

— J'ai pigé.

Il y a un silence, et nous nous jaugeons du regard. Sa respiration est pénible, chaque mot est douloureux. Lentement, il me tend la main droite ; elle est gonflée, toute écorchée.

— Partenaires, Reed ? répète-t-il sur un ton suppliant.

Lentement, je lui serre la main, et il grimace. Elle est sans doute fracturée.

— Où est l'argent ?

— Chez moi, répond-il en détachant ses mots, à contre-cœur, comme s'il dévoilait le secret le plus précieux de son existence. Vous y êtes déjà allé. Dans le jardin, il y a un appentis rempli de bric-à-brac. Le sol est en plancher et, sur la droite, sous une vieille tondeuse à gazon Sears cassée, il y a une trappe. On ne peut pas la voir si on ne déplace pas la tondeuse et dégage tout le fouillis autour. Attention aux serpents – il y en a deux qui vivent là. Soulevez la trappe et vous verrez un coffre en bronze.

Il a encore plus de mal à respirer et il transpire abondamment. Il a mal, manifestement, mais c'est la souffrance d'une telle révélation qui le tourmente, car elle est de taille.

Incrédule, je m'exclame :

— Un coffre ?

— Oui, de la taille d'un cercueil d'enfant. Fermé, scellé, hermétique, étanche. Il y a un loquet masqué du petit côté, là où seraient fixés les pieds. Quand vous le soulevez, les serrures coulissent et vous pouvez ouvrir le coffre.

— Qu'y a-t-il, à l'intérieur ?

— Une collection de boîtes à cigares enveloppées d'adhésif. Je crois qu'il y en a dix-huit.

— Vous avez caché des billets dans des boîtes de cigares ?

— C'est pas de l'argent, Reed, me dit-il en se rapprochant. C'est de l'or.

312

Je prends un air trop abasourdi pour commenter, donc il continue en chuchotant :

— Des lingots de dix onces chacun. L'or le plus pur qu'on ait jamais extrait d'une mine. Ils sont à peu près de la taille d'un gros domino. Ils sont beaux, Reed, carrément beaux.

Je le dévisage un long moment avec incrédulité. Enfin, je lui déclare :

— D'accord, je vais résister à l'envie de vous poser les questions les plus évidentes, même si j'ai du mal. Je suis censé me précipiter chez vous, aller chercher l'or caché dans un coffre, repousser quelques serpents, me débrouiller pour dégotter un courtier qui m'échangera cet or contre du liquide, et inventer ensuite un moyen d'introduire en douce un demi-million de dollars ici en Jamaïque, où je vais devoir les fourguer à des agents des douanes et à des officiers de police corrompus qui, ensuite, vont vous libérer. Cela résume à peu près l'affaire, Nathan ?

— Ça résume. Et vous vous dépêchez, d'accord ?

— Je crois que vous êtes cinglé.

— On se serre la main et on est partenaires, Reed. Vous arrangez un moyen de faire ça, et vous serez un homme riche.

— On parle de combien de dominos, là ?

— Entre cinq et six cents.

— Et que vaut l'or, ces temps-ci ?

— Il y a deux jours, il s'échangeait au-dessus de mille sept cents dollars l'once.

J'effectue le calcul.

— Ça nous fait entre huit millions et demi et dix millions de dollars.

Nathan hoche la tête. Il effectue le calcul tous les jours, et il surveille les fluctuations du cours.

On frappe un coup sonore à la porte, dans mon dos, et l'un des geôliers se montre.

— C'est l'heure, annonce-t-il avant de disparaître.

— C'est probablement l'une des choses les plus stupides que j'aurai jamais faites de ma vie, dis-je.

— Ou l'une des plus intelligentes, me réplique Nathan. Mais s'il vous plaît, Reed, dépêchez-vous. Je vais pas pouvoir survivre longtemps.

Nous nous serrons la main et nous disons au revoir. Ma dernière vision de lui sera celle d'un petit homme meurtri qui essaie de se lever, non sans mal. Rashford et moi partons en vitesse. Il me dépose à mon hôtel, où je cours dans ma chambre pour appeler Vanessa.

Elle est dans le grenier, où il fait plus de quarante-cinq degrés, à fouiller au milieu de vieux cartons et de meubles cassés.

— Ce n'est pas là. C'est dehors, dans l'appentis.

— Une minute, me dit-elle, et elle descend l'échelle escamotable. Il t'a tout raconté ? me demande-t-elle en reprenant sa respiration.

— Oui.

— Il y a quelqu'un ici, me souffle-t-elle, et, dans le téléphone, j'entends un carillon tinter bruyamment.

Elle se baisse et attrape son Glock.

— Je te rappelle tout de suite, me chuchote-t-elle avant de couper la communication.

Il est tard, c'est dimanche, et le pick-up de Nathan est dans son allée. À supposer que ses amis aient été au courant de son week-end d'absence, la présence de son pick-up n'aurait pas manqué de soulever des questions. Le carillon retentit à nouveau, et quelqu'un se met à cogner à la portée d'entrée. Puis ce quelqu'un beugle :

— Nathan, t'es là ? Ouvre !

Vanessa reste accroupie sans bouger. Les coups continuent, puis quelqu'un d'autre frappe à la porte de derrière en hurlant le nom de Nathan. Ils sont au moins deux, avec des voix de jeunes types ; sans aucun doute des amis qui passaient par là pour une raison ou pour une autre. Ils ne montrent aucune intention de repartir. L'un des deux tape à la fenêtre de la chambre, mais il ne peut rien voir à l'intérieur. Vanessa passe dans la salle de bains et s'essuie le visage. Elle est haletante, elle tremble de peur.

314

Ils martèlent, ils crient, et ils vont bientôt en arriver à la conclusion qu'il est arrivé quelque chose à leur copain. Ils vont enfoncer une porte. D'instinct, Vanessa se déshabille, ne conservant que son slip, se sèche le reste du corps, laisse le Glock à côté du lavabo, et s'avance vers la porte d'entrée. Elle l'ouvre en grand, et le jeune visiteur se voit offrir un cadeau des plus inattendus. Les seins à la peau brune de Vanessa sont lourds et fermes ; son corps est athlétique et très tonique. Les yeux du jeune homme glissent un peu plus bas, du buste à la culotte, tirée très haut pour révéler le plus de chair possible, puis il se ressaisit. Elle lui sourit.

— Nathan est peut-être un peu occupé, là, tout de suite, dit-elle.

— Ouah, fait-il. Désolé.

Ils restent face à face à travers une porte moustiquaire, et ni l'un ni l'autre n'est pressé de refermer. Par-dessus son épaule, il s'exclame.

— Hé, Tommy, par ici.

Tommy arrive en cavalant à la porte de devant ; il n'en croit pas ses yeux.

— Allez, les gars, reprend Vanessa, laissez-nous un peu d'intimité, là, d'accord. Nathan est sous la douche et on n'a pas fini. Je dois le prévenir ? Qui est-ce qui est passé le voir ?

Et là, elle s'aperçoit que, dans sa hâte, elle a oublié de retirer les gants en latex. Slip rouge, gants bleu-vert.

Ni l'un ni l'autre des deux types ne réussit à détacher les yeux de ses seins. L'un des deux répond.

— Euh, Greg et Tommy, nous, euh, on était juste passés, quoi.

Ils sont tous les deux en extase devant sa nudité, et déconcertés par cette paire de gants. Qu'est-ce que cette nana peut bien inventer avec leur copain ?

— Je serai ravi de lui dire, leur répond-elle avec un sourire ravissant tout en fermant lentement la porte.

À travers la fenêtre, elle les regarde s'éloigner, toujours ébahis, toujours perplexes. Ils finissent par remonter dans leur pick-up et, quand ils repartent dans l'allée, ils sont pris d'un fou rire.

Après leur départ, elle se sert un verre d'eau glacée et s'assied quelques instants à la table de la cuisine. Elle accuse le coup et est sur le point de craquer – ce qu'elle ne peut se permettre. Elle en est malade, de cette bicoque, et elle a de sérieux doutes sur toute cette histoire. Pourtant, elle doit continuer.

Je suis à l'arrière d'un taxi, en direction de l'aéroport, quand son numéro s'affiche sur l'écran de mon portable. J'ai passé le dernier quart d'heure à m'imaginer des scènes et affrontements divers dans la maison de Nathan, et rien de tout cela ne finissait bien.

— Est-ce que ça va ?

— Oui, juste deux péquenauds qui cherchaient Nathan. Je me suis débarrassée d'eux.

— Comment ça ?

— Je t'expliquerai plus tard.

— Ils t'ont vue ?

— Oh oui ! Ne t'inquiète pas, tout va bien. Où est l'argent ?

— Dans le fond du jardin, sous l'appentis. Je reste au téléphone.

— D'accord.

Elle contrôle une nouvelle fois du côté de l'allée, pour être sûre de ne plus avoir de visiteurs, puis elle sort en vitesse par la porte de derrière et file en direction de l'appentis. Le chien gronde et aboie frénétiquement, et je peux l'entendre distinctement, ici, en Jamaïque.

Je ne peux me résoudre à la prévenir au sujet des serpents, et je prie donc en silence pour qu'elle ne les croise pas. Creuser dans une annexe crasseuse, voilà qui est déjà suffisamment pénible en soi ; ajoutez-y un couple de serpents, et Vanessa risque de piquer une crise et de disparaître. Dès qu'elle entre dans l'appentis, elle m'en décrit l'intérieur. Elle me signale qu'il y fait noir comme dans un four. Je lui transmets les instructions de Nathan, et nous coupons la communication. Elle aura besoin de ses deux mains.

Elle déplace deux pots vides de diluant pour peinture, d'un coup de pied elle écarte un sac en toile, repousse la tondeuse à gazon Sears le plus loin possible, soulève une feuille de contreplaqué et repère une poignée en corde. Cette poignée est coincée ; elle tire dessus d'un coup sec, de plus en plus fort, jusqu'à ce que la trappe s'ouvre. Il n'y a pas de gonds, et la trappe entière se détache du sol pour se rabattre contre le mur. Au-dessous, comme indiqué, Vanessa découvre un coffre en bronze tout souillé qui ne mesure pas plus d'un mètre vingt de longueur. Vanessa reste interdite, horrifiée, comme si elle venait de tomber sur une scène de crime et de découvrir le cadavre d'un malheureux enfant. Mais ce n'est pas le moment de céder à la peur ou aux conjectures, pas le moment de se poser des questions comme « Qu'est-ce que je fabrique ici ? ».

Elle essaie de soulever le coffre – il pèse trop lourd. Elle trouve le loquet, le fait pivoter, et la moitié du couvercle s'ouvre lentement. Heureusement, il ne contient aucun bébé mort. Loin de là. Elle prend le temps d'examiner la collection de petites boîtes à cigares en bois, toutes scellées par de l'adhésif d'électricien et presque toutes empilées sur plusieurs rangées. De la sueur lui goutte des sourcils et elle s'essuie le front d'un geste de l'avant-bras. Elle retire l'une des boîtes avec précaution et ressort à l'ombre d'un chêne. Jetant un coup d'œil autour d'elle et n'apercevant rien ni personne, sauf le chien, qui s'est fatigué d'aboyer, elle ôte lentement une couche de papier journal roulé en boule.

Des lingotins. Des petites briques. Des dominos. Un coffre entier. Des millions de dollars.

Elle en retire un et l'examine. Un rectangle parfait, d'un peu plus d'un centimètre d'épaisseur, entouré d'une petite arête rectiligne qui facilite un empilement et un stockage précis. Sur la face supérieure, cette mention gravée : « 10 onces ». Et, juste au-dessous : « 99,9 % ». Rien d'autre – aucun nom de banque, aucune indication d'origine ou d'extraction. Aucun numéro d'enregistrement.

En me servant d'une carte de débit prépayée, j'acquitte les trois cents dollars d'un billet Air Jamaica pour San Juan, à Porto Rico. Le vol décollant dans une heure, je prends place sur une banquette près de ma porte d'embarquement et je tue le temps en observant l'écran de mon portable. Il ne tarde pas à s'éclairer et à vibrer.

— Il ne ment pas, m'annonce Vanessa.

— Raconte-moi.

— Ça va te plaire, mon cœur. Nous possédons maintenant dix-huit boîtes à cigares remplies de ces superbes petits lingots. Je ne les ai pas encore tous comptés, mais il doit y en avoir au moins cinq cents.

Je respire profondément et j'ai envie de pleurer. Cette opération a réclamé plus de deux ans de préparatifs, et, pendant tout ce temps ou presque, les chances de réussite étaient d'à peine une pour mille. Une série d'événements plus ou moins liés les uns aux autres devaient se mettre parfaitement en place. Nous n'avons pas encore franchi la ligne d'arrivée, cependant nous sommes dans la dernière ligne droite. Ça sent l'écurie.

— Entre cinq et six cents, d'après notre petit camarade, dis-je.

— Il a gagné le droit qu'on lui fasse confiance. Où es-tu ?

— À l'aéroport. J'ai acheté un billet, j'ai passé la douane, et j'embarque dans une heure. Jusqu'à présent, pas de problème. Et toi, où es-tu ?

— Je quitte ce taudis. J'ai chargé tout le matos et j'ai remis tout en place. La maison est fermée à clef.

— Ne t'inquiète pas pour la maison. Il ne la reverra jamais.

— Je sais. J'ai donné à son chien un sac entier de nourriture. Peut-être que quelqu'un viendra s'en occuper.

— Fiche le camp de cet endroit.

— Je m'en vais tout de suite.

— Suis notre plan. Je t'appelle dès que je peux.

37.

Il est presque 11 heures, dimanche matin, 24 juillet, une journée chaude et lumineuse et peu de circulation autour de Radford. Vanessa veut éviter une autre rencontre avec quelqu'un qui pourrait apercevoir le pick-up de Nathan et que cela rendrait soupçonneux. Elle prend vers le nord, par l'Interstate, dépasse Roanoke, pénètre au cœur de Shenandoah Valley ; elle roule aussi prudemment qu'il est humainement possible, l'aiguille du compteur calée à cent dix à l'heure, et signale chaque déboîtement par un clignotant actionné longtemps à l'avance. Sur le plancher, côté passager, et sur le siège derrière elle, il y a littéralement une fortune en or. Une fortune en lingots non poinçonnés et intraçables, récemment dérobés à un voleur qui lui-même en avait dépouillé un escroc qui, lui, les avait extorqués à une bande de voyous. Comment pourrait-elle expliquer la présence d'un tel stock à un policier de la route inquisiteur ? Elle en serait incapable, donc elle conduit aussi parfaitement que possible, les semi-remorques la dépassant en rugissant sur la file de gauche.

Elle emprunte une bretelle de sortie qui la conduit à une petite ville et tourne un peu avant un magasin à prix unique. La banderole en travers de la vitrine annonce des offres spéciales de rentrée scolaire. Elle se gare près de l'entrée et elle étale sur les boîtes de cigares une couverture sale récupérée chez Nathan. Elle place le Glock sous un coin de la couverture, à côté d'elle, puis scrute le parking. Il est quasiment vide, en ce dimanche matin. Finalement, elle inspire profondément, sort, verrouille le pick-up et se hâte d'entrer dans le magasin. En moins de dix minutes, elle achète dix sacs à dos d'enfant, tous avec un motif camouflage façon opération *Tempête du désert*. Elle paie en espèces et ne répond pas quand la caissière ironise :

— Vous devez avoir un tas de gosses qui rentrent à l'école, vous.

Elle fourre ses achats dans la cabine du pick-up et va reprendre l'Interstate. Une heure plus tard, elle repère une aire de routiers, près de Staunton, en Virginie, et se gare à côté des semi-remorques. Une fois certaine de ne pas être observée, elle range en vitesse les boîtes à cigares dans les sacs à dos ; deux d'entre eux restent inutilisés.

Elle fait le plein, déjeune dans un fast-food en drive-in et tue le temps en roulant sur l'Interstate 81, dans un sens, puis dans l'autre, vers le nord jusqu'à Maryland, et vers le sud jusqu'à Roanoke. Les heures traînent en longueur. Elle est incapable de se garer et de laisser le gros lot sans surveillance. Il faut le garder sans discontinuer, alors elle se fond dans le trafic en attendant la nuit.

J'arpente une aile de l'aérogare de San Juan, moite et bondée, en attendant un vol Delta pour Atlanta. J'ai acheté mon billet au nom de Malcolm Bannister, et mon ancien passeport est très bien passé. Il expirera dans quatre mois. La dernière fois qu'il a servi, Dionne et moi nous échappions pour une croisière à prix doux, vers les Bahamas. C'était dans une autre vie.

J'appelle Vanessa deux fois, et nous nous parlons en code. Elle a les chocolats. Les paquets sont propres. Elle circule, elle respecte nos plans. Si un espion écoute quelque part, il doit se gratter la tête.

À 15 h 30, nous embarquons enfin ; ensuite, nous restons immobilisés dans la cabine étouffante de chaleur pendant qu'une tempête s'abat en hululant sur l'aéroport et que les pilotes restent muets. Derrière moi, deux bébés glapissent. Les esprits s'échauffent, je ferme les yeux et j'essaie de faire une sieste, mais je suis privé de sommeil depuis si longtemps que j'ai oublié comment on s'accorde un petit somme. À la place, je songe à Nathan Cooley et à sa situation sans espoir, bien que j'aie peu de compassion pour lui. Je pense à Vanessa et je souris de sa solidité dans l'épreuve. Nous sommes très proches de la ligne d'arrivée, cependant il existe mille et une façons d'échouer. Nous avons l'or, mais réussirons-nous à le garder ?

Une embardée me réveille et, tout d'un coup, nous roulons sur la piste dans un grondement. Deux heures plus tard, nous atterrissons à Atlanta. Au contrôle des passeports, je réussis à éviter les comptoirs tenus par des agents des douanes noirs et je choisis plutôt un jeune Blanc costaud qui m'a l'air au comble de l'ennui et de l'indifférence. Il me prend mon passeport, jette un coup d'œil à la photo de Malcolm Bannister, vieille de neuf ans, la compare en vitesse au visage revu et corrigé de Max Reed Baldwin, et n'y voit rien d'inhabituel. Nous nous ressemblons tous.

Je suppose qu'à présent les douanes ont notifié au FBI que j'ai quitté le pays deux jours plus tôt à bord d'un jet privé en partance pour la Jamaïque. Ce que j'ignore, c'est si le FBI surveille encore les mouvements de Malcolm Bannister. Je parie que non – j'ai envie que le FBI me croie encore quelque part dans les îles, à me payer de grands moments. En tout cas, je m'active. Comme Malcolm n'a plus de permis de conduire en cours de validité, Max loue une voiture chez Avis, et, quarante-cinq minutes après avoir atterri à Atlanta, je quitte la ville d'urgence. Près de Roswell, en Georgie, je m'arrête au Walmart et j'achète encore deux autres téléphones à carte, que je règle en liquide. En quittant le magasin, je jette les deux anciens dans une poubelle.

Après la tombée de la nuit, Vanessa gare le pick-up, cette fois pour de bon. Elle a roulé avec pendant presque douze heures et elle est impatiente de s'en débarrasser. Elle reste un moment au volant, sur une place de stationnement à côté de sa Honda Accord, et regarde un vol navette rouler vers le terminal de Roanoke. Il est un peu plus de 21 heures, un dimanche soir, et apparemment il n'y a pas trop de circulation. Le parking est presque désert. Elle respire encore une fois profondément, puis elle sort. En agissant vite, aux aguets, elle transfère les sacs à dos du siège avant du pick-up de Nathan dans le coffre de sa voiture. Huit sacs, l'un après l'autre, et qui lui paraissent chaque fois plus lourds, mais cela ne la gêne pas.

Elle ferme le véhicule, garde les clefs et quitte le parking. Si les choses se déroulent comme prévu, le pick-up de Nathan n'attirera pas l'attention avant plusieurs jours. Quand ses amis s'apercevront qu'il a disparu, ils finiront par prévenir la police, qui trouvera le pick-up et commencera à reconstituer l'histoire. Il ne fait aucun doute que Nathan s'est vanté devant quelqu'un qu'il partait pour Miami en jet privé, et cela poussera les flics à cavaler en tous sens un petit moment.

Les autorités seront-elles capables de relier l'homme qui a disparu à Nathaniel Coley, le rigolo qui s'est récemment échappé de son patelin de résidence avec un faux passeport, quatre kilos de cocaïne et un pistolet ? J'en doute. On risque de ne pas le localiser tant que quelqu'un en Jamaïque ne l'aura pas finalement autorisé à passer un coup de fil. Quant à savoir qui il va appeler et ce qu'il va dire à cette personne, les paris sont ouverts. Il risque davantage de compter les heures et les jours, jusqu'à ce que je revienne avec un sac de billets et que je me mette à soudoyer du monde. Au bout de quelques semaines, un mois peut-être, il comprendra que son vieux pote Reed l'a snobé, qu'il a pris le fric et s'est tiré.

Je me sens presque désolé pour lui.

À une heure du matin, j'approche d'Asheville, en Caroline du Nord, et j'aperçois l'enseigne du motel en bordure d'un échangeur très chargé. Garée derrière, hors de vue, ma chère Vanessa est assise au volant de sa Honda Accord bleue, le Glock posé à côté d'elle. Dans notre chambre, au premier étage, nous nous embrassons, nous nous étreignons, mais nous sommes beaucoup trop tendus pour songer à des gestes d'amour. Nous vidons son coffre en silence et jetons les sacs à dos sur l'un des lits. Je ferme la porte à clef, j'accroche la chaîne de sûreté et je cale une chaise sous la poignée. Je tire les rideaux, puis je pends des serviettes aux tringles pour masquer les moindres entrebâillements et les plus petites fentes – personne ne pourra glisser un œil dans notre chambre forte. Pendant que je m'active, Vanessa prend une douche et, quand elle émerge de la salle de bains, elle ne porte rien d'autre qu'un peignoir court en éponge qui révèle les jambes les plus belles et les plus interminables que j'aie jamais vues. « N'y pense même pas », me dit-elle. Elle est épuisée. Demain, peut-être.

Nous vidons les sacs à dos, enfilons des gants en latex jetables et empilons soigneusement les boîtes de cigares, toutes fermées par de l'adhésif argenté. Apparemment, sur deux d'entre elles l'adhésif a été coupé sur la tranche : elles ont été ouvertes. Nous les mettons de côté. Avec un petit canif, je coupe l'adhésif de la première boîte et je l'ouvre. Nous en retirons les lingots, les comptons – il y en a trente –, puis les replaçons dedans et remettons en place le scotch du couvercle. Vanessa note ce chiffre, puis nous ouvrons la deuxième. Elle contient trente-deux lingotins, tous d'un jaune éclatant. Apparemment, personne ne les a jamais manipulés.

— Magnifique ! Tout simplement magnifique ! répète Vanessa encore et encore. Ils vont durer des siècles.

— Une éternité, dis-je en passant le doigt sur l'un d'eux. Tu n'aimerais pas savoir de quelle région du monde ils viennent ?

Elle rit, car nous ne le saurons jamais.

Nous ouvrons la totalité des seize boîtes scellées, puis nous inventorions les lingotins rangés dans celles qui ont été ouvertes auparavant. Elles en contiennent à peu près moitié moins que les autres. Notre total est de cinq cent soixante-dix. Le cours de l'or fluctuant autour de mille sept cents dollars l'once, notre gros lot vaut un peu moins de dix millions.

Nous nous allongeons sur le lit avec notre tas d'or entre nous, et il nous est impossible de ne pas sourire. Il nous faudrait une bouteille de champagne, cependant à 2 heures du matin, un lundi, dans un hôtel de troisième zone en Caroline du Nord, le champagne, ça n'existe pas. Quantité de choses nous viennent à l'esprit, en cet instant, mais l'un des aspects les plus merveilleux de toute notre opération, c'est que personne n'est à la recherche de ce trésor. À part Nathan Cooley, personne ne sait même qu'il existe. Nous le dérobons à un voleur qui n'a pas laissé de trace.

De voir, de toucher et de compter notre fortune nous a revigorés. Je retire le peignoir de Vanessa d'un coup et nous nous glissons sous les couvertures de l'autre lit. Nous avons beau essayer, il nous est difficile de faire l'amour sans garder un œil sur l'or. Quand nous avons fini, épuisés, nous sombrons dans un sommeil de mort.

38.

À 6 h 30, lundi matin, l'agent Fox entra dans le vaste bureau de Victor Westlake.

— Les Jamaïcains sont toujours aussi lents. Pas grand-chose à ajouter. Baldwin est arrivé tard vendredi soir à bord d'un jet affrété auprès d'une compagnie de Raleigh, un bien bel avion actuellement saisi par les douanes jamaïcaines et qui ne peut retourner aux États-Unis. Aucun signe de Baldwin. Son ami Nathaniel Coley a essayé d'entrer là-bas avec un faux passeport et il est maintenant sous les verrous, tout comme l'appareil.

— Il est en prison ? s'enquit Westlake en se mordillant l'ongle du pouce.

— Oui, monsieur. C'est tout ce que je peux obtenir pour l'instant. Je ne sais pas quand il risque de sortir. J'essaie d'obtenir de la police qu'elle vérifie les registres hôteliers pour trouver Baldwin, mais elle se fait prier. Ce n'est pas un fugitif et elle n'aime pas trop prendre les gérants d'hôtel à rebrousse-poil. Et puis c'était le week-end, etc.

— Trouvez Baldwin.

— J'essaie, monsieur.

— Qu'est-ce qu'il mijote ?

Fox secoua la tête.

— Cela n'a aucun sens. Pourquoi brûler tout ce fric dans un jet privé ? Pourquoi voyager avec quelqu'un qui se sert d'un faux passeport ? Qui diable est ce Nathaniel Coley ?

Nous avons effectué des recherches en Virginie et en Virginie-Occidentale sans trouver aucune correspondance possible. Peut-être que Coley est un de ses bons copains qui ne pouvait se procurer de passeport, alors ils ont peut-être essayé d'embobiner les douanes pour s'amuser quelques jours au soleil.

— Cela fait beaucoup de peut-être.

— En effet, monsieur.

— Continuez de creuser et informez-moi par e-mail.

— Oui, monsieur.

— Je suppose qu'il a laissé sa voiture à l'aéroport de Roanoke.

— En effet, sur le parking du terminal de l'aviation générale. Les mêmes plaques de Floride. Nous l'avons découverte samedi matin et nous la maintenons sous surveillance.

— Bien. Trouvez-le, et c'est tout, vu ?

— Et si nous le trouvons ?

— Vous le suivez et vous essayez de comprendre ce qu'il fabrique, un point c'est tout.

Devant notre café et notre or, nous planifions notre journée sans nous attarder. À 9 heures, Vanessa restitue la clef à la réception et rend la chambre. Nous nous embrassons, elle sort du parking et je la suis, en veillant à ne pas trop coller le pare-chocs arrière de son Accord. Derrière ce pare-chocs, caché au fond du coffre, il y a la moitié de l'or. L'autre moitié est dans le coffre de ma Chevrolet Impala de location. Nous nous séparons à l'échangeur ; elle part vers le nord et je vais au sud. Elle me fait signe dans le rétroviseur ; je me demande si je la reverrai.

Je me prépare à un long trajet, un grand gobelet de café à portée de la main, et je me répète qu'il faut user du temps avec sagesse. Pas de rêvasseries stupides ; pas de vagabondage mental ; pas de fantasmes sur quoi faire de tout cet argent. Quantité de questions se bousculent — à laquelle dois-je accorder la priorité ? Quand la police trouvera-t-elle le pick-up de Nathan ? Quand vais-je appeler Rashford Watley pour lui donner instruction de transmettre à Nathan le message que les choses se déroulent comme prévu ? Combien de boîtes de cigares entreront dans les coffres de la banque que j'ai loués voilà un mois ? Quelle quantité d'or dois-je essayer de vendre pour réunir des espèces ? Comment vais-je attirer l'attention de Victor Westlake et de Stanley Mumphrey, le procureur de Roanoke ? Et, surtout, comment sortirons-nous cet or du pays, et combien de temps cela pourrait-il prendre ?

Mes pensées me ramènent à mon père, ce vieil Henry, qui n'a plus eu aucun contact avec son fils cadet depuis plus de quatre mois. Je suis sûr qu'il est dégoûté que je me sois fait expulser de Frostburg et renvoyer à Fort Wayne. Je suis certain que notre absence de correspondance le laisse perplexe. Il appelle sans doute mon frère, Marcus, à Washington, et ma sœur, Ruby, en Californie, pour voir s'ils ont appris quoi que ce soit. Je me demande si Henry n'est pas déjà arrière-grand-père, grâce au délinquant de fils de Marcus et à sa petite amie de quatorze ans, ou si elle s'est fait avorter.

Réflexion faite, peut-être ma famille ne me manque-t-elle pas autant que je me l'imagine. Ce serait sympa de voir mon père, mais je ne crois pas qu'il approuverait mon changement d'apparence. La vérité, c'est qu'il y a de fortes chances pour que je ne les revoie plus jamais. Selon les lubies du gouvernement américain et les machinations auxquelles il se livrera, je pourrais demeurer un homme libre ou me transformer en fugitif pour le reste de mon existence. Quoi qu'il en soit, j'aurai l'or.

Les kilomètres défilent, je m'en tiens à la vitesse autorisée, tout en essayant d'éviter de me faire emboutir par les grands semi-remorques, et je ne peux m'empêcher de penser à Bo. Je suis sorti de prison depuis quatre mois, maintenant, et tous les jours j'ai réprimé mon envie impérieuse de m'appesantir sur mon fils. Il est trop douloureux de penser que je risque de ne plus jamais le revoir, pourtant, les semaines passant, j'ai fini par me résoudre à cette réalité. Renouer avec lui, ce serait un premier pas de géant sur la route de la normalité, sauf que ma vie, à partir de maintenant, sera tout sauf normale. Nous ne pourrons plus jamais vivre ensemble sous le même toit, comme un père et son fils, et je ne vois aucun avantage à ce que Bo sache subitement que je suis de retour dans les parages et que j'aimerais bien déguster une glace avec lui deux fois par mois. Pourquoi devrais-je débarquer dans son univers et tout bouleverser, moi qui suis pratiquement un inconnu (et qui en ai certainement l'air) ? Une fois que j'aurais convaincu Bo que je suis réellement son père, comment raviverais-je une relation morte depuis cinq ans ?

Pour mettre un terme à ces tourments, je tâche de me concentrer sur les prochaines heures, puis sur les prochains jours. Des étapes cruciales m'attendent, et le moindre raté pourrait me coûter une fortune. Peut-être même me valoir un retour à la case prison.

Je m'arrête prendre de l'essence puis à un distributeur de sandwiches, près de Savannah. Deux heures et demie plus tard, je suis à Neptune Beach, mon ancien repaire temporaire. Dans un magasin de fournitures de bureau je m'achète une sacoche, épaisse et lourde, puis je me rends sur un parking public réservé à la plage. Il ne comporte pas de caméras de surveillance et aucun piéton n'y traîne. Je retire du coffre deux boîtes de cigares, que je range dans la serviette. Elles pèsent à peu près neuf kilos, et, alors que je fais le tour de la voiture, je m'aperçois que c'est trop lourd. Je retire l'une des deux boîtes et je la remets dans le coffre.

Quatre rues plus loin, je me gare devant la First Coast Trust et je me dirige vers la porte principale d'un pas nonchalant. Le thermomètre numérique du panneau d'affichage rotatif de la banque indique trente-cinq degrés. La serviette pèse à chaque pas de plus en plus lourd, et j'ai du mal à me comporter comme si elle ne contenait que des documents. Quatre kilos et demi, ce n'est pas très lourd, mais c'est beaucoup trop pour une sacoche, quelle que soit sa taille. Chacun de mes pas est désormais filmé en vidéo, et la dernière chose dont j'aie envie, c'est une image de moi entrant

328

dans la banque d'un pas maladroit en trimballant une serviette trop pesante. Je m'inquiète pour Vanessa et les efforts qu'elle doit consentir, lestée d'un tel poids, afin d'accéder aux coffres loués à Richmond.

Si lourd que ce soit, je ne peux réprimer un sourire en découvrant le poids stupéfiant de l'or pur.

À l'intérieur, j'attends patiemment que la responsable de la salle des coffres en ait terminé avec un autre client. Quand c'est mon tour, je lui remets mon permis de conduire de Floride et je signe de mon nom. Elle compare mon visage et mon écriture, approuve et me précède jusqu'à la salle des coffres. Elle insère sa clef dans mon compartiment, puis j'insère la mienne. Les déclics sont parfaits et le caisson s'extrait du compartiment. Je l'emporte dans un étroit cabinet privé avant de refermer la porte derrière moi. L'employée attend à l'extérieur.

Le caisson mesure quinze centimètres de large, quinze de haut et quarante-cinq centimètres de long ; c'était le plus grand disponible quand je l'ai loué il y a un mois, pour une durée d'un an. Je place la boîte à cigares à l'intérieur. Vanessa et moi avons étiqueté sur chaque boîte son nombre exact de lingots. Celle-ci en contient trente-trois, soit à peu près l'équivalent de cinq cent soixante mille dollars. Je ferme la boîte, je l'admire, je tue quelques minutes de mon temps, puis j'ouvre la porte et je fais signe à l'employée. Rester distante, sans entretenir le moindre soupçon, fait partie de son métier, et elle s'y prend fort bien. Je suppose qu'elle en a vu d'autres.

Vingt minutes plus tard, je suis dans la salle des coffres d'une agence de la Jacksonville Savings Bank. Cette salle est plus vaste, les coffres plus petits, l'employé plus suspicieux, mais tout le reste est identique. Derrière une porte verrouillée, je place délicatement une autre pile de lingots dans le caisson. Trente-deux superbes lingotins pour une valeur supérieure à un demi-million de dollars.

Dans la troisième et dernière banque, à moins de huit cents mètres de la première, j'effectue le dernier dépôt de la journée, puis je passe une heure à chercher un motel où je puisse me garer juste devant ma chambre.

Dans une galerie marchande à la sortie ouest de Richmond, Vanessa flâne au milieu des allées d'un grand magasin de luxe, jusqu'à ce qu'elle trouve le rayon des accessoires pour dames. Elle a beau se comporter avec calme, elle est sur les nerfs : sa Honda Accord est restée sans surveillance sur le parking, exposée au vol ou au vandalisme. Elle choisit une grande besace en cuir rouge extrêmement chic. Son créateur est connu, et l'objet attirera sans doute les regards des employées des banques. Elle paie en liquide.

Deux semaines plus tôt, Max – elle l'avait longtemps connu sous le nom de Malcolm, mais elle préférait son nouveau nom – lui avait donné instruction de louer trois coffres. Elle avait soigneusement choisi les banques autour de Richmond, rempli les formulaires, s'était soumise aux contrôles et avait acquitté les droits de location. Ensuite, toujours selon les instructions de Max, elle s'était rendue à deux reprises dans chacune de ces banques pour y effectuer un dépôt de papiers inutiles.

À présent les employés de la salle des coffres la reconnaissent, ils se fient à elle et ne manifestent pas la moindre suspicion quand elle se présente avec un nouveau sac à tomber à la renverse en demandant l'accès aux coffres.

En moins d'une heure et demie, elle a déposé plus d'un million et demi de dollars en lieu sûr.

Elle retourne à son appartement pour la première fois depuis plus d'une semaine, et se gare à une place qu'elle puisse voir depuis sa fenêtre, au deuxième étage. La résidence se situe dans un joli quartier de la ville, près de l'université de Richmond, et, de manière générale, le coin est sûr. Elle vit ici depuis deux ans et n'a pas souvenir d'une seule voiture volée ou d'un seul cambriolage. Néanmoins, elle ne court aucun risque. Elle inspecte les portières et les vitres, pour vérifier qu'il n'y a aucun moyen d'ouvrir. Elle se douche, se change puis repart.

Quatre heures plus tard, elle est de retour et, dans l'obscurité, elle charge le magot dans son appartement avec une lenteur méthodique. Elle le cache sous son lit et dort dessus, le Glock sur la table de nuit, toutes les portes verrouillées à double tour, bloquées par une chaise.

Elle sommeille vaguement, et, à l'aube, elle boit un café à petites gorgées sur le sofa du coin salon, en regardant la météo sur une chaîne câblée locale. La pendule semble s'être arrêtée. Elle adorerait dormir encore un peu, mais son esprit ne permettra pas à son corps de capituler. Et même si elle a aussi perdu l'appétit, elle se force à avaler un peu de cottage cheese. Toutes les dix minutes à peu près, elle va à la fenêtre et vérifie le parking. Les banlieusards du petit matin partent par vagues – 7 h 30, 7 h 45, 8 heures. La banque n'ouvre pas avant 9 heures. Elle prend une longue douche, s'habille comme si elle allait au tribunal, remplit un sac et le descend à la voiture. Au cours des vingt minutes suivantes, elle sort trois boîtes de cigares de sous le lit et les charge dans la voiture. Celles-là, elle les déposera dans les mêmes trois coffres qu'elle a visités la veille.

Le grand débat qui fait rage dans sa tête, c'est de savoir si les trois boîtes restantes seront plus en sûreté dans le coffre de sa voiture ou dans son appartement, sous le lit. Elle décide de jouer sur les deux tableaux : elle en laisse deux chez elle et emporte la troisième.

Elle m'annonce la nouvelle au téléphone : elle a effectué son sixième et dernier dépôt ce matin, à présent elle se dirige vers Roanoke pour aller voir l'avocat. J'ai une ou deux étapes d'avance sur elle. J'ai fait un peu plus tôt les dépôts dans mes trois banques, et maintenant je roule vers Miami. Nous avons mis en lieu sûr trois cent quatre-vingts des cinq cent soixante-dix lingots. C'est rassurant, pourtant la pression reste entière : si les circonstances s'y prêtent, et même si elles ne s'y prêtent pas, les fédéraux peuvent saisir n'importe quels biens. Et ils le feront. Il nous faut donc éviter tout risque. Nous devons sortir cet or du pays.

Je me fonde sur l'hypothèse que les fédéraux ne savent pas que nous travaillons ensemble, Vanessa et moi. Et également sur l'hypothèse qu'il leur reste encore à établir le lien entre Nathan Cooley et moi. Je bâtis beaucoup d'hypothèses, et je n'ai aucun moyen de savoir si elles sont justes.

39.

Bloqué dans la circulation à cause d'un chantier près de Fort Lauderdale, je tape les chiffres du numéro de téléphone portable de M. Rashford Watley, à Montego Bay. Il me répond avec un rire chaleureux, comme si nous étions amis depuis des décennies. J'explique que je suis bien rentré aux États-Unis et que la vie est belle. Il y a quarante-huit heures, après avoir dit au revoir à Nathan et à Rashford, je sortais en douce de Jamaïque, terrifié à l'idée de me faire arrêter par des policiers avant d'embarquer à bord de l'avion pour Porto Rico. Je suis stupéfié de la vitesse à laquelle les événements se déroulent. Je me répète à plusieurs reprises de rester concentré et de ne penser qu'à l'étape suivante.

Rashford ne s'est pas rendu à la prison depuis dimanche. Je lui explique que Nathaniel a échafaudé un plan pour soudoyer du monde là-bas et qu'il se figure que je vais revenir avec une valise de billets. J'ai passé quelques coups de fil : il semble que ce garçon ait de longs antécédents avec la cocaïne ; je n'arrive toujours pas à croire que cet idiot ait voulu en introduire clandestinement quatre kilos ; et je ne m'explique pas le coup du pistolet. Un crétin.

Rashford acquiesce et me dit qu'il a discuté avec le procureur hier, lundi. S'il réussit à user de ses pouvoirs magiques, son client peut s'attendre à passer « autour de » vingt ans dans le système carcéral jamaïcain. Vu les raclées que Nathan a reçues ses deux premières nuits en prison,

Rashford pense qu'il a peu de chances de survivre encore longtemps.

Nous nous accordons pour que Rashford se rende à la prison cette après-midi, histoire de voir où en est Nathaniel. Je lui demande de lui transmettre le message : je m'active pour obtenir sa libération, la visite à son domicile s'est déroulée comme prévu, et tout avance comme convenu.

— Comme vous voudrez, me fait Rashford.

Je lui paie ses honoraires, donc il travaille toujours pour moi, en théorie.

J'espère que ce sera notre dernière conversation.

Vanessa effectue une fois encore le trajet de trois heures et demie entre Richmond et Roanoke. Elle arrive à 14 heures pile pour son rendez-vous avec Dusty Shiver, l'avocat de Quinn Rucker. Quand elle lui a téléphoné pour programmer ce rendez-vous, elle lui a promis qu'elle avait en sa possession des éléments de preuves essentiels sur l'affaire Rucker. Intrigué, Dusty a bien tenté de la sonder un peu, mais elle a insisté pour le rencontrer dès que possible.

Elle a revêtu une jupe assez courte pour attirer l'attention, et elle tient à la main une élégante mallette en cuir. Dès qu'elle entre dans son bureau, Dusty se lève d'un bond et lui propose un siège. Une secrétaire apporte un café et ils réussissent à échanger quelques propos, une petite conversation bien rôdée, avant que la porte ne soit refermée pour de bon.

— J'irai droit au but, monsieur Shiver, commence Vanessa. Quinn Rucker est mon frère, et je peux prouver qu'il est innocent.

Dusty digère la nouvelle ; l'écho de cette révélation secoue la pièce. Il sait que Quinn a deux frères – Dee Ray et Tall Man – et une sœur, Lucinda. Tous ont pris une part active dans le commerce familial. Maintenant il se rappelle l'existence d'une seconde sœur qui n'a jamais été impliquée dans les trafics familiaux et n'a jamais été mentionnée.

— Quinn est votre frère, répète-t-il.

— Oui. J'ai quitté Washington il y a des années, et j'ai gardé mes distances.

— D'accord. Je vous écoute. Je suis tout oreilles.

Vanessa recroise les jambes. Dusty ne la quitte pas des yeux. Elle commence :

— Une semaine après l'évasion de Quinn du camp de Frostburg, il a failli faire une overdose de cocaïne, à Washington. Nous, la famille, on a compris qu'il allait se tuer, avec cette saleté – Quinn avait toujours été le plus gros consommateur de tous –, alors nous sommes intervenus. Mon frère Dee Ray et moi-même l'avons conduit à un centre de désintoxication, près d'Akron, dans l'Ohio, un endroit sérieux pour les toxicos sérieux. En l'absence d'une ordonnance de la cour ils ne pouvaient pas l'enfermer mais, dans ce centre, ils ont l'habitude. Quinn était là-bas depuis vingt et un jours quand les corps du juge Fawcett et de sa secrétaire ont été découverts, le 7 février.

Vanessa sort une chemise de son attaché-case et la dépose sur le bureau de Dusty.

— Tous les documents sont là. Comme il venait de s'échapper de son centre de détention, il avait été admis sous un faux nom, James Williams. Nous avons versé un dépôt de vingt mille dollars en espèces, et le centre de désintoxication ne nous a pas cherché d'histoires. On ne nous a pas posé beaucoup de questions. Quinn a subi un examen physique complet avec tests sanguins, donc nous avons les preuves ADN qu'il était là-bas au moment des meurtres.

— Depuis combien de temps le savez-vous ?

— Je ne peux pas répondre à toutes vos questions, monsieur Shiver. Il y a beaucoup de secrets, dans notre famille, et pas beaucoup de réponses.

Dusty la dévisage ; elle soutient froidement son regard. Il sait qu'il n'apprendra pas tout et, pour le moment, ce n'est pas si important. Il vient juste de remporter une victoire majeure sur le gouvernement des États-Unis, et il en rit déjà.

— Pourquoi a-t-il avoué ?

— Pourquoi avoue-t-on un crime que l'on n'a pas commis ? Je l'ignore. Quinn est atteint d'un grave syndrome bipolaire, entre autres. Le FBI lui a bourré le crâne pendant dix heures, en puisant dans tous les sales tours à sa disposition. Connaissant Quinn, il a dû jouer avec eux. Il leur a sans doute donné ce qu'ils voulaient dans le seul but qu'ils le laissent tranquille. Il a pu inventer une histoire pour qu'ils tournent en rond le temps de la vérifier. Je n'en sais rien. Souvenez-vous du kidnapping du bébé des Lindbergh, le kidnapping le plus célèbre de l'histoire.

— J'ai dû lire quelque chose à ce sujet, en effet.

— Eh bien, au moins cent cinquante personnes ont avoué ce crime. Cela n'a aucun sens, mais que voulez-vous, Quinn peut devenir dingue, parfois.

Dusty ouvre le dossier. Il contient un rapport pour chaque journée où Quinn était en désintoxication, du 17 janvier au 7 février, quand ont été découvert les corps du juge Fawcett et de Naomi Clary.

— Il est indiqué ici qu'il a quitté le centre dans l'après-midi du 7 février, remarque Dusty tout en lisant.

— C'est exact. Il est parti, ou il s'est enfui, et il s'est rendu à Roanoke.

— Et pourquoi, oserais-je vous demander, est-il allé à Roanoke ?

— Là encore, monsieur Shiver, il y a beaucoup de questions auxquelles je ne peux pas répondre.

— Donc il se pointe à Roanoke le lendemain du jour où les corps ont été retrouvés, il va dans un bar, se saoule, se bagarre et se fait arrêter, les poches pleines de billets. Beaucoup de blancs restent à combler, ici, madame...

— Oui, en effet, et avec le temps ils seront comblés. Pour le moment, ce n'est pas cela l'important, n'est-ce pas ? L'important, c'est que vous ayez une preuve évidente de l'innocence de mon frère. À part cette confession, le gouvernement ne peut retenir aucune preuve contre mon frère, exact ?

— C'est exact. Il n'existe aucune preuve matérielle, juste un comportement suspect. Comme le motif qui l'a poussé à se rendre à Roanoke. Comment est-il arrivé là-bas ? Où a-t-il trouvé tout cet argent ? Où a-t-il acheté les pistolets volés ? Beaucoup de questions, madame, mais je suppose que vous n'avez pas de réponses, n'est-ce pas ?

— En effet.

Dusty croise les mains derrière la nuque et fixe le plafond du regard. Après un long temps de silence, il reprend :

— Je vais devoir enquêter là-dessus, vous savez. Je vais devoir aller dans ce centre de désintoxication, y interroger les uns et les autres, recueillir des dépositions, etc. Les fédéraux ne feront pas marche arrière tant qu'on n'aura pas un dossier épais comme ça avec lequel leur cogner dessus. Il va me falloir vingt-cinq mille dollars de plus.

Sans hésitation, Vanessa lui répond :

— Je vais discuter de ça avec Dee Ray.

— L'audience se tient dans deux semaines, il nous faut donc agir vite. J'aimerais déposer une requête en annulation des charges avant cette audience.

— C'est vous l'avocat.

De nouveau, un silence. Dusty se penche en avant, les deux coudes plantés sur sa table, et observe Vanessa.

— Je connaissais bien le juge Fawcett. Nous n'étions pas amis, non, simplement deux connaissances. Si Quinn ne l'a pas tué, avez-vous une idée de qui l'a fait ?

Elle est déjà en train de secouer la tête. Non.

La police a trouvé le pick-up de Nathan sur la zone de l'aviation générale de l'aéroport régional de Roanoke, mardi en fin de matinée. Comme il fallait s'y attendre ses employés, lundi, au bar, se sont inquiétés de ne pas le voir et, en fin d'après-midi, ils ont passé des appels. Ils ont fini par contacter la police, qui a passé l'aéroport au crible. Nathan s'étant vanté de s'être envolé pour Miami à bord d'un jet privé, les recherches n'ont pas été compliquées – du moins pour ce qui concerne son pick-up. Le fait de le retrouver là-bas n'était pas forcément l'indication d'un acte criminel, et la police ne s'est pas pressée de lancer une chasse à l'homme. Un rapide contrôle du nom de son propriétaire a révélé un casier judiciaire, ce qui n'a pas suscité la sympathie. Et il n'y a pas eu non plus de protestations familiales pour les inciter à retrouver le cher disparu.

Une recherche informatique et quelques appels téléphoniques ont révélé que Nathan avait acheté ce pick-up neuf deux mois plus tôt, chez un concessionnaire de Lexington, en Virginie, à une heure au nord de Roanoke, sur l'Interstate 81. Son prix de vente était de quarante et un mille dollars, payés en espèces par Nathan. Une pile impressionnante de billets de cent dollars – généralement, on règle ce genre de somme par chèque.

À l'insu du concessionnaire, de la police, ou de qui que ce soit d'autre, Nathan s'était trouvé un courtier en or.

Et j'en avais finalement trouvé un moi aussi.

Après deux allers-retours à la salle des coffres de l'agence de la Palmetto Trust, à Miami, j'ai encore en ma possession, dans le coffre de mon Impala de location, exactement quarante et un de ces précieux lingots, pour une valeur de près de sept cent mille dollars. Il faut que j'en convertisse une partie en argent liquide et, pour ce faire, je suis forcé d'entrer dans le monde louche du courtage de l'or. Un monde où les règles sont flexibles, où tous les personnages ont le regard fuyant et parlent un double langage.

Les deux premiers marchands, pêchés dans l'annuaire, me suspectent d'être je ne sais quel agent et me raccrochent au nez. Le troisième, un gentleman avec un accent, ce qui, je l'ai vite compris, n'a rien d'inhabituel dans ce métier, veut savoir comment je suis entré en possession d'un lingot de dix onces d'or pur.

— C'est une longue histoire, dis-je avant de raccrocher.

Le numéro quatre est un petit poisson qui, officiellement, vend des appareils de seconde main et qui, dans l'arrière-boutique, rachète des bijoux. Le numéro cinq laisse percer un certain intérêt mais, naturellement, il aura besoin de voir ce que je détiens. Je lui explique que je n'ai aucune envie d'entrer dans son magasin, parce que je n'ai pas envie d'être pris en vidéo. Il se tait un instant et je le soupçonne de s'imaginer que je veux lui voler son argent liquide sous la menace d'une arme. Nous décidons finalement de nous retrouver chez un marchand de glaces, dans un bon quartier de la ville. Il portera une casquette de l'équipe des Marlins.

Une demi-heure plus tard, je suis installé devant une coupe de glace à la pistache (deux boules). En face de moi Hassan, un grand Syrien à la barbe grise, savoure à une coupe triple (chocolat, caramel). À moins de dix mètres de là, un autre gentleman au teint mat lit un journal en dégustant un yaourt glacé, sans doute prêt à m'abattre s'il sent de ma part la moindre velléité de leur créer des ennuis.

Hassan et moi essayons d'échanger quelques propos badins, puis je lui glisse une enveloppe toute fripée. À l'intérieur, il y a un lingot. Hassan jette un coup d'œil autour de lui – les seuls clients sont de jeunes mamans, leurs gamins de cinq ans et l'autre Syrien. Il prend le lingot dans sa grosse patte, referme les doigts dessus, le tapote légèrement contre le coin de la table, et marmonne : « Ouah ! » Une exclamation qu'il réussit à prononcer sans une once d'accent.

Je suis sidéré de ce que cette simple interjection peut avoir de réconfortant. Je n'ai jamais pensé que cet or puisse être faux, mais de le voir examiné par un pro, subitement, voilà qui est rassérénant.

— Ça vous plaît, hein ? dis-je stupidement.

— Très joli, répond-il en glissant le lingot dans l'enveloppe.

Je tends la main et la lui reprends.

— Combien en avez-vous ? me demande-t-il.

— Disons cinq lingots, cinquante onces. Hier, l'or a clôturé à mille sept cent trente dollars l'once, donc...

— Je connais le cours de l'or, m'interrompt-il.

— Bien sûr. Vous voulez en acheter cinq lingots ?

Un type comme lui ne répond jamais par oui ou par non. Il multiplie les détours, se couvre et bluffe.

— C'est possible, réplique-t-il, et cela dépend certainement du prix.

— Que pouvez-vous m'en offrir ?

Il y a d'autres acheteurs d'or solvables dans l'annuaire, mais je manque de temps et je suis las de tous ces démarchages.

— Eh bien, cela dépend de plusieurs choses, monsieur Baldwin. Dans une situation comme celle-ci, on doit partir du principe que l'or provient du marché noir. Je ne sais pas où vous vous l'êtes procuré, et je ne veux pas le savoir, mais il y a de fortes chances pour qu'il ait été « soustrait » à son précédent propriétaire.

— Est-ce que ça compte vraiment de savoir où...

— Êtes-vous le propriétaire déclaré de cet or, monsieur Baldwin ? m'interrompt-il sèchement.

— Non.

— Évidemment. C'est pourquoi la décote qui s'applique au marché noir est de vingt pour cent.

Hassan n'a pas besoin de calculateur.

— Je vous en offre mille quatre cents dollars l'once, m'annonce-t-il d'une voix feutrée, mais ferme, en se penchant vers moi.

Sa barbe lui masque partiellement les lèvres, pourtant ces mots-là, prononcés avec cet accent, sont on ne peut plus clairs.

— Pour les cinq lingots ? Pour les cinquante onces ?

— À supposer que les quatre autres soient de la même qualité.

— Ils sont identiques.

— Et vous n'avez aucun certificat, ni justificatif ? Aucun papier, rien, exact, monsieur Baldwin ?

— C'est exact, et je ne veux pas de traces non plus. Une vente simple, de l'or contre des billets, pas de reçu, pas de paperasse, pas de vidéo, rien. Je viens, je repars et je disparais dans la nuit.

Hassan sourit et me tend la main droite. Je la serre : l'affaire est conclue. Nous convenons de nous retrouver à 9 heures le lendemain matin dans un bistro de l'autre côté de la rue, dans un box où nous pourrons faire nos comptes en toute discrétion.

Je quitte le glacier comme si j'avais commis un crime et je me répète ce qui devrait relever de l'évidence : il n'est pas contraire à la loi d'acheter et de vendre de l'or, que ce soit à un cours bradé ou à prix gonflé. Ce n'est tout de même pas du crack, et pas non plus une information d'initié émanant d'un conseil d'administration. Il s'agit d'une transaction parfaitement légitime, si je ne m'abuse ?

À nous observer, Hassan et moi, on aurait juré deux escrocs négociant un marché tordu. Et alors ? À ce stade, cela m'est totalement égal.

Je prends des risques, cependant je n'ai pas le choix. Hassan constitue un risque, mais j'ai besoin de cet argent. Sortir cet or du pays imposera aussi de prendre certains risques, toutefois, si je le laissais ici, je pourrais le perdre.

Je consacre les heures suivantes à quelques achats dans des boutiques à prix cassé. J'achète des articles choisis un peu au hasard, comme des coffrets de backgammon, des petites boîtes à outils, des livres et trois ordinateurs portables bas de gamme. J'entrepose mes achats dans une chambre de motel située de plain-pied, au sud de Coral Gables, et je passe le reste de la nuit à bricoler ces accessoires, à emballer le tout, et à boire de la bière fraîche.

Je retire les disques durs et les batteries des ordinateurs portables, et je les remplace par trois de mes briquettes. À l'intérieur de chaque livre je fourre un lingot enveloppé dans du papier journal et une feuille d'aluminium, puis je ligature le tout dans de l'adhésif. Dans les boîtes à outils, je laisse le marteau et les tournevis, mais je retire tout le reste. Quatre lingots entrent gentiment dans chacune d'elles. Les coffrets de backgammon contiennent deux lingots chacun sans du tout paraître suspectes. En me servant d'emballages fournis par FedEx, UPS et DHL, j'emballe soigneusement la marchandise. Les heures passent, et je suis comme perdu dans un autre monde.

J'appelle deux fois Vanessa, et nous résumons le déroulement de nos journées respectives. Elle est de retour à Richmond, où elle fait exactement ce que je fais. Nous sommes tous les deux épuisés, physiquement et mentalement, et nous nous encourageons mutuellement à aller de l'avant. Ce n'est pas le moment de ralentir ou de commettre une négligence.

À minuit, je termine et j'admire mon travail : une dizaine de paquets posés sur la console, prêts à être expédiés avec livraison sous vingt-quatre heures, tous hermétiquement fermés et correctement affranchis. Ils n'ont nullement l'air suspect et contiennent en tout trente-deux lingots d'une valeur totale d'environ cinq cent cinquante mille dollars. Pour les envois internationaux, les formalités sont interminables, et je suis forcé de les remplir en inventant toutes sortes de sornettes. L'expéditeur est M. Reed Baldwin, de Skelter Films, à Miami, et le destinataire est le même personnage, à Sugar Cove Villas, numéro 26, Willoughby Bay, Antigua. Mon plan, c'est d'être là-bas pour les réceptionner. S'ils arrivent à destination sans incident, Vanessa et moi tenterons des envois similaires dans un proche avenir. Si quelque chose tourne mal, nous aurons recours à d'autres méthodes. Un tel moyen d'expédition représente un risque réel : les paquets pourraient être fouillés et confisqués ; l'or pourrait être volé quelque part sur le trajet. Toutefois, je suis convaincu qu'il atteindront leur nouvelle destination. Et je fais l'effort de me rappeler que nous n'expédions pas de substances interdites.

Je suis trop sur les nerfs pour dormir ; à 2 heures du matin, j'allume la lumière, mon ordinateur portable, et j'ouvre ma boîte mail. J'en rédige un à M. Stanley Mumphrey, procureur fédéral, district sud de Virginie, et à M. Victor Westlake, FBI, Washington. C'est un brouillon, ainsi libellé :

Chers MM. Mumphrey et Westlake,

Je crains d'avoir commis une grave erreur. Quinn Rucker n'a pas tué le juge Raymond Fawcett et Mme Naomi Clary. Après ma sortie de prison, il m'a fallu plusieurs mois avant de le comprendre et d'identifier le vrai tueur. Les aveux de Quinn sont faux, comme le savez sans doute désormais, et vous ne détenez aucune preuve matérielle contre lui. Son avocat, Dusty Shiver, a désormais en sa possession la preuve évidente d'un alibi inattaquable qui disculpera Quinn, alors préparez-vous à devoir abandonner toutes les charges qui pèsent contre lui. Désolé des éventuels désagréments.

Il est impératif que nous nous parlions le plus vite possible. J'ai un plan détaillé sur la manière de procéder, et seule votre totale coopération pourra conduire à l'arrestation et à la condamnation du tueur. Mon plan commence par votre promesse d'une complète immunité pour moi et d'autres personnes, et il s'achève avec le résultat précis que vous désirez. En travaillant ensemble, nous pourrons enfin résoudre cette affaire et rendre justice.

Je suis hors des États-Unis et je n'ai aucun projet d'y retourner, jamais.

Sincèrement,

Malcolm Bannister

40.

Comme de juste, le sommeil me fuit. Il est si léger et si agité que je ne suis pas sûr d'avoir dormi du tout. Je me retrouve à boire un mauvais café et à contempler fixement la télévision avant même le lever du soleil. Enfin, je me douche, je m'habille, je charge les paquets dans ma voiture et je m'engage dans les rues désertes de Miami, à la recherche d'un petit déjeuner. À 9 heures, Hassan entre en trombe au bistro en tenant un sac en papier kraft, comme s'il était allé faire quelques courses chez l'épicier du coin. Nous nous casons dans un box, commandons un café, puis, tout en évitant d'attirer les regards de la serveuse, nous entamons le compte. Son travail est bien plus facile que le mien ; il caresse les cinq mini-lingots avant de les glisser dans les poches intérieures de son blazer fripé. Je pioche dans le sac en papier et je compte, non sans mal, cent vingt-deux liasses de billets de cent dollars, à dix par liasse.

— Tout est là, me dit-il en surveillant la serveuse. Cent vingt-deux mille dollars.

Une fois rassuré, je referme le sac et j'essaie de profiter de mon café. Vingt minutes après être arrivé, Hassan repart. J'attends un moment, puis je me dirige vers la porte. Je suis à cran et je rejoins ma voiture en vitesse, m'attendant à voir une équipe du SWAT m'assaillir. Je garde vingt-deux mille dollars pour le voyage, et j'en fourre cinquante mille autres dans deux coffrets de backgammon qui me restent. À un bureau d'expédition FedEx, j'attends dans la file avec cinq paquets livrables sous vingt-quatre heures tout en observant attentivement, devant moi, les clients qui vaquent à leurs occupations. Quand vient mon tour, l'employée examine les bordereaux d'envoi et me demande, sur un ton détaché :

— Quel est le contenu ?

J'ai soigneusement préparé ma réponse :

— Des articles de déco, quelques bouquins, rien de valeur, rien à assurer. J'ai une maison à Antigua. Je l'arrange un peu.

Elle hoche la tête, comme si elle s'intéressait vraiment à mes petits projets.

Pour une expédition en standard, trois jours garantis, la facture s'élève à cent trente dollars ; je règle avec une carte de débit prépayée. En ressortant du hall d'accueil, où j'ai laissé l'or, je respire à fond et j'espère que tout se déroulera au mieux.

Grâce au GPS de ma voiture de location, je repère un bureau UPS et je me livre à la même procédure.

Je retourne à l'agence de la Palmetto Trust et il me faut une heure pour accéder à mon coffre. J'y dépose le reste du liquide et quatre lingots.

Il me faut un petit moment pour repérer le bureau d'expédition de DHL, quelque part dans l'immense aéroport de Miami International, mais je finis par y arriver et par y déposer d'autres colis.

Je me sépare de mon Impala à un comptoir Avis et je prends un taxi pour la zone de l'aviation générale, loin du terminal principal. Il y a là des rues entières de hangars privés, de compagnies de vols charters et d'écoles de pilotage. Nous cherchons en vain une société nommée Maritime Aviation, et mon chauffeur se perd. Il leur faudrait une plus grande enseigne, car depuis la rue l'actuelle est à peine visible ; je suis tenté de passer un savon à l'employé à ce sujet dès que j'en franchis la porte, mais je réussis à tenir ma langue et à me détendre.

Il n'y a pas de portique à rayons X pour m'examiner, moi ou mes bagages, et je suppose que les terminaux des vols privés ne sont pas équipés de ces machines. M'attendant à être inspecté de la sorte à mon arrivée à Antigua, je joue la sécurité. J'ai à peu près trente mille dollars en liquide, presque tous cachés dans mon bagage, et s'ils le fouillent et s'énervent, je jouerai les imbéciles et paierai l'amende. J'ai été tenté d'introduire un lingot ou deux en cachette, pour voir si c'est faisable, mais le risque dépasse les avantages.

À 13 h 30, les pilotes annoncent qu'il est temps d'embarquer, et nous nous faufilons à bord d'un Learjet 35, un petit jet à peu près moitié moins grand que le Challenger dont Nathan et moi avons brièvement profité lors de notre récente équipée en Jamaïque. Le Learjet doit pouvoir accueillir six passagers, mais des messieurs de grande taille y seraient serrés comme des sardines. En guise de toilettes, il y a une sorte de pot pour les urgences, sous un siège. C'est exigu, c'est le moins que l'on puisse dire, mais quelle importance ? C'est bien moins cher qu'un gros jet privé, et tout aussi rapide. Je suis le seul passager, et je suis pressé.

C'est Max Baldwin qui vient d'embarquer, avec des documents en règle. Malcolm Bannister, lui, s'est retiré définitivement. Je suis sûr que les douanes finiront par le signaler à une taupe au sein du FBI, et, après un moment de perplexité, celle-ci en informera son chef. Ils se gratteront le menton et se demanderont ce que fabrique Baldwin avec tous ces jets privés, pourquoi il dépense tout son argent. Et, surtout, la plus importante : que mijote-t-il, au juste ?

Ils n'en auront pas la moindre idée, à moins que je ne le leur explique.

Nous roulons, nous nous éloignons du terminal, et je relis rapidement mon e-mail à Mumphrey et Westlake, puis je clique sur « Envoi ».

Nous sommes le 28 juillet. Il y a quatre mois, je sortais de Frostburg et, il y a deux mois, je quittais Fort Carson avec un nouveau visage et un nouveau nom. J'essaie de me remémorer ces dernières semaines, de les remettre en perspective, mais je somnole. Quand nous atteignons notre altitude de douze mille mètres, je m'endors.

Deux heures plus tard, je suis réveillé par une turbulence : nous filons au-dessus d'un orage et le petit jet est secoué.

L'un des pilotes se retourne, pouce levé – tout va bien. Si tu le dis, camarade. Quelques minutes plus tard, le ciel s'est calmé, l'orage est derrière nous, et je contemple, tout en bas, les eaux magnifiques des Caraïbes. Selon le NavScreen sur la cloison devant moi, nous sommes sur le point de survoler Sainte-Croix, dans les îles Vierges américaines.

Il y a tant d'îles superbes, par ici, et d'une telle variété. Quand j'étais en prison, je cachais à la bibliothèque un guide Fodor des Caraïbes, un épais ouvrage de référence agrémenté d'une vingtaine de photos, de cartes, de listes de choses à faire et de brèves histoires de toutes ces îles. Je rêvais d'être un jour en liberté dans les Antilles, seul avec Vanessa, juste nous deux sur un petit bateau, à dériver d'île en île, dans une liberté totale et sans aucune entrave. Je ne sais pas naviguer et je n'ai jamais possédé de bateau, mais ça, c'était Malcolm. Aujourd'hui, à quarante-trois ans, Max commence sa vie, et s'il veut s'acheter une yole, apprendre à naviguer et passer le reste de sa vie à dériver d'île en île, qui peut l'en empêcher ?

L'avion est parcouru d'un léger soubresaut, les moteurs baissent de régime. J'observe le capitaine qui relâche les manettes des gaz, et nous entamons une longue descente. Je prends une bière dans la petite glacière près de la porte. Nous survolons Nevis, Sainte Kitts au loin. Ces deux îles possèdent elles aussi des réglementations bancaires attrayantes, et j'avais brièvement envisagé cette solution, à Frostburg, lorsque j'avais pris le temps de m'attarder sur ces recherches. J'ai envisagé les îles Caïman, avant d'apprendre qu'elles sont défigurées par les constructions. Les Bahamas sont trop proches de la Floride et infestées d'agents fédéraux. Porto Rico est un territoire américain qui, en tant que tel, n'a jamais figuré sur ma liste. Saint-Barthélemy souffre d'embouteillages. Les îles Vierges américaines pâtissent d'une trop forte criminalité. La Jamaïque, c'est là que réside Nathan, désormais. J'ai choisi Antigua comme base principale d'opérations car elle compte soixante-quinze mille habitants, presque tous noirs comme moi, et parce qu'elle n'est ni surpeuplée ni trop déserte. C'est une île montagneuse avec trois cent soixante-cinq plages, une pour chaque jour de l'année – du moins c'est ce qu'annoncent les brochures et le site Internet. J'ai également sélectionné Antigua pour la souplesse notoire de ses banques, connues pour leur discrétion. Et si, pour une raison ou une autre, l'île me déplaît, j'en changerai rapidement. Il y a quantité d'autres endroits à découvrir.

Nous touchons brutalement la piste et freinons dans un crissement. Le capitaine se retourne et prononce muettement ces mots : « Je suis désolé. » Les pilotes tirent grande fierté de leurs atterrissages en douceur, et ce type est sans doute vraiment gêné. Moi, je m'en moque. La seule chose qui compte, pour l'heure, c'est de sortir sain et sauf de cet avion et d'entrer sans encombre dans ce pays. Il y a deux autres jets stationnés au terminal privé et, par chance, l'un d'eux vient juste de se poser. Au moins dix Américains, en short et sandales, se dirigent vers le bâtiment des douanes. Je lambine suffisamment pour me retrouver derrière eux. Lorsque les agents de l'Immigration et des Douanes entament leurs contrôles de routine, je m'aperçois qu'il n'y a aucun portique à rayons X pour les passagers des vols privés et leurs bagages. Excellent ! Je dis au revoir aux pilotes. Une fois sorti du petit bâtiment, je regarde les autres Américains embarquer dans un minibus qui les attendait et disparaître. Je m'assieds sur un banc, le temps que mon taxi fasse son apparition.

La villa se situe à Willoughby Bay, à vingt minutes de l'aéroport. Je me suis installé à l'arrière du taxi, vitres baissées ; un air chaud et salin me souffle au visage. Nous serpentons autour d'une montagne et descendons lentement tout en bas d'une autre. Au loin, des dizaines de bateaux sont au mouillage dans une baie, posés sur une eau bleue qui semble parfaitement immobile.

Mon appartement est un trois-pièces meublé dans une résidence, pas directement sur le front de mer, mais assez près de la plage pour que j'entende le ressac. Il est loué à mon nom actuel, et les trois mois de loyer ont été réglés par un chèque de Skelter Films. Je paie le chauffeur et franchis le portail de Sugar Cove. Au bureau d'accueil, une dame avenante me remet la clef et un livret avec tous les renseignements nécessaires sur ce logement. J'y entre, j'allume les ventilateurs et la climatisation, et je vérifie les chambres. Un quart d'heure plus tard, je suis dans l'océan.

À 17 h 30 précises, Stanley Mumphrey et deux de ses sous-fifres s'installèrent autour d'un haut-parleur qui trônait au centre d'une table, dans une salle de réunion. Quelques secondes plus tard, la voix de Victor Westlake se fit entendre, et, après de rapides salutations, c'est lui qui commença.

— Alors, Stan, qu'en pensez-vous ?

Stanley Mumphrey, qui n'avait pensé à rien d'autre depuis qu'il avait reçu l'e-mail quatre heures plus tôt, lui répondit :

— Eh bien, Vic, apparemment, il faut décider si nous allons une fois de plus croire ou non ce type, vous n'êtes pas de cet avis ? Il admet s'être trompé la dernière fois. Il n'admet pas nous avoir menti : il nous explique qu'il a simplement commis une erreur. Il continue de jouer à ses petits jeux.

— Il sera difficile de lui faire à nouveau confiance, admit Westlake.

— Savez-vous où il est, à l'heure qu'il est ? demanda le procureur.

— Il vient de s'envoler de Miami pour Antigua, à bord d'un jet privé. Vendredi dernier, il s'envolait de Roanoke à la Jamaïque, à bord d'un autre jet privé, et dimanche il rentrait aux États-Unis, sous le nom de Malcolm Bannister.

— Une idée de ce qu'il fabrique, avec tous ces déplacements si curieux ?

— Pas la moindre, Stan. Nous sommes un peu déconcertés. Il s'est révélé très habile, tant pour disparaître que pour faire circuler son argent.

— Exact. J'ai un scénario, Vic. Supposons qu'il nous ait menti au sujet de Quinn Rucker. Peut-être Rucker fait-il partie du complot ? Il y aurait pris part pour que Bannister puisse sortir de prison. Maintenant, ils essaient de sauver la peau de Rucker. Pour moi, cela sent l'association de malfaiteurs. Mensonge, complot. Et si nous leur balancions une inculpation ? Nous cueillons Bannister, nous le remettons sous les verrous, puis nous voyons ce qu'il sait du vrai tueur. Derrière les barreaux, il pourrait se montrer plus loquace.

— Alors maintenant vous le croyez ? s'étonna Westlake.

— Je n'ai pas dit cela, Vic, pas du tout. Mais si cet e-mail est véridique, et si Dusty Shiver possède un alibi, alors toute la procédure est bonne pour la corbeille.

— Faut-il parler à Shiver ?

— Nous n'y sommes pas obligés. S'il détient cette preuve, nous le saurons bien assez tôt. Une chose, entres autres, que je ne saisis pas, c'est pourquoi ils ont gardé cette preuve dans leur manche si longtemps.

— Pareil pour moi, admit Westlake. La théorie que nous avançons ici, c'est que Bannister avait besoin de temps pour dépister le tueur – si nous ajoutons foi à ses propos, bien sûr. Franchement, à ce stade, je ne sais que croire. Et si Bannister connaissait la vérité ? De notre côté, nous n'avons rien. Nous n'avons pas une miette de preuve matérielle. Les aveux de Quinn ne sont pas solides, et si Dusty détient une pièce flagrante, alors nous sommes tous sur le point d'avaler une bonne grosse couleuvre.

— Inculpons-les et coinçons-les. Je vais convoquer le jury de mise en accusation pour demain, et nous aurons un acte d'accusation dans les vingt-quatre heures. Quel mal aurons-nous à pincer Bannister à Antigua ?

— Ce serait un vrai merdier. Il faudrait l'extrader. Cela pourrait prendre des mois. En outre, il risque encore de disparaître. Ce type est fort. Laissez-moi parler au patron avant de convoquer ce jury.

— D'accord. Mais si Bannister veut l'immunité, cela tendrait à signifier qu'il a commis un crime et qu'il veut négocier, non ?

Westlake se tut un instant, avant de répondre :

— Il est assez rare qu'un innocent réclame l'immunité. Cela peut se produire, mais ce n'est pas très fréquent. À quel crime songez-vous ?

— Rien de précis, néanmoins nous trouverons. Ce qui vient tout de suite à l'esprit, c'est le racket. Je suis sûr que nous pourrions forcer un peu les termes de la loi RICO afin qu'elle corresponde aux faits. Association de malfaiteurs avec entrave à la justice. Mensonges à un tribunal et au FBI. Réflexion faite, plus on parle, et plus l'acte d'accusation s'allonge. J'en ai ma claque, Vic. Bannister et Rucker étaient copains à Frostburg et ils ont monté ce plan de toutes pièces. Rucker est sorti en décembre. Le juge Fawcett a été tué en février. Et maintenant il semblerait que Bannister nous ait baladés avec un tas de sornettes sur Rucker et ses mobiles. Je ne sais pas pour vous, Vic, mais je commence à considérer qu'on nous a trompés.

— N'exagérons pas. La première étape consiste à déterminer si Bannister dit la vérité.

— D'accord, et comment y parviendrons-nous ?

— Attendons Dusty et voyons ce qu'il détient. Entre-temps, je vais en discuter avec mon patron. Et vous et moi, on se parle demain.

— Entendu.

41.

Dans un bureau de tabac en plein centre de St. John's, je tombe sur un objet dont la vision me saisit, puis me tire un sourire. C'est une boîte de Lavos, un cigare fabriqué à la main au Honduras et qui coûte deux fois plus cher aux États-Unis. Le module *torpedo*, long de dix centimètres, se vend cinq dollars à Antigua et dix dans un bureau de tabac du centre de Roanoke, chez Vandy's Smokes. C'était là que le juge Fawcett s'achetait régulièrement sa marque préférée. Sur le fond de quatre des quatorze boîtes de Lavos que nous avons mises en lieu sûr dans des banques sont collées des étiquettes blanches au nom de Vandy's, avec un numéro de téléphone et une adresse.

J'achète vingt Lavos modules *torpedo*. J'admire la boîte : elle est en bois, pas en carton, et le nom est gravé, à la main apparemment, sur le couvercle. Le juge Fawcett avait l'habitude de se laisser flotter sur le lac Higgins dans son canoë, en lâchant des bouffées de ses Lavos, en pêchant ou en savourant la solitude. Évidemment, il conservait les boîtes vides.

Les paquebots de croisière n'étant pas encore arrivés, le centre de la ville est paisible. Des commerçants sont installés à l'ombre devant leur boutique, à bavarder et à rigoler dans leur anglais si châtié, si séduisant, un peu chantant. Je flâne d'échoppe en échoppe, et j'oublie le temps. Je suis passé de l'existence carcérale déshumanisante et abrutissante à la chasse effrénée d'un tueur et de son butin, puis à ceci – la paix languissante de la vie insulaire. Je préfère cette dernière, pour des raisons évidentes, mais aussi parce que c'est le moment présent, et mon avenir. Max est un nouvel être avec une nouvelle vie, et il se déleste peu à peu de tout ce qui l'encombrait.

Je m'achète quelques vêtements, des shorts et des T-shirts, des trucs de plage, puis je pousse jusqu'à ma banque, la Royal Bank for the East Caribbean, où je flirte avec la jeune mignonne qui tient l'accueil. Elle me dirige vers la file d'attente, et je finis par me présenter à l'employée de la salle des coffres. Elle examine mon passeport, puis elle me conduit dans les profondeurs de l'agence. Lors de ma première visite, neuf semaines plus tôt, j'ai loué deux des plus grands coffres disponibles. Seul en face d'eux, j'y dépose un peu d'espèces et des papiers sans valeur ; combien de temps faudra-t-il avant qu'ils ne soient remplis de petits lingots d'or ? En ressortant, je flirte encore, et je promets de revenir bientôt.

Je loue une Coccinelle cabriolet pour un mois, je rabats la capote, je m'allume un Lavo et j'entame un tour de l'île. Au bout de quelques minutes, j'ai la tête qui tourne. Je ne me rappelle plus quand j'ai fumé un cigare pour la dernière fois, et je ne sais pas trop pourquoi j'en fume un, là, maintenant. Le Lavo est court et noir, il est fort, et il en a l'air, en plus. Je le jette par la fenêtre et je roule.

FedEx remporte la course. Le premier colis arrive le lundi vers midi, alors que j'arpente nerveusement les allées de Sugar Cove. Miss Robinson, la dame agréable qui gère le bureau de la résidence, connaît désormais la version complète de ma petite fiction. Je suis un auteur-réalisateur venu pour les trois prochains mois s'enterrer dans l'une de ses résidences, où je vais trimer avec la dernière énergie afin de terminer un roman et un scénario. Mes associés, eux, sont déjà en train de tourner les premières scènes. Bla-bla-bla. C'est pour cette raison que je dois récupérer une vingtaine de paquets urgents venus de Miami : manuscrits, notes de recherches, vidéos et matériel. Elle est visiblement impressionnée.

J'attends avec impatience le jour où je pourrai cesser de mentir.

Une fois à l'intérieur de mon appartement, j'ouvre les boîtes. Un coffret de backgammon contient deux lingots ; une boîte à outils, quatre ; un roman grand format, un ; un autre jeu de backgammon, deux – un total de neuf lingotins auxquels personne n'a touché, apparemment, sur le trajet de Miami à Antigua. Je m'interroge souvent sur leur histoire. Qui a extrait cet or de la terre ? Sur quel continent ? Qui l'a fondu et estampé ? Comment est-il entré aux États-Unis ? Je sais pourtant que ces questions demeureront éternellement sans réponse.

Je retourne illico à St. John's, à la Royal Bank of East Caribbean, et je mets les précieux lingots en lieu sûr.

Mon deuxième e-mail à MM. Westlake et Mumphrey est ainsi formulé :

> *Salut, les gars,*
>
> *C'est encore moi. Vous devriez avoir honte de n'avoir pas répondu à mon e-mail d'il y a deux jours. Si vous avez envie de retrouver le tueur du juge Fawcett, vous allez devoir apprendre à mieux communiquer. Je ne vais pas lâcher l'affaire.*
>
> *Je parierai que votre réaction première sera d'inventer de toutes pièces un acte d'accusation bidon pour vous en prendre à Quinn Rucker et à moi. Vous ne pourrez pas vous en empêcher parce que vous êtes des fédéraux : c'est dans votre nature. Qu'est-ce qui, dans notre système judiciaire, peut bien pousser des types comme vous à sans cesse vouloir remplir les prisons ? C'est lamentable, franchement. J'ai rencontré des dizaines de braves types, en prison ; des hommes qui ne feraient de mal à personne, en tout cas pas physiquement, et des hommes qui ne joueraient plus jamais au con... pourtant, à cause de vous, ils purgent de longues peines et leurs vies sont réduites à néant.*
>
> *Mais je m'égare.*

354

Oubliez un nouvel acte d'accusation : les charges ne tiendront pas – il est vrai que, dans le passé, cela ne vous a pas ralentis. Il n'existe aucune section de notre vaste Code fédéral que vous pourriez utiliser contre moi.

Surtout, vous ne pouvez pas m'attraper. Faites une bêtise, n'importe laquelle, et je disparais de nouveau. Je ne retournerai pas en prison, jamais.

J'ai joint à cet e-mail quatre photographies en couleur. Les trois premières montrent la même boîte de cigares, une boîte en bois marron foncé, fabriquée à la main quelque part au Honduras. Dans cette boîte, un ouvrier a soigneusement placé vingt Lavos, un cigare fort, noir, capiteux, à l'extrémité conique. La boîte a été expédiée chez un importateur de Miami et, de là, elle a été livrée chez Vandy's Smokes, dans le centre de Roanoke, où elle a été achetée par le très honorable Raymond Fawcett. À l'évidence, le juge Fawcett a fumé des Lavos durant de nombreuses années, et il a conservé les boîtes vides. Vous en avez peut-être retrouvé quelques-unes lorsque vous avez fouillé son bungalow après les meurtres. Mon petit doigt me dit que, si vous interrogez le propriétaire de Vandy's, vous apprendrez qu'il connaissait bien le juge Fawcett et ses goûts assez peu communs en matière de cigares.

La première photo vous montre la boîte telle qu'elle est visible en magasin. C'est un carré de dix sur dix presque parfait – assez inhabituel pour une boîte de cigares. La deuxième photo est un cliché pris sous un angle latéral. Le troisième montre le fond de la boîte, où apparaît clairement l'étiquette blanche de Vandy's Smokes.

Cette boîte a été sortie du coffre du juge Fawcett peu après son exécution. Elle est désormais en ma possession. Je vous la donnerais bien, mais les empreintes digitales du tueur sont presque certainement dessus, et je serais navré de vous gâcher la surprise.

La quatrième photo est la raison pour laquelle nous sommes tous concernés. Elle montre trois lingots d'or de dix onces chacun, de parfaits mini-lingots sans la moindre trace de numérotation ou d'identification (j'y reviendrai plus tard). Ces vaillants petits soldats étaient rangés, à raison de trente par boîte à cigares, dans le coffre du juge.

Donc, voilà un mystère résolu. Pourquoi a-t-il été assassiné ?
Parce que quelqu'un savait qu'il possédait un magot en or.

Le grand mystère, en revanche, continue de vous obséder : le
tueur est encore là, quelque part. Au bout de six mois d'agitation,
de faux pas, à cavaler partout en pure perte, à vous essouffler, à
vous pavaner et à mentir, vous N'AVEZ PAS L'OMBRE D'UNE PISTE !

Allons, les gars, laissez tomber ! Passons un marché et classons
le dossier.

Bien amicalement,

Malcolm.

Victor Westlake annula une fois encore un dîner avec son épouse et à 19 heures, ce vendredi, il entra dans le bureau de son patron, le directeur du FBI, M. George McTavey. Deux adjoints de McTavey restèrent pour prendre des notes et chercher des dossiers. Ils se réunirent autour d'une longue table, tous épuisés après une semaine interminable de plus.

McTavey avait été pleinement informé, et il était donc inutile de revenir en arrière. Il commença par sa formule fétiche :

— Y a-t-il quelque chose que je ne sache pas ?

Cette question était toujours prévisible, et chacun avait intérêt à y répondre avec sincérité.

— Oui, lui répondit Westlake.

— J'écoute.

— La hausse en flèche des cours de l'or a créé une demande énorme pour le métal jaune, ce qui ouvre la porte à toutes sortes d'escroqueries. Tous les prêteurs sur gages du pays sont devenus des courtiers en or, alors vous imaginez les saletés qui peuvent s'acheter et se vendre. L'an dernier, nous avons conduit à New York une enquête impliquant plusieurs courtiers ayant pignon sur rue qui fondaient de l'or pour en faire un alliage, avant de l'écouler comme s'il était totalement pur. Pas d'inculpations pour l'instant, mais l'affaire n'est pas close. Au milieu de tout cela, l'un de nos indicateurs qui travaillait pour un marchand a mis la main sur un petit lingot de dix onces sans la moindre marque d'identification. De l'or pur à plus de quatre-vingt-dix neuf pour cent – du beau

356

matériel, vraiment, et à un prix inhabituel. Il a fouiné et il a fini par découvrir qu'un dénommé Ray Fawcett venait de temps en temps vendre quelques lingots identiques à un prix légèrement décoté, contre des espèces, naturellement. Nous avons une vidéo de Fawcett dans sa boutique de la 47e Rue ; elle date de décembre dernier, deux mois avant le meurtre. Apparemment, Fawcett se rendait à New York, en voiture, deux fois par an ; il y effectuait sa transaction et rentrait à Roanoke avec un sac de billets. Nous n'avons pas l'historique dans son entier, néanmoins, sur la base de ce que nous avons vu, il semble qu'il ait vendu à New York pour au moins six cent mille dollars en or au cours des quatre dernières années. Il n'y a rien d'illégal là-dedans – à supposer, évidemment, que Fawcett ait été le propriétaire légitime de cet or.

— Intéressant, mais... ?

— J'ai montré la photo des lingots transmise par Bannister à notre indicateur. Pour citer ses propres termes, ces lingots sont identiques. Bannister détient cet or. Combien, nous n'avons aucun moyen de le savoir. La boîte à cigares correspond. L'or correspond. À supposer qu'il ait reçu cet or du tueur, alors ce dernier connaît certainement la vérité.

— Et votre théorie serait ?

— Malcolm Bannister et Quinn Rucker étaient détenus ensemble à Frostburg. Nous ignorions à quel point ces deux-là étaient proches l'un de l'autre. L'un des deux était au courant pour Fawcett et ce tas d'or, et ils ont planifié leur racket. Rucker sort de prison, entre en désintoxication pour se forger un alibi, et ils attendent que le tueur frappe. Celui-ci s'exécute et, subitement, le plan de Rucker et de Bannister devient opérationnel. Bannister dénonce Rucker ; celui-ci nous livre des aveux bidon qui conduisent à une inculpation immédiate ; Bannister est libéré. Une fois dehors, il se place sous la protection des témoins, s'y soustrait, retrouve le tueur par un moyen ou un autre, ainsi que l'or.

— Ne serait-il pas obligé de tuer le tueur pour empocher l'or ?

Westlake n'en avait pas la moindre idée. Il haussa les épaules.

— Peut-être, peut-être pas. Bannister veut l'immunité, et nous misons sur le fait qu'il va également exiger l'élargissement de Rucker au titre de l'article 35. Quinn a encore cinq années à purger de sa peine initiale, plus quelques compléments d'incarcération suite à son évasion. Si vous étiez Bannister, pourquoi ne tenteriez-vous pas de faire sortir votre copain ? Si le tueur est mort, l'article 35 risque de ne pas s'appliquer au cas de Quinn Rucker. Je ne sais pas. Nos juristes sont en bas, et ils se creusent la tête.

— C'est déjà une source de réconfort, ironisa McTavey. Quel serait l'inconvénient d'un accord avec Bannister ?

— Nous avons déjà traité avec lui, et il nous a menti.

— D'accord, mais qu'a-t-il à gagner à mentir, maintenant ?

— Rien. Il a l'or.

Le visage soucieux de McTavey prit soudain une expression joviale. Il lâcha un petit rire en levant les mains.

— Magnifique, brillant, j'adore ! Il faut l'embaucher, ce type, parce qu'il est bien plus malin que nous. Quelle sacrée paire de couilles ! Il fait inculper son bon copain de meurtre avec préméditation – le meurtre d'un juge fédéral ! – et il sait depuis le début qu'il va réussir à tout dénouer et à le faire libérer. Vous voulez rire ? Nous allons tous passer pour une bande d'idiots.

L'aspect comique de l'affaire n'échappait pas non plus à Westlake. Il sourit et secoua la tête avec incrédulité. McTavey reprit :

— Il ne ment pas, Vic, parce qu'il n'en a pas besoin. Les mensonges, c'était important avant, lors de la première phase, mais pas maintenant. Maintenant, c'est l'heure de vérité, et Bannister la connaît, la vérité.

Westlake acquiesça.

— Alors, quel sera notre plan ?

— Où est le procureur, dans ce dossier ? Comment s'appelle-t-il ?

— Mumphrey. Il réclame une autre inculpation à cor et à cri.

— Sait-il tout ?

— Bien sûr que non. Il ignore que nous savons que Fawcett vendait de l'or à New York.

— Je prends un brunch avec le ministre de la Justice dans la matinée. Je lui expliquerai ce que nous fabriquons puis j'en informerai Mumphrey. Je suggère que vous rencontriez Bannister, tous les deux, dès que possible, et que vous éclaircissiez ce qui reste inexpliqué. Je suis vraiment fatigué de ce juge Fawcett, Vic. Vous voyez ce que je veux dire ?

— Oui, monsieur.

42.

Dans le terminal étouffant de l'aéroport international V.C. Bird, j'attends un autre vol qui est retardé, pourtant je ne suis pas contrarié ou inquiet, pas le moins du monde. À présent, c'est mon quatrième jour à Antigua, ma montre est dans un tiroir et je suis à l'heure de l'île. Les changements sont ténus, mais je purge lentement mon organisme des habitudes frénétiques de la vie moderne. Mes mouvements sont plus lents ; mes pensées, plus dépouillées ; mes objectifs, inexistants. Je vis au jour le jour et je pose de temps à autre un œil paresseux sur le lendemain ; à part ça, mec, viens pas me déranger, comme on dit à la Jamaïque.

Vanessa descend d'un pas léger la passerelle du vol de San Juan. Elle a l'air d'un mannequin, avec un chapeau de paille à large bord, des lunettes de créateur, une robe d'été délicieusement courte, et la grâce facile d'une femme qui sait qu'elle est canon. Dix minutes plus tard, nous sommes dans la Coccinelle et j'ai la main sur sa cuisse. Elle m'informe qu'elle a été virée de son boulot pour absentéisme. Et insubordination. Nous rions. Qu'est-ce qu'on en a à fiche ?

Nous allons directement déjeuner au Great Reef Club, sur un promontoire qui surplombe l'océan, d'où la vue est envoûtante. La clientèle est aisée et britannique. Nous sommes les seuls Noirs, à l'exception du personnel. La cuisine est tout juste acceptable, et nous nous promettons d'aller dénicher les bistros locaux où nous pourrons dîner avec de vrais êtres humains. En théorie, nous sommes riches, toutefois il me semble impossible de penser en ces termes. Nous n'avons pas tant envie d'argent que de liberté et de sécurité. Je suppose que nous nous habituerons à une vie meilleure.

Après un plongeon dans l'océan, Vanessa souhaite explorer Antigua. Nous rabattons la capote, nous trouvons une station de radio qui diffuse du reggae et nous filons sur les routes étroites comme deux jeunes amoureux qui sont enfin parvenus à s'évader. En caressant ses jambes et en admirant son sourire, j'ai encore du mal à me rendre compte que nous avons réussi. Je m'étonne de notre chance.

Le sommet se tient au Blue Waters Hotel, à la pointe nord-ouest de l'île. J'entre dans le corps de bâtiment principal, de style colonial, et j'accède à la réception, où flotte une brise légère. Deux agents mal fagotés en tenue de touriste sirotent leur soda et tentent de paraître inoffensifs. Un vrai touriste, ici, a une allure paisible et décontractée, alors que le fédéral qui joue les touristes a l'air d'un inadapté social. Je me demande combien d'agents, d'adjoints de procureur, de directeurs adjoints du FBI, etc., réussissent à s'organiser ce genre de voyage dans les îles, épouses comprises – bien sûr – aux frais de l'Oncle Sam. Je franchis des arcades, je passe devant des boiseries couleur pain d'épice et des palissades conduisant à une aile dédiée aux affaires.

Nous nous retrouvons dans une petite suite au deuxième niveau, avec vue sur la plage. Je suis accueilli par Victor Westlake, Stanley Mumphrey et quatre autres messieurs dont je n'essaie même pas de retenir les noms. Disparus les costumes sombres et les cravates sinistres, remplacés par des chemisettes de golf et des bermudas. On a beau être début août, toutes les paires de jambes ou presque présentes dans cette suite n'ont guère vu le soleil de l'été. L'humeur est enjouée ; je n'ai jamais vu autant de sourires lors d'une réunion aussi importante. Ces hommes sont l'élite des combattants du crime, accoutumés à des journées dures et sans une once d'humour, et cette menue distraction, pour eux, c'est le rêve.

Un dernier doute me tenaille : la crainte que ce soit un piège. Il se peut que je sois tombé dans une nasse et que ces garçons soient prêts à me sortir un acte d'accusation, un mandat, un ordre d'extradition et je ne sais quoi d'autre qui pourrait me renvoyer derrière les barreaux. Dans cette éventualité, Vanessa a un plan qui assurera la protection de nos avoirs. Elle est à deux cents mètres, elle attend.

Il n'y a pas de surprises. Nous nous sommes suffisamment parlé au téléphone pour connaître tous les paramètres, et nous nous attelons à la besogne. En mettant le haut-parleur, Mumphrey téléphone à Roanoke, au cabinet de Dusty Shiver, qui représente désormais non seulement Quinn Rucker, mais aussi sa sœur Vanessa et moi. Une fois que Dusty est en ligne, il lance une vanne un peu minable pour dire combien il regrette de ne pas pouvoir s'amuser avec nous à Antigua. Les fédéraux hurlent de rire.

Nous passons d'abord en revue l'accord d'immunité ; en résumé, il stipule que le gouvernement ne nous poursuivra pas – Quinn, Vanessa Young, Denton Rucker (alias Dee Ray) et moi – pour d'éventuels méfaits dans le cadre de l'enquête sur les meurtres du juge Raymond Fawcett et de Naomi Clary. L'accord nécessite quatorze pages, mais la formulation me satisfait. Dusty l'a étudié, lui aussi, et il sollicite deux amendements mineurs de la part du bureau de Mumphrey. Étant juristes, ils sont obligés de chicaner un peu, puis ils finissent par accepter. Le document est révisé, sur place, dans la chambre, puis il est signé et envoyé par e-mail à un magistrat fédéral de permanence, à Roanoke. Une demi-heure plus tard, une copie nous est retournée par e-mail, avec l'accord et la signature du magistrat. Au sens juridique du terme, nous sommes désormais en téflon – on ne peut rien nous coller sur le dos.

La remise en liberté de Quinn Rucker est un peu plus compliquée. L'ordonnance de rejet qui l'exonère de toutes les charges relatives aux meurtres contient quelques propos innocents, insérés là par Mumphrey et ses gars, qui tentent d'atténuer leurs responsabilités. Dusty et moi-même nous opposons à ces formulations, et l'ordonnance corrigée est envoyée par le même canal au magistrat de Roanoke ; il la signe aussitôt.

Vient ensuite la requête, au titre de l'article 35, qui commue la sentence de Quinn et lui rend sa liberté. Elle a été déposée auprès du tribunal fédéral de Washington où il a été condamné pour revente de cocaïne, cependant Quinn est toujours emprisonné à Roanoke. Je répète ce que j'ai déclaré à plusieurs reprises : je ne conclurai pas ma partie de l'accord tant que Quinn n'aura pas été libéré. Point à la ligne. Nous nous étions mis d'accord là-dessus, mais cela requiert l'action coordonnée de plusieurs personnes – et cela sur la base d'instructions qui leur parviennent d'une minuscule nation insulaire connue sous le nom d'Antigua. Le juge qui a condamné Quinn à Washington est de la partie, mais il est retenu au tribunal. Le service des U.S. marshals éprouve le besoin de s'en mêler et insiste pour assurer le transfert de Rucker, le moment venu. Cinq des six juristes de cette petite réunion sont au téléphone tandis que deux tapent à tout-va sur leur clavier d'ordinateur.

Nous nous accordons une pause ; Vic Westlake me prie de le rejoindre pour aller prendre un rafraîchissement. Nous trouvons une table au bord d'une piscine, à l'écart des autres, et nous commandons deux thés glacés. Il feint l'agacement devant tout ce temps perdu, et ainsi de suite. J'imagine qu'il est équipé d'un micro et qu'il veut parler de l'or. Moi, je suis tout sourire, en bon Antiguais bien décontracté, mais mon radar personnel est réglé sur alerte maximum.

— Et si nous avions besoin de votre témoignage au procès ? me demande-t-il, l'air grave.

— Nous en avons discuté longuement, et je croyais que les choses étaient claires.

— Je sais, je sais, pourtant si nous avions besoin de preuves supplémentaires ?

Comme il ne connaît pas encore le nom du tueur et les circonstances du meurtre, cette question est prématurée ; c'est probablement une mise en train, avant la suite.

— Ma réponse est non, d'accord ? J'ai été clair. Je n'ai aucune intention de retourner aux États-Unis. J'envisage sérieusement de renoncer à ma citoyenneté américaine et de devenir un Antiguais à part entière. Si je ne remets plus jamais les pieds sur le sol américain, je mourrai en homme heureux.

— C'est un peu exagéré, ne croyez-vous pas, Max ? me fait-il d'un ton qui ne m'inspire que du mépris. Vous jouissez à présent d'une immunité totale.

— C'est facile à dire pour vous, Vic : vous n'avez jamais purgé une peine d'emprisonnement, comme moi, pour un crime que vous n'avez pas commis. Les fédéraux m'ont arrêté une fois et ont failli détruire ma vie. Cela ne se reproduira pas. J'ai le bonheur d'avoir obtenu une seconde chance et, pour une raison étrange, j'hésite à me soumettre de nouveau à votre juridiction.

Il boit une gorgée de thé et s'essuie la bouche avec une serviette en lin.

— Une seconde chance : mettre les voiles, filer au soleil avec un tas d'or.

Je me contente de le dévisager. Au bout de quelques secondes, il ajoute encore un mot, un peu mal à l'aise.

— Nous n'avons pas discuté de cet or, n'est-ce pas, Max ?

— Non.

— Alors, essayons un peu. De quel droit le gardez-vous ?

Je fixe du regard un bouton de sa chemise, et je déclare clairement :

— Je ne vois pas de quoi vous parlez. Je n'ai pas d'or. Point à la ligne.

— Et les trois lingots de la photo que vous nous avez envoyée par e-mail la semaine dernière ?

— C'est une preuve. En temps utile je vous les ferai parvenir, avec la boîte à cigares de l'autre photo. À mon avis, ces petites pièces à conviction sont couvertes d'empreintes digitales, tant celles de Fawcett que celles du tueur.

— Parfait. La grande question sera donc : où est le reste de cet or ?

— Je l'ignore.

— D'accord. Vous devez convenir, Max, qu'il sera important, pour obtenir la condamnation du tueur, de savoir ce que contenait le coffre du juge Fawcett. Qu'est-ce qui lui a valu d'être assassiné ? À un certain moment, nous devrons tout savoir.

— Vous ne saurez peut-être pas tout. Vous ne saurez jamais tout. Vous aurez amplement assez de preuves pour faire condamner le tueur. Si le gouvernement bâcle cette mise en accusation, ce ne sera plus mon problème.

Encore une gorgée, et encore un regard exaspéré.

— Vous n'avez pas le droit de le garder, Max.

— De garder quoi ?

— L'or.

— Je n'ai pas cet or. Mais, et là je m'exprime de manière hypothétique, dans une situation comme celle-ci, il me semble que ce butin n'appartient à personne. Il n'est certainement pas la propriété du gouvernement. Il n'a pas été soustrait au contribuable. Vous n'avez jamais été en sa possession, à aucun titre. Vous ne l'avez jamais vu et, à l'heure où nous parlons, vous n'avez même pas la certitude qu'il existe. Il n'appartient pas au tueur, qui est aussi un voleur. Il l'a volé à un haut fonctionnaire qui se l'était procuré, je suppose, par corruption. Si vous aviez la possibilité d'identifier la source originelle de cet or, ses propriétaires, si vous tentiez de le leur restituer, plongeraient sous leur bureau ou détaleraient comme des lapins. Cet or est là, quelque part, d'une certaine manière dans les nuages, comme le nuage d'Internet, propriété de personne.

J'agite mollement les mains vers le ciel en achevant cette réponse que j'ai longuement préparée.

Westlake sourit, car nous savons tous deux la vérité. Il a une étincelle dans l'œil, comme s'il avait envie de capituler dans un rire et de me dire : « Sacré bon boulot. » Bien sûr, il n'en fait rien.

Nous regagnons la suite, où l'on nous annonce que le juge, à Washington, est encore occupé par d'autres dossiers plus importants. Je ne vais pas faire salon autour d'une table avec une bande de fédéraux, et je sors donc marcher sur la plage. J'appelle Vanessa, je lui raconte que les choses avancent avec lenteur et, non, je n'ai vu ni menottes ni pistolets. Jusqu'à présent, tout est régulier. Quinn devrait être bientôt libéré. Elle me répond que Dee Ray est au cabinet de Dusty Shiver, où il attend leur frère.

Durant sa pause-déjeuner, le juge qui a condamné Quinn à sept ans de réclusion pour trafic de drogue a signé, bien à contrecœur, l'ordonnance de commutation de peine, en application de l'article 35. La veille, il s'est entretenu avec Stanley Mumphrey et son patron, avec George McTavey, et, pour souligner l'importance de ce qu'on lui soumettait là, avec le ministre de la Justice.

Quinn a été immédiatement conduit de la prison de Roanoke au cabinet juridique de Dusty Shiver, où il a serré Dee Ray dans ses bras, avant de se changer en enfilant un jean et un polo. Cent quarante jours après son arrestation en tant que fugitif, à Norfolk, en Virginie, c'est un homme libre.

Il est presque 14 h 30 quand toutes les ordonnances et tous les documents sont dûment signés, examinés et vérifiés. À la dernière minute, je sors de la chambre et j'appelle Dusty. Il m'assure que nous les « tenons à la gorge » : tous les papiers sont en ordre, les droits de chacun sont garantis, toutes les promesses ont été tenues.

— Tu peux commencer à chanter, me dit-il en riant.

Six mois après mon arrivée à l'établissement pénitentiaire de Louisville, dans le Kentucky, j'ai accepté de me pencher sur l'affaire d'un dealer de drogue de Cincinnati. Le tribunal avait mal calculé la durée de sa sentence, l'erreur était manifeste, et j'avais introduit une requête pour obtenir la libération immédiate du type, en tenant compte de la peine déjà purgée. C'était l'une des rares occasions où tout avait fonctionné à merveille et, en deux semaines, mon client était chez lui, heureux. Sans surprise, l'information avait couru dans la prison, et on avait aussitôt vanté mes talents de brillant avocat taulard capable d'accomplir des miracles. J'ai été inondé de demandes d'examen de dossiers, pour réaliser chaque fois des miracles similaires, et il a fallu un certain temps avant que la rumeur ne s'éteigne.

Vers cette époque, un type que nous appelions Nattie est entré dans ma vie, dévorant plus de mon temps que je n'avais envie de lui en accorder. C'était un jeune Blanc maigrichon, tombé pour revente de méthadone en Virginie-Occidentale, et il insistait lourdement pour que j'étudie son cas et le fasse sortir d'un claquement de doigts. Je l'aimais bien, Nattie, je me suis donc penché sur ses papiers, et j'ai essayé de le convaincre que, à mon avis, il n'y avait rien à tenter. Il s'est mis à me parler d'une récompense ; au début, il s'agissait de vagues allusions à un paquet d'argent caché quelque part – une partie serait à moi si seulement je le sortais de prison. Il refusait de croire que je sois incapable de l'aider. Au lieu d'affronter la réalité, il a cédé de plus en plus à son propre délire, de plus en plus convaincu que je saurais déceler la faille permettant de le faire libérer. Finalement, il a mentionné un certain nombre de lingots d'or, et j'ai cru qu'il avait perdu la tête. Je l'ai envoyé paître ; alors, pour achever de me convaincre, il m'a raconté toute l'histoire. Il m'a fait jurer le secret et m'a promis la moitié de sa fortune si seulement j'acceptais de l'aider.

Enfant, Nattie était un voleur à la petite semaine déjà accompli, et, à l'adolescence, il était parti à la dérive dans le monde de la méthadone. Il avait pas mal bougé, pour éviter les agents des stups, les recouvrements de créance, les adjoints du shérif munis de mandats, les pères de filles enceintes et les rivaux fumasses d'autres gangs de la méthadone. À plusieurs reprises, il avait essayé de se ranger, pour mieux retomber chaque fois dans une vie de crime. Il voyait l'existence de ses cousins et de ses amis, à la fois toxicos et criminels condamnés, ruinée à cause de la drogue, et il avait vraiment envie de s'en tirer. Il avait un emploi de caissier dans une supérette à la campagne, au fin fond des montagnes, non loin de la petite ville de Ripplemead ; là, il avait été approché par un inconnu qui lui avait proposé dix dollars de l'heure pour une besogne – du travail manuel. Personne dans le magasin n'avait jamais vu cet homme, et personne ne le reverrait. Nattie gagnait cinq dollars de l'heure, payés en espèces, non déclarés, et il avait sauté sur cette occasion de gagner davantage. Après le travail, il avait retrouvé cet inconnu à un endroit convenu d'avance, et il l'avait suivi par un chemin de terre étroit et sinueux jusqu'à un bungalow à la charpente en triangle, niché au flanc d'une colline escarpée, juste au-dessus d'un petit lac. L'inconnu s'était présenté sous son prénom, Ray, rien d'autre ; ce Ray transportait une caisse en bois sur le plateau arrière de son beau pick-up. Il s'était avéré que cette caisse contenait un coffre-fort de plus de deux cents kilos, trop lourd pour que Ray le manipule tout seul. Ils avaient accroché une poulie à une branche d'arbre, y avaient enfilé une corde et avaient réussi à hisser le coffre hors du pick-up, à le déposer sur le sol, puis à le descendre jusqu'au sous-sol du bungalow. C'était un travail fastidieux, éreintant, et il leur avait fallu presque trois heures pour introduire le coffre à l'intérieur. Ray avait payé Nattie en espèces avant de le remercier.

Nattie en avait parlé à son frère, Gene, qui se cachait dans les parages, à deux comtés de là, pour échapper au shérif. Le coffre – et son contenu – avait piqué la curiosité des deux frères, et ils avaient décidé d'investiguer. Après avoir vérifié que Ray avait quitté le bungalow, ils avaient tenté d'y pénétrer ; ils en avaient été empêchés par de lourdes portes en chêne, des vitres anti-effraction et de gros pênes dormants. Ils avaient donc simplement démonté tout un châssis de fenêtre au sous-sol. À l'intérieur, ils n'avaient pu localiser le coffre, mais ils avaient réussi à identifier Ray. En fouillant dans des papiers sur une table de travail, ils avaient compris que leur cible était juge fédéral, une grosse légume, à Roanoke. Il y avait même un article de journal sur un procès important impliquant des mines d'uranium en Virginie ; l'honorable Raymond Fawcett était en charge de ce dossier.

Ils étaient allés à Roanoke et ils avaient repéré le tribunal fédéral, où ils avaient suivi deux heures de déposition. Nattie portait des lunettes et une casquette de base-ball, au cas où le juge aurait fini par s'ennuyer et aurait jeté un œil dans la salle d'audience. Le public était nombreux, et Ray n'avait pas une seule fois levé les yeux. Convaincus d'être sur quelque chose qui en valait la peine, les frères étaient retournés au bungalow. Ils étaient de nouveau entrés par la fenêtre du sous-sol, et ils avaient de nouveau cherché le coffre. Il devait être dans ce sous-sol, puisque c'était là que Nattie et le juge l'avaient laissé. Un mur était tapissé de rayonnages remplis d'épais recueils juridiques, et les frères s'étaient convaincus qu'il devait y avoir un logement dissimulé derrière. Ils avaient soigneusement retiré chaque ouvrage et examiné la paroi avant de tout remettre en place. Il leur avait fallu du temps, mais ils avaient fini par trouver un interrupteur qui actionnait une trappe. Une fois qu'elle avait basculé, le coffre était là, au niveau du sol, en attente d'être ouvert.

Cela s'était révélé impossible : il était équipé d'un pavé tactile qui requérait un code d'ouverture. Nattie et Gene avaient bricolé dessus un jour ou deux, sans succès. Ils avaient passé beaucoup de temps au bungalow, en veillant toujours à ne laisser aucune trace.

Un vendredi, Gene s'était rendu au tribunal de Roanoke, où il avait vérifié que se trouvait le juge. Il s'était attardé suffisamment longtemps, l'avait vu lever la séance pour le week-end, ou du moins jusqu'au lundi, 9 heures. Il l'avait suivi à son appartement et l'avait regardé charger dans son pick-up ce qui ressemblait à des sacs d'épicerie, une glacière, plusieurs bouteilles de vin, un sac de sport, deux serviettes bien ventrues et une pile de livres. Ray avait quitté son appartement, seul, et il avait roulé en direction de l'ouest. Gene avait appelé Nattie pour lui indiquer que Ray était en route.

Nattie avait rangé le bungalow, remis la fenêtre du sous-sol en place, balayé les empreintes de rangers dans la terre devant la véranda, et grimpé dans un arbre, à une cinquantaine de mètres de là. Une heure plus tard, le juge Fawcett arrivait, déchargeait son pick-up et s'accordait aussitôt une sieste dans le hamac de la véranda, sous les regards de Nattie et de Gene, qui surveillaient depuis l'épaisse forêt entourant le bungalow. Le lendemain, un samedi, le juge avait tiré son canoë vers le bord de l'eau, y avait placé deux cannes à pêche et des bouteilles d'eau, s'était allumé un cigare, court et noir, et avait poussé son embarcation sur le lac Higgins. Nattie l'avait observé à la jumelle, pendant que Gene démontait la fenêtre. La trappe était ouverte, le coffre visible, mais il était fermé et verrouillé. Pas de chance. Gene était vite ressorti du sous-sol, avait remis la fenêtre en place et battu en retraite au fond des bois.

Les deux frères étaient patients. Ray ignorait qu'on le surveillait, et s'il ajoutait chaque semaine un peu plus à son magot, rien ne pressait. Les deux vendredis suivants, Gene avait guetté les abords du tribunal, mais le juge avait travaillé tard. Un congé officiel approchait, et les frères avaient deviné que le magistrat risquait de partir pour un long week-end. Selon les journaux, le travail au banc des juges était ardu et l'objet de nombreuses controverses ; Raymond Fawcett était sous pression.

Gene et Nattie avaient vu juste : à 14 heures le vendredi, les audiences étaient ajournées jusqu'au mardi matin suivant, 9 heures. Ray avait chargé son pick-up et s'était dirigé vers le lac, seul.

Le bungalow était situé trop en profondeur dans les bois pour être doté de l'électricité ou du gaz ; par conséquent il n'y avait ni climatisation ni chauffage, excepté une grande cheminée. Les aliments et les boissons étaient conservés sur un lit de glace pilée, dans la glacière que Ray apportait et remportait. Quand il avait besoin de lumière, il actionnait un petit générateur au gaz, à l'extérieur, au niveau du sous-sol, et les échos de ce vrombissement sourd, étouffé, résonnaient dans la vallée. En règle générale, dès 21 heures, le magistrat dormait.

Le sous-sol se composait d'une pièce et d'un débarras, un espace peu profond fermé par une petite porte à deux battants. Ray y stockait des affaires apparemment oubliées – vêtements de chasse, bottes, un tas de vieux édredons et de couvertures. Gene avait imaginé y cacher Nattie, des heures si nécessaire, avec l'idée qu'à travers les fentes d'une des portes il serait en mesure de voir le juge ouvrir le coffre. Nattie, avec son mètre soixante et ses soixante-dix kilos, avait une longue habitude des planques dans toutes sortes de fissures et de crevasses, pourtant, il n'était guère emballé à l'idée de passer la nuit dans ce cagibi. Ils révisèrent donc leur plan.

Le vendredi précédant le Columbus Day, qui se fête le deuxième lundi d'octobre, le juge Fawcett arriva à son bungalow vers 18 heures, et il prit tout son temps pour décharger son pick-up. Nattie était là, recroquevillé dans le débarras du sous-sol, pratiquement invisible sous les vêtements de chasse, les couvertures et les édredons. Il avait un pistolet dans sa poche, au cas où cela tournerait mal. Gene surveillait depuis les arbres, également armé. Ils étaient à la fois à cran et surexcités.

Ray s'installa, alluma un cigare, et le bungalow entier fut assez vite imprégné d'une odeur capiteuse de tabac. Il prenait son temps, parlait tout seul, fredonnait la même chanson en boucle, puis il finit par descendre une grosse serviette au sous-sol. Nattie, qui respirait à peine, vit le magistrat retirer un manuel juridique d'un rayonnage, actionner l'interrupteur caché et tirer sur la trappe. Il tapa un code sur le pavé numérique pour ouvrir le coffre. Celui-ci était rempli de boîtes à cigares. Fawcett ressortit du réduit pour extraire une autre boîte à cigares de sa serviette. Il s'immobilisa une seconde avant d'en soulever le couvercle et d'en sortir un magnifique petit lingot d'or. Il l'admira, le caressa, puis le remit dans la boîte, qu'il déposa ensuite soigneusement à l'intérieur du coffre-fort. Une autre boîte de cigares suivit, puis il referma promptement la porte, composa le code et rabattit la trappe.

Le cœur de Nattie battait si violemment qu'il craignait de secouer tout le placard, et il s'exhorta au calme. En ressortant, remarquant le jour dans la porte du placard, le juge poussa dessus pour la remettre en place.

Vers 19 heures, il alluma un autre cigare, se servit un verre de vin blanc, et s'installa dans un rocking-chair sur la véranda pour regarder le soleil s'effacer derrière les montagnes. Après la tombée de la nuit, il brancha le générateur et s'affaira à l'intérieur jusqu'à 22 heures, quand il éteignit et se coucha. Une fois le bungalow plongé dans un silence paisible, Gene quitta les bois et il tapa à la porte. « Qui est-ce ? » demanda Ray, furieux. Gene répondit qu'il cherchait son chien. Ray ouvrit et ils se parlèrent à travers la moustiquaire. Gene lui raconta qu'il possédait un bungalow à environ deux kilomètres de là, sur l'autre rive du lac, et que son chien qu'il aimait tant, Yank, avait disparu. Ray, peu aimable, rétorqua qu'il n'avait pas vu de chien aux alentours. Gene le remercia et s'en alla.

De son côté Nattie, dès qu'il entendit cogner à la porte, puis la conversation au-dessus de sa tête, se faufila hors du cagibi et se glissa à l'extérieur. Il ne put bloquer le pêne dormant, et les deux frères imaginèrent le juge, perplexe, devant la porte qui n'était pas correctement fermée. À ce moment-là, ils seraient déjà loin. Le juge aurait beau chercher, il ne trouverait aucun signe d'effraction ; il constaterait que rien ne manquait et il finirait par oublier.

Naturellement, les frères, stupéfiés de ce qu'ils avaient découvert, échafaudèrent des plans pour dévaliser le coffre. Cela supposerait une altercation avec le juge, et sans doute de la violence, cependant ils étaient déterminés à aller de l'avant. Les deux week-ends suivants, le juge resta à Roanoke. Le troisième aussi.

Tout en continuant de surveiller le magistrat, Gene et Nattie, fauchés, retournèrent à leur commerce de méthadone. Avant de pouvoir mettre la main sur l'or du juge, ils furent arrêtés par des agents de la DEA. Gene fut tué, et Nattie se retrouva en prison.

Il attendit cinq ans avant de revenir maîtriser le juge Fawcett, de torturer Naomi Clary, de dévaliser le coffre et de les exécuter tous les deux.

— Et qui est ce Nattie, au juste ? demande Westlake.

Les six hommes me dévisagent.

— Il s'appelle Nathan Edward Cooley. Vous le trouverez dans la prison municipale de Montego Bay, en Jamaïque. Prenez votre temps, il n'ira nulle part.

— Serait-il aussi connu sous le nom de Nathaniel Coley, votre ami au faux passeport ?

— C'est lui. Il devrait en prendre pour vingt ans dans une geôle jamaïcaine, il risque donc de vous faciliter la tâche. Mon petit doigt me souffle que Nattie plaidera volontiers coupable afin d'obtenir une peine de perpétuité dans une prison américaine, sans libération anticipée, naturellement – n'importe quoi qui lui permette de sortir de Jamaïque. Proposezlui un marché, et vous n'aurez même pas à vous donner la peine de lui intenter un procès.

Il y a un long silence tandis qu'ils reprennent tous leur souffle. Finalement, Vic me pose une question :

— Y a-t-il une chose à laquelle vous n'auriez pas pensé ?

— Bien sûr. Mais je préfère ne pas vous en faire part.

43.

Mes talents de conteur les ont subjugués, et, pendant une heure, ils me bombardent de questions. Je leur réponds, laborieusement, puis je commence à me répéter, et cela m'irrite. Fournissez à un quarteron de juristes un luxe de détails éclairant une énigme qui leur a fait perdre le sommeil, et ils ne pourront s'empêcher de vous reposer la même question de cinq façons différentes. La piètre opinion que j'ai de Victor Westlake s'améliore tout de même un peu quand il déclare :

— C'est terminé. La réunion est finie. Je vais au bar.

Je suggère qu'on aille prendre un verre seul à seul, et nous retournons à notre table devant la piscine. Nous commandons des bières que nous engloutissons dès qu'elles arrivent.

— Rien d'autre ? me demande-t-il.

— Si, en fait, il y autre chose. De presque aussi énorme que le meurtre d'un juge fédéral.

— Vous n'en avez pas assez pour la journée ?

— Oh, si ! mais j'ai un dernier petit cadeau de départ.

— J'écoute.

Je bois encore une gorgée dont je savoure le goût.

— Si ma chronologie des événements est exacte, le juge Fawcett recevait de l'or pur en plein milieu du procès de l'uranium. Le plaignant était Armanna Mines, un consortium de sociétés détenant des actifs dans le monde entier. Toutefois, l'associé majoritaire est une entreprise canadienne dont le siège est à Calgary. Cette entreprise possède deux des plus grandes mines d'or d'Amérique du Nord. Les gisements d'uranium de la seule Virginie sont estimés à vingt milliards de dollars. Si un juge fédéral corrompu réclame quelques lingots d'or en échange d'une affaire de vingt milliards, pourquoi ne pas céder ? L'entreprise a offert à Fawcett son gros lot. Et lui, il leur a donné tout ce qu'ils voulaient.

— Quelle quantité d'or ? demande Westlake d'une voix feutrée, comme s'il voulait même éviter de se faire entendre de son micro caché.

— Nous ne le saurons jamais, même si je soupçonne Fawcett d'avoir reçu autour de dix millions en or. Il l'encaissait à intervalles réguliers. Vous avez déjà votre informateur à New York, mais nous ne saurons jamais si le juge n'en avait pas aussi échangé ailleurs, au marché noir. Et nous ne saurons jamais non plus combien d'argent liquide se trouvait dans le coffre quand Nathan a finalement mis la main dessus.

— Nathan nous le dira peut-être.

— En effet, mais n'y comptez pas trop. De toute manière, le décompte total, ce n'est pas le propos. Il s'agit de beaucoup d'argent ou, plutôt, de beaucoup d'or. Pour qu'il circule depuis chez Armanna Mines jusqu'au caveau obscur de l'honorable Raymond Fawcett, il a fallu que quelqu'un fasse office de coursier. Quelqu'un a organisé le marché et effectué les livraisons.

— L'un des avocats ?

— Probablement. Je suis certain qu'Armanna en emploie une dizaine.

— Un indice ?

— Pas le moindre. Néanmoins je suis convaincu qu'un crime a été commis contre la collectivité, avec de graves implications. La Cour suprême des États-Unis statuera sur l'affaire en octobre et, étant donné que la majorité des juges penche en faveur des entreprises, il est probable que le cadeau de Fawcett aux mines d'uranium sera validé. Ce serait une honte, n'est-ce pas, Vic ? Un arrêt d'un tribunal fédéral corrompu confirmé par la Cour suprême. Une énorme compagnie minière qui achète son passage en force, contre la loi, et qui reçoit carte blanche pour dévaster le patrimoine naturel du sud de la Virginie.

— Qu'est-ce que cela peut vous faire ? Vous n'y retournerez pas, du moins c'est ce que vous nous avez dit.

— Mes sentiments n'entrent pas en ligne de compte. Le FBI, lui, devrait s'y intéresser. Si vous lancez une enquête, ce projet industriel pourrait sérieusement dérailler.

— Alors maintenant vous conseillez le FBI sur la conduite de ses affaires ?

— Pas du tout. Cependant n'attendez pas de moi que je me taise. Avez-vous déjà entendu parler d'un journaliste d'investigation nommé Carson Bell ?

Westlake détourne le regard, ses épaules se voûtent.

— Non.

— *New York Times.* Il a couvert le procès de l'uranium et il a suivi les recours en appel. Moi, je pourrais être une source anonyme incroyable.

— Ne faites pas cela, Max.

— Vous ne pouvez pas m'en empêcher. Si vous n'enquêtez pas sur cette histoire, je suis sûr que M. Bell, lui, ne s'en privera pas. En première page et tout. Un scandale couvert par le FBI.

— Ne faites pas cela. S'il vous plaît. Accordez-nous un peu de temps.

— Vous avez trente jours. Si je n'ai aucune nouvelle de votre enquête, alors j'inviterai M. Bell à passer une semaine sur ma petite île.

Je vide mon verre, le pose brutalement sur la table et me lève.

— Merci pour la bière.

— Vous vous vengez, n'est-ce pas, Max ? Un dernier coup sur la tête du gouvernement.

— Qui vous dit que c'est le dernier ?

Je quitte l'hôtel et je descends la longue allée. Tout au bout, Vanessa fait son apparition au volant de la Coccinelle, et nous détalons sans demander notre reste. Dix minutes plus tard, nous nous garons devant le terminal privé, nous attrapons nos petits bagages et nous retrouvons l'équipage de Maritime Aviation au salon d'accueil. Nos passeports sont contrôlés, et nous pressons le pas vers le même Learjet 35 qui m'a amené à Antigua une semaine plus tôt.

— Tirons-nous d'ici, dis-je au capitaine dès que nous grimpons à bord.

Deux heures et demie plus tard, nous atterrissons à l'aéroport international de Miami alors que le soleil plonge derrière l'horizon. Le Learjet roule vers un bureau des douanes qui gère les entrées des ressortissants américains sur le territoire, puis nous attendons une heure un taxi. À l'intérieur du terminal principal, Vanessa achète un aller simple pour Richmond, via Atlanta, et nous nous embrassons avant de nous séparer. Je lui souhaite bonne chance, et elle fait de même. Je loue une voiture et je trouve un motel.

À 9 heures le lendemain matin, j'attends en face de la Palmetto Trust, et on déverrouille les portes devant moi. Mon bagage à main est muni de roulettes et je le tire dans la salle des coffres. En quelques minutes, je sors cinquante mille dollars en liquide et trois boîtes de cigares Lavos contenant au total quatre-vingt-un lingotins. En ressortant, je n'indique pas à la responsable que je ne reviendrai plus jamais. Le bail de location du coffre expirera dans un an, la banque refera simplement fabriquer une clef et le louera à quelqu'un d'autre.

Un peu englué dans la circulation du début de matinée, je finis par gagner l'Interstate 95, où je presse l'allure en direction du nord en veillant à ne pas me faire arrêter. Jacksonville est à six heures de route. Le réservoir est plein et je prévois de rouler sans un seul arrêt.

Au nord de Fort Lauderdale, Vanessa m'appelle pour m'annoncer la bonne nouvelle : elle a accompli sa mission. Elle a récupéré l'or caché dans son appartement, vidé les trois coffres des banques de Richmond, et se dirige déjà vers Washington, avec un coffre rempli de lingots.

Je suis de nouveau ralenti par des travaux sur la route aux abords de Palm Beach, ce qui contrecarre mes projets pour l'après-midi : à mon arrivée sur les plages de Jacksonville, les banques seront fermées. Je n'ai pas d'autre solution que de ralentir et de suivre la procession des véhicules. Il est plus de 18 heures quand j'arrive à Neptune Beach et, en souvenir d'un passé récent, je descends dans un motel où j'ai déjà dormi. On y accepte les paiements en liquide et je me gare près de ma chambre, au rez-de-chaussée. Je fais rouler mon bagage à l'intérieur et je m'endors avec sur mon lit. Vanessa me réveille à 10 heures. Elle est en sécurité dans l'appartement de Dee Ray, près d'Union Station. Quinn est là-bas, et ce sont de délicieuses retrouvailles. Pour cette phase de l'opération, Dee Ray a rompu avec sa petite amie, qui habitait chez lui, et elle a déménagé. À son avis, on ne peut pas se fier à elle. Elle n'est pas de la famille, et ce n'est sûrement pas la première fille qu'il largue. Je lui transmets ma requête – garder le champagne au frais pendant encore vingt-quatre heures.

Nous – Vanessa, Dee Ray et moi – sommes très réservés à l'idée d'associer à notre opération la femme de Quinn, avec laquelle il est brouillé. Le divorce semble probable et, au point où nous en sommes, il vaut mieux qu'elle ne sache rien.

Une fois encore, je me retrouve à devoir tuer un moment sur le parking d'une banque, la First Coast Trust. À l'ouverture des portes, j'entre avec toute la nonchalance possible en tirant un bagage vide et en faisant un peu de charme aux employées. Une journée ensoleillée comme une autre, en Floride. Seul à l'intérieur de la salle des coffres, dans un box privé, je retire deux boîtes de cigares Lavos et les place délicatement dans ma valise. Quelques minutes plus tard, je me rends en voiture, non loin, dans une agence de la Jacksonville Savings. Une fois que ce coffre-là est vidé, j'effectue une dernière halte dans une agence de la Wells Fargo à Atlantic Beach. À 10 heures, je suis de retour sur l'Interstate 95, en direction de Washington, avec deux cent soixante et une briquettes de métal précieux dans le coffre. Seules les cinq que j'ai vendues à Hassan ont disparu.

Il est presque minuit quand je pénètre dans le centre de Washington. J'effectue un petit détour par First Street en passant devant l'édifice de la Cour suprême et me demandant ce que sera l'issue finale de cette affaire tumultueuse : Armanna Mines contre le Commonwealth de Virginie. L'un des avocats, ou peut-être deux ou trois de ceux impliqués dans le dossier, a souillé le cabinet officiel d'un juge fédéral avec ses pots-de-vin répugnants – pots-de-vin qui sont dans le coffre de ma voiture. Quel périple ! Je suis presque tenté de me garer le long du trottoir, de sortir un lingot et de le balancer à travers l'une de ces fenêtres majestueuses.

La raison finit toutefois par l'emporter. Je contourne Union Station, suis les instructions du GPS en direction d'I Street, puis tourne au coin de Fifth Street. Quand je me gare devant l'immeuble, Quinn Rucker descend les marches d'un pas leste, avec le sourire le plus radieux que j'aie jamais vu. Notre étreinte est longue, gorgée d'émotion.

— Qu'est-ce qui t'a pris autant de temps ? me demande-t-il.

— Je suis venu aussi vite que j'ai pu.

— Je savais que tu viendrais, mon frère. Je n'ai jamais douté de toi.

— Et pourtant, des doutes, il y en a eu, et un paquet.

Nous sommes tous deux sidérés d'avoir réussi à nous en tirer, et, à cet instant, nous sommes submergés par ce que nous avons accompli. Nous nous étreignons de nouveau, nous congratulons sur notre minceur respective. Je lui explique que j'ai hâte de me nourrir à nouveau normalement. Il me dit qu'il est fatigué de jouer les maniaco-dépressifs.

— Je suis sûr que cela t'est venu naturellement, lui dis-je.

Il m'empoigne par les épaules, scrute mon nouveau visage.

— Tu serais presque mignon, maintenant.

Je n'ai jamais eu d'ami plus proche que Quinn Rucker. Les heures que nous avons consacrées, à Frostburg, à échafauder notre plan me font presque l'effet d'un rêve relégué dans un lointain passé. À l'époque, nous y avons cru parce qu'il n'y avait aucun autre motif d'espoir, pourtant, au fond, nous n'avions jamais sérieusement pensé qu'il fonctionnerait. Bras dessus bras dessous, nous entrons dans l'immeuble. J'enlace Vanessa, nous échangeons un baiser, puis je me présente de nouveau à Dee Ray. Je l'ai brièvement rencontré, il y a des années, en salle des visites, à Frostburg, quand il venait voir son frère, mais je n'étais pas sûr que je le reconnaîtrais si je l'avais croisé dans la rue. Peu importe ; nous sommes frères, nos liens ont été scellés par la confiance et par l'or.

La première bouteille de champagne est servie dans des flûtes Waterford – Dee Ray a des goûts de luxe ; nous les buvons d'un trait. Dee Ray et Quinn fourrent un pistolet dans leur poche, et nous descendons en vitesse décharger ma voiture. La fête qui suit paraîtrait peu vraisemblable, même dans un film de fiction.

Le champagne coulant à flots, nous empilons les cinq cent vingt-quatre lingots par rangées de dix au centre du petit salon, puis nous nous asseyons sur des coussins autour de notre trésor. Il est impossible de ne pas rester ébahi, et aucun de nous ne tente de réprimer son fou rire. Comme je suis avocat, et le chef officieux, j'entame la séance de partage en me livrant à quelques calculs simples. Nous avons devant nous cinq cent vingt-quatre lingots ; cinq ont été vendus au vendeur d'or syrien, à Miami, et quarante et un sont désormais en sûreté dans un coffre, à Antigua. Le total soustrait à notre cher ami Nathan était de cinq cent soixante-dix, pour une valeur approximative d'un peu moins de dix millions de dollars. En vertu de notre accord, Dee Ray reçoit cinquante-sept de ces petits lingots chatoyants : ces dix pour cent, il les a gagnés en avançant les espèces avec lesquelles Quinn s'est fait arrêter, en payant les honoraires de Dusty Shiver, en fournissant les quatre kilos de la cocaïne de Nathan, ainsi que le pistolet et l'hydrate de chloral qui m'a servi à l'endormir. Dee Ray est venu chercher Quinn quand il s'est échappé de Frostburg, et il a surveillé la libération de Nathan, pour que nous sachions précisément quand lancer la mécanique. Il a aussi versé le dépôt de vingt mille dollars au centre de désintoxication proche d'Akron où Quinn devait régler ses prétendus problèmes d'addiction à la cocaïne.

Dee Ray est également responsable du yacht. De plus en plus éméché, il me tend la liste détaillée de ses dépenses, y compris le yacht, qu'il arrondit à trois cent mille dollars. Nous partons d'une valeur de mille cinq cents dollars l'once, et lui accordons à l'unanimité dix-huit lingots supplémentaires. Personne n'est d'humeur à pinailler, et quand vous contemplez une fortune pareille, il est facile de se montrer généreux.

À un moment encore indéterminé, dans le futur, les quatre cent quatre-vingt-cinq lingots restants seront distribués à parts égales entre Quinn, Vanessa et moi. Cela n'a pas d'importance pour le moment – l'urgence, c'est de sortir le magot de ce pays. Cela prendra du temps de convertir lentement cet or en liquidités, mais nous ne nous inquiéterons de cela que beaucoup plus tard. Pour l'instant, nous nous contentons de passer ces heures-là à boire, à rire et à raconter chacun notre tour notre version des événements. Quand Vanessa revient sur l'épisode, chez Nathan, où elle s'est mise toute nue pour faire face à ses copains sur le pas de la porte, nous rions à en avoir mal au ventre. Quinn raconte l'entrevue avec Stanley Mumphrey au cours de laquelle il a laissé échapper le fait qu'il savait que Max Baldwin était sorti du programme de protection des témoins et qu'il avait quitté la Floride, et il imite la réaction du procureur, les yeux écarquillés, à cette nouvelle atterrante. Quand je décris mon second rendez-vous avec Hassan, où j'ai dû faire de mon mieux pour compter cent vingt-deux liasses de billets de cent dollars dans un café plein de monde, ils croient que je mens.

Ces récits se poursuivent jusqu'à 3 heures du matin, quand nous sommes trop ivres pour continuer. Dee Ray recouvre l'or d'un édredon et je propose de dormir dans le canapé.

44.

Quelques heures plus tard, nous revenons lentement à la vie. La gueule de bois et la fatigue sont compensées par l'excitation de la tâche qui nous attend. Pour un jeune homme comme Dee Ray, qui a vécu aux marges d'une petite organisation passée experte dans l'acheminement clandestin de substances illicites, le défi de l'acheminement de notre or est de la petite bière. D'après ce qu'il nous explique, nous sommes désormais des fanas de plongée sous-marine. Il a acheté une panoplie impressionnante qu'il a rangée dans de gros sacs marins en toile bien lourds ; marqués du logo officiel des U.S. Divers, ils sont tous fermés par une robuste fermeture Éclair et un petit cadenas. Dans l'appartement, nous nous affairons à sortir des masques, des tubas, des palmes, des détendeurs, des bonbonnes, des ceintures lestées, des gilets de stabilisation, des manomètres, des combinaisons, et même des fusils sous-marins, qui n'ont encore été jamais utilisés – dans un mois, tout cela se retrouvera sur eBay. Le matériel est remplacé par un assortiment de sacs étanches, tous remplis de lingots d'or. Le poids de chaque sac est contrôlé à plusieurs reprises ; ils sont massifs et lourds, mais ni plus ni moins que s'ils étaient remplis de matériel de plongée. En plus, Dee Ray a accumulé tout un assortiment de valises, les plus robustes possible et toutes à roulettes. Nous glissons de l'or dans des chaussures, dans des nécessaires de rasage, dans des trousses de maquillage, et même dans deux casiers pour la pêche en eau profonde. Quand nous y ajoutons quelques vêtements pour le voyage, nos bagages paraissent assez lourds pour couler un beau bateau. Le poids, c'est important, parce que nous ne voulons pas éveiller les soupçons. Plus important encore : la totalité des cinq cent vingt-quatre lingots est désormais emballée, sous clef, en sécurité, ou du moins l'espérons-nous.

Avant de partir, je jette un dernier coup d'œil à l'appartement. Il est jonché de matériel de plongée et de restes d'emballages. Sur la table de la cuisine, je vois des boîtes de cigares Lavos vides et j'en ai un pincement au cœur de nostalgie. Elles nous ont bien servi.

À 10 heures, un gros van arrive et nous chargeons les sacs de plongée et les bagages à l'intérieur. Il y a tout juste assez de place pour tous les quatre. Vanessa s'assied sur mes genoux. Un quart d'heure plus tard, nous nous arrêtons sur un parking à la Washington Marina. Les quais sont hérissés de pontons, et des centaines de bateaux de toutes formes se balancent doucement sur l'eau. Les plus gros sont tout au bout. Dee Ray pointe dans cette direction et indique au chauffeur où aller.

Le yacht est un navire racé, magnifique, une trentaine de mètres de long, trois ponts, d'un blanc éclatant, et il est baptisé le *Rumrunner*, ce qui me semble vaguement approprié. Huit passagers peuvent y coucher confortablement ; l'équipage compte dix hommes. Un mois plus tôt, Dee Ray l'a loué pour une rapide croisière aux Bermudes, et il connaît donc le capitaine et l'équipage. Il les appelle par leur nom. Deux porteurs nous aident avec les sacs de plongée. Ils doivent fournir un gros effort, mais, enfin, ils ont déjà eu affaire à de vrais plongeurs. Le steward récupère les passeports et les emportent sur la passerelle de commandement. Celui de Quinn est faux, et nous retenons notre souffle.

Il nous faut une heure pour inspecter nos cabines, nous repérer et nous installer pour la traversée. Dee Ray explique aux matelots que nous voulons garder les sacs de plongée avec nous car nous sommes très sourcilleux en ce qui concerne notre équipement. Ils les transbahutent de la cale de rangement jusque dans nos cabines. Quand les moteurs démarrent, nous nous changeons, enfilons un short et nous regroupons sur le pont inférieur. Le steward nous apporte la première bouteille de champagne et un plateau de crevettes. Nous sortons du port au moteur, à petite allure, et nous débouchons sur le Potomac. Nous attirons quelques regards depuis les bateaux que nous croisons. Peut-être est-il inhabituel de voir un yacht plein d'Afro-Américains. Il s'agit d'un passe-temps réservé aux Blancs, n'est-ce pas ?

Le steward revient avec nos quatre passeports, et il a envie de bavarder. Je lui explique que je viens d'acheter une maison à Antigua et que nous y allons pour une fête. Il finit par me demander ce que je fais dans la vie (en d'autres termes, d'où vient tout cet argent ?), et je lui réponds que je suis réalisateur. Une fois qu'il est parti, nous portons un toast à mon acteur préféré – Nathan Cooley. Bientôt, nous sommes dans l'Atlantique, et la côte s'estompe au loin.

Notre cabine est vaste, si l'on en juge au format standard, pourtant, avec quatre bagages et deux sacs de plongée, nous avons du mal à nous retourner. Le lit, en revanche, est une merveille. Vanessa et moi faisons l'amour avant de dormir deux heures.

Trois jours plus tard, nous glissons dans Jolly Harbour, à l'extrémité ouest d'Antigua. Sur cette île, la voile est une affaire sérieuse, et la baie est remplie de bateaux au mouillage. Nous les dépassons paisiblement, en ne laissant presque aucun sillage, et nous admirons la vue sur les montagnes qui nous entourent. Les grands yachts sont regroupés le long d'une des jetées, et notre capitaine manœuvre lentement le *Rumrunner* vers un ponton entre deux autres beaux navires, l'un à peu près de la taille du nôtre et l'autre bien plus grand. Dans ce moment fugace où nous vivons comme les riches, il nous est impossible de ne pas comparer la longueur des yachts. Nous contemplons le plus long et nous songeons : qui en est le propriétaire ? que fait-il ici ? d'où vient-il ? Notre équipage s'affaire en tous sens pour amarrer le bateau, et, une fois les moteurs éteints, le capitaine récupère de nouveau les passeports. Il s'éloigne d'une centaine de mètres à pied, vers un petit bâtiment des douanes, où il doit remplir un certain nombre de papiers.

Une semaine plus tôt, alors que je tuais le temps et que j'attendais l'arrivée de Vanessa à Antigua, j'étais allé flairer autour du quai de Jolly Harbour jusqu'à l'arrivée d'un yacht. J'avais observé le capitaine, qui s'était rendu au bâtiment des douanes, tout comme le nôtre à cette minute. Et, surtout, j'avais remarqué que personne, aux douanes, n'avait inspecté le bateau.

Le capitaine revient ; tout est en ordre. Nous sommes arrivés à Antigua avec l'or, et sans éveiller aucun soupçon. J'explique au steward que nous souhaitons monter l'équipement de plongée à ma villa, où il sera plus facile de le manipuler. Et, tant que nous y sommes, nous prenons aussi nos bagages. Nous nous servirons sans doute du yacht pour plonger autour des îles, et pour un long dîner ou deux, mais, pour ce premier jour, nous allons rester chez moi. Le steward n'y voit aucun inconvénient. En attendant l'arrivée des taxis, nous aidons les matelots à décharger nos sacs et nos bagages sur le quai. Cela représente un monceau d'affaires, mais qui soupçonnerait que nous cachons pour dix millions de dollars en or dans des bagages et du matériel de plongée ?

Vingt minutes plus tard, nous arrivons à la résidence de Sugar Cove. Une fois que tout est à l'intérieur, après une séance générale de tape-m'en-cinq, nous plongeons dans l'océan.

Un mot de l'auteur

Il s'agit bel et bien d'une œuvre de fiction, et plus encore que d'habitude. Rien ou presque du contenu de ces pages ne se fonde sur la réalité. Ici, l'exactitude n'était pas essentielle. De longs paragraphes narratifs m'ont permis d'éviter de trop m'attarder sur les faits. Il n'existe pas de camp de détention fédéral à Frostburg, pas de procès lié à l'uranium (ou pas encore), pas de juge mort qui m'ait inspiré, et pas de connaissances en prison complotant sa sortie, du moins pas que je sache.

Inévitablement, toutefois, les écrivains les plus paresseux ont besoin de trouver quelques fondements à leur création, et j'ai été parfois un peu démuni. Comme toujours, je me suis reposé sur d'autres. Merci à Rick Middleton et Cal Jaffe, du Southern Environmental Law Center. À Montego Bay, j'ai été aidé par le juge George C. Thomas et son équipe de jeunes juristes très compétents.

Merci également à David Zanca, John Zunka, Ben Aiken, Hayward Evans, Gaines Talbott, Gail Robinson, Ty Grisham, et Jack Gernert.

*Ce volume a été composé et mis en pages
par ÉTIANNE COMPOSITION
à Montrouge.*

Dépôt légal : avril 2013
N° d'édition : 52929/01
Imprimé au Canada.